C0-AKQ-745

Dan Millman

Der Pfad des friedvollen Kriegers

Dan Millman

Der Pfad des friedvollen Kriegers

Aus dem Amerikanischen von
Thomas Lindquist

Ansata-Verlag

Die Originalausgabe erschien unter dem Titel
«Way of the Peaceful Warrior. A Book that Changes Lives» bei H. J. Kramer Inc.,
P.O. Box 1082, Tiburon, California 94920, USA.

Verlagsgruppe Random House FSC-DEU-0100
Das für dieses Buch verwendete FSC-zertifizierte Papier EOS
liefert Salzer, St. Pölten.

Ansata Verlag
Ansata ist ein Verlag der Verlagsgruppe
Random House GmbH

ISBN-10: 3-7787-7095-0
ISBN-13: 978-3-7787-7095-5

20. Auflage 2006

Schutzumschlagmotiv: Robert Wicki
Schutzumschlaggestaltung: Ateet Frankl
Druck und Bindung: GGP Media GmbH, Pößneck

Inhalt

Dem allerhöchsten Friedenskrieger,
dessen leuchtender Abglanz Socrates ist,
der keinen und doch viele Namen hat
und der unser aller Ursprung ist.

Danksagung

Dank und Anerkennung möchte ich allen aussprechen, die unmittelbar oder indirekt zur Entstehung dieses Buches mitgeholfen haben. Danken möchte ich vielen Lehrern, Schülern und Freunden, die mir Geschichten aus der großen spirituellen Tradition erzählt haben und mir Inspiration schenkten. Mein besonderer Dank gilt Hal und Naomi vom Verlag H. J. Kramer, die alles taten, um einen möglichst weiten Leserkreis zu erreichen.

Ganz herzlich danken möchte ich auch meiner Frau Joy, die mir so viel Kraft gab, und meinen Eltern, Herman und Vivian Millman, die mir mit ihrer Liebe und ihrem Vertrauen den Mut schenkten, voranzugehen auf dem Weg.

Krieger, Krieger heißen wir,
für leuchtende Tugend kämpfen wir,
für hohes Streben, für erhabene Weisheit –
darum nennt man uns Krieger.

– Anguttara Nikaya –

Vorwort

Sonderbare Begebenheiten haben sich in meinem Leben zugetragen, und alles fing an im Dezember 1966, in meinem ersten Studienjahr an der University of California, in Berkeley. Und zwar eines Morgens, kurz nach drei, als ich Socrates zum erstenmal begegnete – an einer Tankstelle, die die ganze Nacht offen hatte. Seinen wirklichen Namen wollte er nicht verraten, aber nachdem wir in dieser Nacht eine Weile miteinander geredet hatten, taufte ich ihn auf den Namen des alten griechischen Weisen. Der Name gefiel ihm, und so blieb es dabei. Diese Zufallsbegegnung und die Abenteuer, die daraus folgten, haben mein Leben verändert.

Bis dahin, vor 1966, hatte das Leben mich immer nur angelächelt. Aufgewachsen war ich bei liebevollen Eltern, in einem geborgenen Zuhause. Später gewann ich in London die Weltmeisterschaft auf dem Trampolin, ich machte Reisen durch Europa und genoß manche Ehrungen. Das Leben schenkte mir reichen Lohn – aber keine Zufriedenheit, keinen inneren Frieden.

Heute weiß ich, daß ich all diese Jahre geschlafen hatte. Ich hatte nur geträumt, ich sei wach. Bis ich Socrates traf, meinen Freund und Lehrer. Vorher war ich immer der Meinung gewesen, ich hätte von Geburt ein Anrecht auf ein erfülltes Leben, reich an Freuden und an Erkenntnissen. Nie war es mir in den Sinn gekommen, daß ich erst *lernen* müßte, richtig zu leben; daß es bestimmte Fähigkeiten gab, und eine gewisse Art, die Welt zu sehen, die ich erst kennenlernen mußte, bevor ich erwachen konnte für ein einfaches, glückliches und unkompliziertes Leben.

Socrates lehrte mich, meine Irrwege zu erkennen, indem er mir *seinen* Weg zeigte – den Weg des Friedenskriegers.

Immer wieder konnte er mich auslachen, weil ich mir selbst so viele Sorgen und Probleme schuf – bis ich dann lernte, die Welt mit seinen Augen zu sehen, die voll Weisheit und Güte waren. Er ließ mir keine Ruhe, bis ich entdeckte, was es bedeutet, ein Leben als Krieger zu leben.

Oft saßen wir bis in die frühen Morgenstunden in seiner Tankstelle beisammen. Ich konnte ihm zuhören, mit ihm streiten und trotz allem mit ihm zusammen lachen. Dieses Buch beruht auf der Geschichte meines Abenteuers mit Socrates – aber es ist auch ein Roman. Der Mann, den ich hier Socrates nenne, hat wirklich gelebt. Aber seine Art, in meiner Welt in Erscheinung zu treten, war so vielfältig mit anderem verwoben, daß ich nicht immer sagen könnte, wo die Grenze liegt zwischen ihm und anderen Lehren und Erfahrungen.

Die Dialoge habe ich frei nacherzählt, manchmal habe ich die zeitliche Reihenfolge verändert. Und ich habe Gleichnisse und Geschichten eingestreut, um seine Lehren zu verdeutlichen, die ich – dies war Socrates' Wille – weitergeben sollte.

Unser Leben ist keine Privatsache. Eine Geschichte, die du erlebt hast, kann auch für andere hilfreich sein, aber nur, wenn du sie weitererzählst. Und so möchte ich meinen Lehrer ehren, indem ich dich teilhaben lasse an seinem tiefen Wissen und seinem Humor.

Die Tankstelle am Rainbow's End

«Jetzt fängt das Leben an», so dachte ich, als ich Mom und Dad «Goodbye» winkte und mich mit meiner alten Karre, Marke Valiant, in den Straßenverkehr stürzte. Hinten im Kofferraum und auf den Sitzen lagen die Siebensachen, die ich für mein erstes Collegejahr eingepackt hatte. Ich war gut aufgelegt, ich war frei und zu allem bereit.

Ich drehte das Radio auf, sang zur Musik und flog über die Autobahn nach Norden. Von Los Angeles ging es über die Grapevine und weiter über die Nationalstraße 99, vorbei an sattgrünen Feldern am Fuß der San Gabriel Mountains.

Es dämmerte schon, als ich die Serpentinen von den Oakland Hills hinunter rollte. Phantastisch, der Ausblick auf die Bucht von San Francisco. Immer aufgeregter wurde ich, je näher ich der Studentenstadt kam, dem Campus von Berkeley.

Mein Platz im Studentenheim war schnell gefunden. Ich packte meine Sachen aus, und dann stand ich staunend am Fenster und sah die Golden Gate und die funkelnden Lichter von San Francisco in der Ferne.

Zuerst aber hieß es, die nähere Umgebung erforschen. Fünf Minuten später schlenderte ich die Telegraph Avenue entlang, ich bestaunte die Schaufenster und schmeckte die herbe Luft Nordkaliforniens und all die verwirrenden Düfte, die aus kleinen Straßencafés herüberwehten. Ganz überwältigt wanderte ich bis Mitternacht hin und her auf romantischen Parkwegen des Uni-Campus.

Am nächsten Morgen, gleich nach dem Frühstück, schaute ich mir das Harmon-Gymnasium an, unser Sport-Institut, und die Turnhalle, wo ich von nun an trainieren würde. Jeden Tag in der Woche, sechs schweißtreibende, muskelzerrende, saltoschlagende Stunden lang! Mein Traum war, Weltmeister zu werden.

Schon am zweiten Tag fürchtete ich, in einer Flut von Studenten, Seminaren und Stundenplänen zu ertrinken. Aber ich schaffte es irgendwie. Und dann flossen die Monate dahin, im Wechsel der freundlichen Jahreszeiten in Kalifornien. Im Unterricht überlebte ich – in der Turnhalle aber *lebte* ich. «Du bist der geborene Akrobat», hatte ein Freund mal zu mir gesagt. Äußerlich – ja: schmal und drahtig, die dunklen Haare ordentlich kurzgeschnitten. Und für gewagte Kunststückchen hatte ich schon als Kind etwas übrig. Es machte mir Spaß, die Angst in mir wachzukitzeln. Die Turnhalle war meine Zuflucht, mein Zuhause. Hier fand ich Spannung, Herausforderung und auch eine gewisse Zufriedenheit.

Bevor mein zweites Studienjahr um war, flog ich nach Europa und vertrat den Kunstturner-Verband der USA bei internationalen Wettkämpfen. Ich wurde Weltmeister auf dem Trampolin. Meine Pokale und Trophäen stapelten sich in einer Ecke meines Zimmers. Mein Foto erschien regelmäßig in der Zeitung, und die Leute sprachen mich auf der Straße an. Auch Mädchen lachten mich an. Zum Beispiel Susie, die appetitliche, süße Freundin – mit ihrem kurzen blonden Haar und ihrem Zahnpasta-Reklamelächeln –, klopfte immer öfter an meine Tür. Sogar das Studium lief ziemlich glatt. Ich fühlte mich ganz obenauf.

Aber im Herbst 1966, im dritten Studienjahr, fiel ein geheimnisvoller dunkler Schatten auf mein Leben. Ich wohnte nicht mehr im Studentenheim, sondern allein in einer kleinen Studentenbude etwas abseits vom Haus meines Vermieters. Und ich litt zunehmend an einer Traurigkeit, die mich sogar inmitten all meiner Erfolge bedrückte.

Dann fing es an mit diesen Alpträumen. Schweißgebadet schrak ich fast jede Nacht mit einem Ruck aus dem Schlaf. Und fast immer war es derselbe Traum:

Ich wandere durch eine dunkle Straße. Hohe Häuser, ohne Fenster und Türen, ragen im düster wirbelnden Nebel empor.

Eine dürre Gestalt, schwarz vermummt, kommt mir entgegen. Ich spüre es mehr, als ich es sehe: ein grauenhaftes Gespenst, ein weißlich schimmernder Schädel mit schwarzen Augenhöhlen, die mich anstarren. Tödliches Schweigen. Ein weißer Knochenfinger deutet auf mich. Die Knochenhand krümmt sich zu einer Kralle, die mich heranwinkt. Ich fröstele.

Jetzt taucht ein weißhaariger Mann hinter dem Schreckgespenst auf. Sein Gesicht leuchtet friedlich, und es ist faltenlos glatt. Er geht mit lautlosen Schritten. Ich spüre, er ist meine einzige Hoffnung auf Rettung. Nur er hat die Macht, mich zu befreien, aber er sieht mich nicht. Und ich kann ihn nicht rufen.

Das schwarz verhüllte Totengerippe dreht sich um und geht auf den weißhaarigen Mann los. Er aber lacht ihm ins Gesicht. Ich stehe wie betäubt und kann nur zuschauen, wie der Tod den Mann zu packen versucht. Im nächsten Moment aber geht das Gespenst auf mich los. Doch der Mann packt es an seiner Kutte und schleudert es in die Luft.

Und plötzlich ist der Schnitter Tod verschwunden. Der Mann mit dem leuchtend weißen Haar sieht mich an und heißt mich mit ausgebreiteten Armen willkommen. Ich gehe zu ihm hin, ich gehe direkt in ihn hinein und verschmelze mit ihm. Als ich an mir hinunterschaue, sehe ich, daß ich eine schwarze Kutte anhabe. Ich hebe die Hände und sehe, daß es gebleichte weiße Knochen sind, zum Gebet gefaltet. Ich erwache – immer mit einem Schreckensschrei.

Eines Abends, es war Anfang Dezember, lag ich im Bett und lauschte dem Wind, der durch eine Fensterritze heulte. Ich konnte sowieso nicht schlafen, also stand ich auf, zog meine Levis-Jeans und die Daunenjacke an und lief in die Nacht hinaus. Es war kurz nach drei Uhr.

Ziellos marschierte ich drauflos und atmete in tiefen Zügen die kalte Nachtluft ein. Ich schaute zum sternklaren Himmel hinauf und horchte auf die wenigen Geräusche in den nächtlichen Straßen. Ich hatte Hunger bekommen in der Kälte, darum beschloß ich, mir an einer Nachttankstelle ein paar Kekse und einen Drink zu holen. So lief ich, die Hände tief in die Taschen meiner Jacke vergraben, über den schlafenden Campus, bis ich in der Ferne die

Lichter der Tankstelle sah: eine leuchtende Oase inmitten der toten Wüste von Stadtkneipen, Kinos und Kaufhäusern.

Als ich bei der Werkstatt neben der Tankstelle um die Ecke bog, stolperte ich beinah über einen Mann, der dort, mit dem Rücken zur Wand, im Schatten saß. Ich fuhr erschrocken zurück. Der Mann hatte eine rote Wollmütze auf, er trug graue Kordhosen, weiße Socken und offene Japan-Sandalen. Ich bezweifelte, ob seine leichte Windjacke ihm viel Schutz bot gegen die Kälte. Das Thermometer an der Wand zeigte knapp über null Grad!

Ohne aufzublicken, sagte er mit einer volltönenden, beinah singenden Stimme: «Tut mir leid, daß ich dich erschreckt habe.»

«Ach, schon gut. Hätten Sie vielleicht ein Soda, Pop?»

«Hier gibt es nur Fruchtsaft – und nenn mich nicht Pop!» sagte er. Und dann drehte er sich ganz zu mir um, lachte freundlich und nahm die Mütze ab. Er hatte volles weißes Haar – und er lachte!

Dieses Lachen! Wo hatte ich es schon mal gesehen? Ich starrte ihn fassungslos an. Ja – es war der alte Mann aus meinem Traum! Das weiße Haar, das klare, faltenlose Gesicht, ein großer, schlanker Mann von fünfzig, vielleicht sechzig Jahren.

Und wie er lachte. Trotz meiner Verwirrung fand ich irgendwie die Tür mit der Aufschrift ‹Büro›. Ich stieß sie auf, und mir war, als würde ich damit eine Tür zu neuen Dimensionen aufstoßen. Drinnen ließ ich mich zitternd auf ein altes Sofa fallen und fragte mich, woher dieses komische Gefühl kommen mochte? Was würde durch diese Tür in mein wohlgeordnetes Leben einbrechen?

Ich schaute mich um in diesem Büro. Welch ein Unterschied zum üblichen, sterilen Durcheinander einer normalen Tankstelle. Das Sofa, auf dem ich saß, war mit einer verschlissenen, aber in bunten Farben leuchtenden mexikanischen Decke bezogen. Links neben dem Eingang, auf einem Regal, säuberlich geordnet, allerlei Nützliches für den Autofahrer: Landkarten, Sicherungen, Sonnenbrillen und dergleichen. Hinter einem kleinen Schreibtisch aus dunklem Nußbaum ein Stuhl, mit braunem Kord gepolstert. Ein Wasserspender neben der Tür mit dem Schildchen ‹Privat›. Noch eine zweite Tür, die zur Werkstatt nebenan führte.

Auffallend war die freundliche Atmosphäre in diesem Raum. Der Fußboden war in seiner ganzen Breite mit einem hellgelben

Velourssteppich bespannt. Die Wände waren frisch gekalkt. Ein paar schöne Landschaftsbilder sorgten für farbliche Akzente. Die Lampen verbreiteten sanftes Licht – ein willkommener Gegensatz zum Neongeflimmer draußen. Der ganze Raum vermittelte einen Eindruck von Wärme, Geborgenheit und Ordnung.

Wie hätte ich wissen können, daß er für mich ein Ort ungeahnter Abenteuer sein würde? Ein Ort voller Schrecken, Magie und Romantik. Damals dachte ich: Was hier nur noch fehlt, ist ein gemütlicher Kamin!

Inzwischen hatte ich mich beruhigt. Mein Atem ging wieder gleichmäßiger, und meine Gedanken wirbelten nicht mehr so im Kopf herum. Die Ähnlichkeit dieses Mannes mit dem Mann aus meinem Traum war doch rein zufällig! Seufzend stand ich auf, zog den Reißverschluß meiner Jacke hoch und trat hinaus in die kühle Nacht.

Er saß noch immer dort. Im Vorbeigehen sah ich ihm ins Gesicht – und da sprang etwas wie ein elektrischer Funke aus seinen Augen auf mich über. Diese Augen! Solche Augen hatte ich noch bei keinem Menschen gesehen. Sie schwammen in glitzernden Tränen, schien mir. Aber dann sah ich in diesem Glitzern den Abglanz der Sterne. So tief nahm sein Blick mich auf, daß mir war, als sei der ganze Sternenhimmel nur ein Widerschein seiner leuchtenden Augen. Ich blieb unwillkürlich stehen und verlor mich in diesem Blick – dem fragenden, vertrauensvollen Blick eines Kindes.

Ich weiß nicht, wie lange ich dort so stand. Vielleicht nur Sekunden, vielleicht Minuten, vielleicht länger. Plötzlich besann ich mich, wo ich war. «Gute Nacht», murmelte ich verlegen und wandte mich hastig zur Straße.

Auf dem Bürgersteig blieb ich instinktiv stehen. Es war so ein komisches Kitzeln im Nacken. Ich wußte, er beobachtete mich. Vorsichtig spähte ich über die Schulter. Keine fünfzehn Sekunden waren vergangen – aber er *stand dort oben auf dem Dach!* Er hatte die Arme vor der Brust verschränkt und schaute zum Sternenhimmel hinauf.

Fassungslos starrte ich den leeren Stuhl an, wo er eben noch gesessen hatte. Ich schaute hinauf, wo er stand. Es war unmöglich! Hätte ich zugeschaut, wie jemand an einem von Mäusen gezogenen Riesenkürbis ein Rad wechselt – es hätte mich weniger überrascht.

Ungläubig schaute ich, in der lautlosen Nacht, zu der schlanken Gestalt hinauf. Auch aus der Ferne war er eine respektgebietende Erscheinung. Die Sterne über mir klingelten wie vom Wind bewegte Glöckchen. Irgendwann drehte er den Kopf und sah mir direkt in die Augen. Er stand zwanzig Meter von mir entfernt, und doch glaubte ich seinen Atem an meinem Gesicht zu spüren. Mich schauderte – aber nicht vor Kälte. Jene Pforte, die aus der Wirklichkeit in die Träume führt, sprang wieder auf.

Ich starrte und staunte. «Ja?» sagte er. «Kann ich was für dich tun?» – Prophetische Worte!

«Entschuldigen Sie, aber ...»

«Du bist entschuldigt», lachte er. Ich spürte, daß ich rot wurde. Allmählich fand ich die ganze Sache ärgerlich. Der Kerl spielte sein Spiel mit mir – aber ich kannte die Spielregeln nicht.

«Also, gut. Wie sind Sie da aufs Dach gekommen?»

«Aufs Dach gekommen?» fragte er mit Unschuldsmiene.

«Ja doch. Wie sind Sie von diesem Stuhl» – ich deutete hin – «auf dieses Dach gekommen? Und zwar in knapp zwanzig Sekunden? Eben saßen Sie noch da, an die Wand gelehnt. Ich dreh mich um – und schon haben Sie ...»

«Junge, ich weiß ganz gut, was ich getan habe. Du brauchst es mir nicht zu erzählen. Die Frage ist nur, weißt auch *du,* was du getan hast?»

«Sicher weiß ich, was ich getan habe!» Ich hatte allmählich genug. War ich denn ein kleines Kind, daß er mich schulmeistern durfte? Andererseits wollte ich unbedingt wissen, wie der Alte dies Kunststück bewerkstelligt hatte. Darum beherrschte ich mich und fragte höflich: «Verraten Sie mir bitte, Sir, wie sind Sie auf dieses Dach gekommen?»

Er blickte schweigend auf mich herunter, bis mir ganz mulmig wurde. Endlich antwortete er: «Mit einer Leiter. Dort hinten, an der Wand.» Er kümmerte sich nicht mehr um mich und betrachtete weiter die Sterne.

Ich lief schnell hinter die Werkstatt, und wirklich, da stand eine klapprige Leiter, schief an die Wand gelehnt. Doch die oberste Sprosse der Leiter war mindestens zwei Meter von der Dachkante entfernt. Und selbst *wenn* er sie benutzt hatte, was mir höchst zweifelhaft vorkam, blieb doch die Frage: Wie hatte er das in zwanzig Sekunden geschafft?

In der Dunkelheit landete etwas auf meiner Schulter. Ich wirbelte herum – und sah seine Hand. Irgendwie war er vom Dach heruntergekommen und hatte mich angesprungen. Nein, unmöglich! Es gab nur eine vernünftige Erklärung. Der Kerl mußte einen Zwillingsbruder haben. Anscheinend machten die beiden Alten sich einen Spaß daraus, harmlosen Passanten einen Schreck einzujagen.

«Schön, Mister, wo ist Ihr Zwillingsbruder? *Mich* können Sie nicht zum Narren halten.»

Er verzog das Gesicht und lachte schallend. Na, ich hatte doch recht gehabt; hatte ihn bei seinem Schwindel ertappt. Doch als ich seine Antwort hörte, war ich gleich etwas weniger siegesgewiß.

«Und *wenn* ich einen Zwillingsbruder hätte? Meinst du, ich wollte mit einem Narren – wie du sagst – meine Zeit vertrödeln?» Lachend verschwand er um die Ecke der Werkstatt. Mir klappte die Kinnlade herunter. So eine Frechheit! dachte ich. Ich konnte es nicht fassen.

Mit einem Sprung war ich bei ihm. Er ging unbekümmert in die Werkstatt und machte sich unter der Motorhaube eines zerbeulten grünen Ford-Lieferwagens zu schaffen. «Was?» schimpfte ich. «Ich bin ein Narr, sagen Sie?» Es klang streitlustiger, als ich wollte.

«Wir sind doch allesamt Narren», meinte er gutmütig. «Manche wissen es, und manche wissen es nicht. Du bist mir, so scheint's, einer von letzterer Sorte. Ach ja, gib mir mal den Schraubenschlüssel herüber.»

Ich gab ihm seinen verflixten Schraubenschlüssel und wollte gehen. Zuvor aber *mußte* ich es wissen: «Bitte, sagen Sie mir endlich, wie Sie in so kurzer Zeit auf das Dach gelangt sind? Es ist mir ein Rätsel.»

Er gab mir den Schraubenschlüssel zurück. «Die Welt ist ein Rätsel. Ist doch egal, ob wir sie verstehen.»

Er zeigte auf das Regal hinter mir. «Jetzt brauche ich den Hammer und den Schraubenzieher.»

Ziemlich sauer schaute ich ihm bei der Arbeit zu. Ich überlegte, wie ich ihn dazu bringen konnte, mir seinen Trick zu verraten. Er aber hatte mich anscheinend ganz vergessen.

Ich gab es auf und wandte mich zur Tür. Da hörte ich hinter mir seine Stimme: «Bleib da.» Es klang nicht wie eine Bitte, es klang nicht wie ein Befehl. Es war eine Feststellung. Ich schaute ihn an. Freundlich erwiderte er meinen Blick.

«Warum soll ich bleiben?» fragte ich.

«Ich könnte dir behilflich sein», meinte er wie nebenbei und schraubte mit geschickten Händen den Vergaser ab. Wie ein Chirurg bei einer Herztransplantation, dachte ich. Er stellte den Vergaser auf die Werkbank und sah mich aufmerksam an.

Trotzig starrte ich zu ihm hinüber.

«Hier», sagte er und drückte mir den Vergaser in die Hand. «Nimm das Ding auseinander. Die Teile kannst du zum Einweichen in den Kanister werfen. Das wird dich ablenken von unnützen Fragen.»

Meine Wut löste sich in Lachen. Der alte Mann mochte mich beleidigen – aber irgendwie war er auch interessant. Ich beschloß, mich von meiner versöhnlichen Seite zu zeigen.

«Ich heiße Dan», sagte ich mit einem unaufrichtigen Lächeln und hielt ihm die Hand hin. «Und du?»

Er drückte mir den Schraubenzieher in die ausgestreckte Hand. «Der Name tut nichts zur Sache. Meiner nicht, und deiner auch nicht. Das einzige, worauf es ankommt, ist, was hinter den Namen liegt, und hinter den Fragen. Ja, den Schraubenzieher wirst du brauchen, um den Vergaser auseinanderzunehmen.»

«Hinter den Fragen?» lachte ich. «Wie wär's zum Beispiel mit dieser: Wie bist du auf das Dach geflogen?»

«Ich bin nicht geflogen», sagte er mit einem Poker-Grinsen, «ich bin gesprungen. Mach dir keine falschen Hoffnungen, das hat nichts mit Zauberei zu tun. In deinem Fall aber könnte Zauberei nötig werden – um einen Esel in ein Menschenwesen zu verwandeln.»

«Wer bist du eigentlich, verdammt, daß du glaubst, so mit mir reden zu können?»

«Ich bin ein Krieger», fauchte er. «Und was ich sonst noch bin, hängt davon ab, was du in mir sehen möchtest.»

«Kannst du niemals eine klare Antwort auf eine klare Frage geben?» Wütend bearbeitete ich den Vergaser.

«Los, stell mir eine klare Frage, ich will's versuchen», sagte er mit Unschuldsmiene.

Mir glitt der Schraubenzieher aus, und ich schnitt mich in den Finger. «Au, verdammt!» schrie ich und lief zum Waschbekken, um die Wunde auszuspülen. Socrates hielt mir ein Pflaster hin.

«Also gut», sagte ich resigniert. «Hier ist eine klare Frage: Wie glaubst du, könntest du mir behilflich sein?»

«Ich bin dir schon behilflich gewesen», sagte er und deutete auf das Pflaster an meinem Finger.

Ich hatte genug. «Tut mir leid», sagte ich. «Ich kann nicht meine ganze Zeit bei dir vertrödeln. Ich brauche meinen Schlaf!»

Ich schob den Vergaser beiseite und wandte mich zur Tür.

«Woher weißt du, daß du nicht schon dein ganzes Leben verschlafen hast? Woher weißt du, daß du nicht auch jetzt schläfst, in diesem Moment?» Er sprach mit seltsamem Nachdruck in der Stimme.

«Ach, ist mir egal», sagte ich. Ich war zu müde, um mich mit ihm zu streiten. «Nur eines will ich wissen, bevor ich gehe. Verrätst du mir, wie du dieses Kunststück fertiggebracht hast?»

Ganz freundlich auf einmal, kam er herüber, nahm meine Hand und sagte: «Morgen, Dan, morgen.» Er lächelte warm. Meine Unsicherheit und meine Wut waren wie weggewischt. Ich spürte ein heißes Prickeln in der Hand, auch im Arm und am ganzen Körper. «Hat mich gefreut, dich wiederzusehen», fügte er noch hinzu.

«Halt – was sagst du da? Du hättest mich *wieder*gesehen?» platzte ich heraus. Aber ich besann mich. «Gut, ich weiß schon, morgen. Also bis morgen.» Wir mußten beide lachen.

Schon in der Tür, schaute ich mich noch einmal um und sagte: «Good bye, *Socrates*!»

Er blickte verwundert auf, dann zuckte er die Schultern. Anscheinend gefiel ihm der Name. Ich sagte nichts mehr und ging.

Die Acht-Uhr-Vorlesung am nächsten Morgen verschlief ich.

Aber beim Training am Nachmittag, in der Halle, war ich wieder hellwach.

Zum Aufwärmen jagte uns Hal, unser Trainer, die Tribünen hinauf und hinunter, und dann lagen Rick und Sid und ich und die anderen Kameraden aus unserer Mannschaft schwitzend und schnaufend auf der Bodenmatte und dehnten unsere Bein-, Schulter- und Rückenmuskeln. Sonst war ich immer ziemlich schweigsam bei diesem täglichen Ritual, aber jetzt brannte ich darauf, mein seltsames Abenteuer loszuwerden: «Gestern abend hab ich einen merkwürdigen Typ getroffen, an einer Tankstelle ...»

Mehr brachte ich nicht heraus. Meine Freunde interessierten sich auch anscheinend mehr für ihren Muskelkater als für meine Stories.

Noch mal ein kurzes Aufwärmtraining – Handstand, Rumpfbeugen, Beinegrätschen – und dann ging es an die Geräte. Wenn ich in hohem Sprung über den Bock flog, wenn ich bei der Riesenwelle um die Reckstange rotierte, wenn ich mich am Barren in den Handstand drückte oder eine neue, muskelzerrende Übung an den Ringen probte – immer wieder konnte ich nur staunen über das Bravourstück jenes geheimnisvollen Alten, den ich ‹Socrates› getauft hatte. Er war mir unheimlich, aber andererseits mußte ich mir Klarheit verschaffen über den rätselhaften Mann!

Ich schlang mein Abendessen hinunter, überflog noch schnell ein paar Seiten Geschichte und Psychologie, schrieb einen flüchtigen Entwurf für einen Englisch-Aufsatz und schlug die Wohnungstür hinter mir zu. Es war mittlerweile elf Uhr abends – und da war auch schon die Tankstelle. Aber jetzt kamen mir Zweifel. Ob er mich wirklich sehen wollte? Und wie konnte ich ihn überzeugen, daß ich kein Esel war und kein Narr, sondern ein ziemlich intelligenter Mensch?

Jetzt hatte er mich gesehen. Er hielt mir die Tür auf und winkte mich in sein Büro. «Aber, sei so gut und zieh die Schuhe aus – eine alte Gewohnheit von mir.»

Ich setzte mich auf das Sofa und stellte die Schuhe griffbereit neben mich, für den Fall, daß ein hastiger Rückzug notwendig werden würde. Ich traute dem geheimnisvollen Fremden noch nicht ganz.

Draußen fing es an zu regnen. Die Wärme, die bunten Farben hier im Büro, all dies war ein freundlicher Gegensatz zu der dunklen, wolkenverhangenen Nacht dort draußen. Meine Angst war verschwunden. Ich machte es mir auf dem Sofa bequem und sagte: «Mir scheint, Socrates, als hätte ich dich schon mal gesehen.»

«Ja, das hast du», sagte er.

Und wieder sprang diese Tür in meinem Inneren auf, wo Traum und Wirklichkeit in eins verschmelzen.

«Jetzt weiß ich es, Socrates!» rief ich. «Ich hatte immer wieder einen Traum, und du kamst darin vor.»

Ich schaute gespannt zu ihm hinüber, aber sein Gesicht verriet keine Regung.

«Weißt du, ich komme in den Träumen vieler Menschen vor. Du übrigens auch. Also gut, erzähle mir deinen Traum.»

Sein freundliches Lächeln machte mir Mut.

Und so erzählte ich ihm von meinem Alptraum – mit allen Einzelheiten, an die ich mich erinnern konnte. Und als ich erzählte, als die Schreckensbilder wieder lebendig wurden, da wurde es dunkel um mich her, und die vertraute Welt versank.

Als ich fertig war, meinte er nur: «Ja, Dan, das ist ein guter Traum.» Ich hätte gerne gewußt, was er damit meinte, aber die Tankstellenglocke läutete, und draußen wartete ein Kunde auf Benzin.

Socrates zog seinen Regenponcho an und ging hinaus. Ich stand am Fenster und schaute ihm zu. Es war viel Betrieb an diesem Abend – kein Wunder, am Freitagabend! Die Autos rasten die Straße entlang, ein Kunde nach dem anderen kam zum Tanken. Ich wollte nicht untätig herumsitzen, darum ging ich hinaus, um ihm bei der Arbeit zu helfen. Er schien mich aber nicht zu bemerken.

Eine endlose Autoschlange begrüßte mich: Kabrios und Limousinen, zweifarbige, rote und grüne, Lastwagen und teure Sportwagen aus Europa. Die Fahrer waren so verschieden wie ihre Autos. Kaum einer schien Socrates zu kennen, aber viele drehten sich nach ihm um, als ob sie etwas Besonderes an ihm bemerkten, auffällig, aber unerklärlich.

Etliche waren in Party-Stimmung. Sie ließen ihr Radio dröhnen, während wir sie bedienten. Socrates störte das alles nicht. Er lachte und plauderte mit den Leuten. Andere waren schlechter Laune und gaben sich besondere Mühe, unfreundlich zu sein. Aber jeden behandelte er mit derselben Höflichkeit, als ob er sein persönlicher Gast wäre.

Nach Mitternacht wurde es ruhiger, und nur hin und wieder kam noch ein Kunde vorgefahren. Die kühle Nacht schien unnatürlich still, nach dieser Hektik und dem Lärm. Als wir ins Büro zurückgingen, dankte Socrates mir für meine Hilfe.

«Ach, gern geschehen», wehrte ich ab, aber es freute mich doch, daß er es bemerkt hatte. Es war lange her, seit ich jemandem geholfen hatte.

Zurück in dem freundlichen, warmen Raum, kamen auch meine Zweifel wieder. «Socrates, ich hätte ein paar Fragen.»

Er hob stumm die Hände, wie zum Gebet gefaltet, und schickte einen flehenden Blick zur Decke, als hoffte er auf göttlichen Beistand – oder göttliche Geduld.

«Was für Fragen?» seufzte er.

«Also», fing ich an, «erst mal möchte ich wissen, wie du auf dieses Dach gesprungen bist. Und wieso hast du gesagt, du freutest dich, mich *wieder*zusehen? Außerdem möchte ich wissen, was ich für dich tun kann? Und wieso kannst du mir behilflich sein? Vor allem möchte ich wissen: Wie alt bist du?»

«Viele Fragen auf einmal», lachte er. «Aber fangen wir mit der leichtesten an. Ich bin sechsundneunzig – nach deiner Zeitrechnung.»

Unsinn! dachte ich. Er konnte niemals sechsundneunzig Jahre alt sein. Vielleicht sechsundfünfzig, höchstens sechsundsechzig. Sechsundsiebzig? Möglich, aber sehr unwahrscheinlich. Aber sechsundneunzig? Er schwindelte mich an! Aber warum sollte er schwindeln?

Und er hatte schon wieder solch eine rätselhafte Bemerkung gemacht; es ließ mir keine Ruhe.

«Wie hast du das gemeint, Socrates – nach meiner Zeitrechnung? Lebst du vielleicht, hier an der Westküste, nach der New Yorker Normalzeit?» witzelte ich. «Oder kommst du vielleicht gar aus dem Weltraum?»

«Kommen wir nicht alle von dort?» antwortete er ganz ernsthaft. Inzwischen war ich so weit, daß mich nichts mehr wunderte.

«Du hast mir noch immer nicht gesagt, wie wir uns gegenseitig behilflich sein können.»

«Sehr einfach», sagte er. «Ich hätte ganz gerne noch ein letztes Mal einen Schüler. Und du – das sieht doch jeder – brauchst dringend einen Lehrer.»

«Oh, Lehrer habe ich genug», protestierte ich, ein wenig vorschnell.

«Wirklich?» er sah mich an. «Aber ob du den richtigen Lehrer hast, oder nicht, das hängt davon ab, was du lernen willst.»

Er stand auf und ging zur Tür. «Komm. Ich will dir etwas zeigen.»

Wir gingen hinüber zur Straßenecke, wo wir das menschenleere Geschäftsviertel sahen, und dahinter den Glanz der Lichter von San Francisco.

«Die ganze Welt», sagte er, mit einer Handbewegung den Horizont umfassend, «ist eine Schule, Dan. Das Leben ist der einzige wirkliche Lehrer. Es bietet uns so viele Erfahrungen! Und wenn es nur auf die Erfahrung ankäme, um den Menschen Weisheit und Glück zu schenken, dann müßte jeder alte Mensch ein erleuchteter Meister sein, weise und glücklich.

Aber die Lehren, die wir aus der Erfahrung ziehen könnten, sind meistens versteckt. *Ich* kann dir helfen, die Welt klarer zu sehen und sie zu erfahren. Klarheit – das ist's, was du dringend brauchst. Dein Gefühl sagt dir, daß es sich so verhält. Dein Verstand aber lehnt sich auf dagegen. Gewiß, du hast manches erfahren, aber du hast wenig daraus gelernt.»

«Ich weiß nicht recht, Socrates. Ich möchte nicht so weit gehen, dies zu behaupten.»

«Nein, Dan. Du weißt es noch nicht, aber du wirst es wissen. Du wirst so weit gehen, und viel weiter. Das verspreche ich dir.»

Wir standen vor der Tür zum Büro, als ein roter Toyota mit Schwung in die Tankstelle einbog. Socrates schraubte den Tankdeckel auf, ohne seine Erklärung zu unterbrechen: «Wie die meisten Menschen, Dan, hast du gelernt, Informationen aus zweiter Hand zu sammeln, aus Zeitschriften, Büchern und von Experten.» Er schob das Ventil in den Stutzen. «Wie dieses Auto machst du einfach deinen Tank auf und läßt Informationen in dich hineinfließen. Manchmal sind diese Informationen ‹Super›, manchmal sind sie nur ‹Normal›. Du kaufst dir dein Wissen zum Tagespreis, nicht anders als dieses Benzin.»

«Vielen Dank, ja! Du erinnerst mich: Übermorgen sind meine Studiengebühren fällig.»

Socrates nickte und ließ unbeirrt das Benzin strömen. Der Tank wurde voll, und Socrates zapfte weiter Benzin, bis es aus dem Stutzen schwappte und eine Pfütze den Bürgersteig überschwemmte.

«Socrates! Der Tank ist voll. Paß doch auf!»

Ohne mich zu beachten, ließ er das Benzin weitersprudeln. «Siehst du, Dan, wie dieser Tank fließt du über vor lauter Informationen und Vorurteilen. Nichts als unnützes Wissen! Du glaubst alle möglichen Fakten – aber *wissen* tust du nichts. Bevor du etwas lernen kannst, mußt du deinen Tank ausleeren.» Er zwinkerte mir zu und stellte mit einem ‹Klick› das Benzin ab. «Ach ja, kannst du die Überschwemmung beseitigen?» Und ich hatte das unbestimmte Gefühl, als meinte er nicht nur das Benzin.

Ich machte also das Pflaster sauber, und Socrates nahm den Geldschein des Fahrers und gab ihm das Wechselgeld heraus, alles mit dem freundlichsten Lächeln. Dann gingen wir wieder ins Büro und setzten uns. Socrates erzählte mir eine Geschichte:

Ein Professor wanderte weit in die Berge, um einen berühmten Zen-Mönch zu besuchen. Als der Professor ihn gefunden hatte, stellte er sich höflich vor, nannte alle seine akademischen Titel und bat um Belehrung.

«Möchten Sie Tee?» fragte der Mönch.

«Ja, gern», sagte der Professor.

Der alte Mönch schenkte Tee ein. Die Tasse war voll, aber der Mönch schenkte weiter ein, bis der Tee überfloß und über den Tisch auf den Boden tropfte.

«Genug!» rief der Professor. «Sehen Sie nicht, daß die Tasse schon voll ist? Es geht nichts mehr hinein.»

Der Mönch antwortete: «Genau wie diese Tasse sind auch Sie voll von Ihrem Wissen und Ihren Vorurteilen. Um Neues zu lernen, müssen Sie erst Ihre Tasse leeren.»

Socrates grinste und fragte mich: «Möchtest du Tee?»

Ich lachte: «Ich will's riskieren.»

Während Socrates den Teekessel mit Quellwasser aus dem Wasserspender füllte, erklärte er: «Auch du, Dan, bist voll von unnützem Wissen. Du schleppst viele Informationen über die äußere Welt mit dir herum. Über dich selbst aber weißt du wenig.»

«Was hast du vor mit mir? Willst du mich vielleicht mit *deinen* Informationen füllen?» protestierte ich.

«Nein, nein, ich will dich nicht mit neuen Informationen vollstopfen. Ich will dir das ‹Körper-Wissen› zeigen. Alles, was du wissen mußt, steckt in dir. Alle Geheimnisse des Universums sind in deinen Körperzellen enthalten. Aber du hast den Blick nach innen noch nicht gelernt. Du kannst nicht in deinem Körper lesen. Bisher hast du nur Bücher gelesen und deinen Professoren gelauscht – und gehofft, sie möchten recht haben. Aber wenn du das ‹Körper-Wissen› gelernt hast, wirst du ein Lehrer unter den Lehrern sein.»

Ich gab mir Mühe, nicht spöttisch zu grinsen. Dieser alte Tankwart wollte behaupten, daß meine Professoren unwissend seien, und meine Collegebildung nutzlos!

«Klar, Socrates, ich verstehe. Aber diese Idee, von deinem Körperwissen, die kaufe ich dir nicht ab.»

Er schüttelte den Kopf. «Dan, du magst dies und das verstehen – aber erkannt hast du nichts.»

«Sag mal, was soll das wieder heißen?»

«Verstehen, weißt du, ist eindimensional. Es ist ein Begreifen mit dem Intellekt. Das Ergebnis ist ein Wissen, wie du es hast. Erkennen dagegen ist dreidimensional. Es ist ein Begreifen mit dem ganzen Körper – mit Kopf, Herz und Instinkten zugleich. Die Voraussetzung dafür ist eine klare Erfahrung.»

«Socrates, ich kann dir nicht folgen.»

«Weißt du noch, wie es war, als du Autofahren lerntest? Vorher hast du immer auf dem Beifahrersitz gesessen. Da hast du vielleicht *verstanden,* wie das Autofahren geht. Aber *erkannt* hast du's erst, als du selber zum erstenmal den Wagen steuern durftest.»

«Ja, richtig!» rief ich. «Ich kann mich genau an das Gefühl erinnern: ‹Aha, so geht das›.»

«Genau. Dieses *Aha* ist die beste Beschreibung für das, was

Erkenntnis ist. Eines Tages wirst du auch zum Leben ‹Aha› sagen.»

Ich war sprachlos, aber ich gab mich nicht geschlagen: «Du hast noch immer nicht verraten, was Körperwissen ist.»

«Komm», sagte er und führte mich zu der Tür mit dem Schildchen ‹Privat›. Wir traten ein, und drinnen war es stockfinster. Ich erstarrte vor Schreck, aber andererseits war ich doch neugierig. Ich sollte mein erstes echtes Geheimnis erfahren: Körperwissen!

Das Licht ging an – und wir standen in der Toilette. Socrates pinkelte geräuschvoll in die Schüssel. «Das», verkündete er stolz, «ist Körperwissen.» Sein Gelächter schallte durch den gekachelten Raum, während ich hinausrannte, mich auf das Sofa fallenließ und auf den Teppich starrte.

Bis er wiederkam, hatte ich mich ein wenig beruhigt. «Socrates, ich möchte immer noch wissen ...»

«Also, hör mal zu», sagte er. «Wenn du mich unbedingt Socrates nennen willst, mußt du auch einverstanden sein, daß *ich* hier die Fragen stelle – genau wie der alte Grieche. Und *du* kannst antworten – ist das klar?»

«Ja, klar, weiser Mann», lachte ich. «Also schön, *das* war deine Frage, und ich habe geantwortet. Jetzt bin ich wieder an der Reihe. Wie war das eigentlich, diese Luftakrobatik gestern abend?»

«Du bist hartnäckig, nicht wahr?»

«Ja, das bin ich. Ohne Hartnäckigkeit stünde ich nicht da, wo ich heute stehe. Übrigens, mein Lieber – das war schon wieder 'ne Frage von dir. Und ich habe klar geantwortet! Darf ich dich jetzt etwas fragen?»

Ohne mich zu beachten, fragte er: «Nun, wo stehst du denn heute? Wo bist du jetzt – in diesem Augenblick?»

Das war mein Stichwort. Ich fing an und erzählte ihm lang und breit von meinen Problemen. Ich merkte zwar, daß er es schon wieder geschafft hatte, meinen Fragen auszuweichen. Aber ich war froh, mich einmal über meine Hoffnungen und Ängste aussprechen zu können – und über meine unerklärlichen Depressionen. Er hörte mir geduldig zu, als hätte er alle Zeit dieser Welt gepachtet. Erst Stunden später schwieg ich erschöpft.

«Schön und gut», sagte er, «aber du hast noch immer nicht auf meine Frage geantwortet. Wo bist du?»

«Sicher hab ich dir geantwortet – hast du's vergessen? Ich habe dir ganz genau erzählt, *wie* ich dorthin gekommen bin, wo ich heute bin – durch harte Arbeit!»

«Wo bist du?»

«Wie meinst du das? Wo soll ich sein?»

«Wo *bist* du?» wiederholte er leise und eindringlich.

«Ich bin hier.»

«Wo ist hier?»

«In diesem Büro in dieser Tankstelle!» Ich hatte allmählich genug von diesem Spiel!

«Wo ist diese Tankstelle?»

«In Berkeley.»

«Wo ist Berkeley?»

«In Kalifornien.»

«Wo ist Kalifornien?»

«In den Vereinigten Staaten.»

«Wo sind die Vereinigten Staaten?»

«Auf einem Erdteil, auf einem Kontinent der westlichen Hemisphäre. Socrates, ich ...»

«Wo sind die Kontinente?»

Ich seufzte geduldig. «Auf der Erde. Bist du *noch* nicht fertig?»

«Wo ist die Erde?»

«Im Sonnensystem, drittnächster Planet von der Sonne. Die Sonne ist ein kleiner Stern in der Galaxie namens Milchstraße. Zufrieden?»

«Wo ist die Milchstraße?»

«Oh, hör auf, Mann!» stöhnte ich und verdrehte die Augen. «Im Universum.» Ich hatte endgültig genug von dem Spiel.

«Und wo», grinste Socrates, «ist das Universum?»

«Hm, das Universum ist ...» Ich überlegte. «Da gibt es verschiedene Theorien, wie es entstanden ist.»

«Ich habe dich nicht gefragt, wie es entstanden ist, sondern *wo* es ist?»

«Ich ... ich weiß nicht. Woher soll ich das wissen?»

«Ja, das ist der springende Punkt. Du kannst es nicht wissen, und du wirst es niemals wissen. Das zu wissen, ist unmöglich. Du weißt also nicht, wo das Universum ist, und folglich weißt du nicht, wo du bist. Tatsache ist, du kannst überhaupt nicht wissen *wo* irgend etwas ist. Du kannst auch nicht wissen, *wie* etwas ist oder wie es entstanden ist. Alles ist ein Rätsel.»

Socrates besann sich einen Moment. «*Meine* Unwissenheit beruht auf dieser Erkenntnis. *Deine* Erkenntnisse beruhen auf Unwissenheit. Ich bin ein spaßiger Narr. Du bist ein ernsthafter Esel!»

«He, paß auf», protestierte ich. «Du weißt anscheinend nicht, wer ich bin. Auf meine Art bin ich auch so etwas wie ein Krieger. Ich bin ein verdammt guter Turner.» Um meine Worte zu unterstreichen, sprang ich auf und machte aus dem Stand einen Salto rückwärts, mit federnder Landung auf dem Teppich.

»Oh», sagte Socrates. «Prima! Mach das nochmal!»

«Ach, das ist keine Kunst. Eher 'ne Kleinigkeit für mich, Socrates.» Ich bemühte mich, nicht allzu herablassend zu klingen. Aber ein gönnerhaftes Lächeln konnte ich mir doch nicht verkneifen. Solche Kunststückchen führte ich manchmal den Kindern im Park vor. Auch sie riefen dann immer: «Mach das nochmal!»

«Also gut, Soc, paß auf!» Ich schnellte hoch und wollte gerade rückwärts abkippen, als etwas – oder jemand – mir einen Stoß versetzte. Mit einer schiefen Bauchlandung plumpste ich auf das Sofa. Die mexikanische Decke flog hoch und hüllte mich ein. Beschämt streckte ich meinen Kopf unter der Decke hervor und sah mich nach Socrates um, er saß seelenruhig auf seinem Stuhl hinter dem Schreibtisch und lächelte spöttisch.

«Wie hast du das gemacht?» Ich war verdattert.

«Wie hat dir die kleine Luftreise gefallen?» lachte er unschuldig. «Machst du's nochmal?» Aber nach einem Weilchen fügte er tröstlich hinzu: «Nimm's nicht so tragisch, Dan. Auch ein gewaltiger Krieger wie du kann mal eine Eselei anstellen.»

Verwirrt stand ich auf und strich die Decke auf dem Sofa glatt. Ich mußte irgend etwas mit den Händen machen. Ich brauchte Zeit, um meine Gedanken zu sammeln. Was hatte Socrates mit mir gemacht? Schon wieder so eine Frage, auf die ich keine Antwort bekommen würde.

Soc war inzwischen hinausgegangen, um einen hoch mit Gerümpel beladenen Lastwagen aufzutanken. «Da geht er, dieser wunderliche Heilige, um irgendwelchen Verirrten Mut zu machen!» dachte ich. Wieso konnte Socrates sich über die Naturgesetze hinwegsetzen? Es ging über meinen normalen Menschenverstand.

«Bist du noch immer neugierig auf Geheimnisse?» Ich hatte ihn nicht hereinkommen hören. Da saß er wieder in seinem Stuhl, bequem die Beine übereinander geschlagen.

Gespannt beugte ich mich vor, aber ich hatte nicht mit den ausgeleierten Polstern des alten Sofas gerechnet. Bautz! kippte ich vor und landete auf dem Teppich.

Socrates krümmte sich vor Lachen. Ich sammelte belämmert meine Knochen auf und setzte mich kerzengerade hin. Vielleicht war es mein todernstes Gesicht, jedenfalls schaute Soc mich an und bekam wieder einen Lachanfall. Ich war mehr an Beifall gewöhnt als an Spott, und so sprang ich beleidigt auf und wollte gehen.

Socrates wurde plötzlich ernst; sein Gesicht und seine Stimme waren ehrfurchtgebietend.

«Setz dich hin!» befahl er und deutete auf das Sofa. Ich setzte mich. «Ich habe dich gefragt, ob du ein Geheimnis wissen willst.»

«Ja – wie man auf Hausdächer springt.»

«Hör mal gut zu, mein Freund», sagte er. «*Du* kannst entscheiden, ob du ein Geheimnis wissen willst. Laß *mich* entscheiden, welches ich dir erzähle.»

«Warum sollen wir immer nach deinen Spielregeln spielen?»

«Weil es meine Tankstelle ist. Darum!» Socrates sprach mit übertriebener Geduld auf mich ein – wie mit einem armen Irren. «Und jetzt paß gut auf ... Übrigens, hm, sitzt du gut?» Er zwinkerte mir zu. Ich biß die Zähne zusammen.

«Ich kann dir Dinge zeigen und Geschichten erzählen, Dan, ich kann dir Geheimnisse offenbaren. Wir können zusammen auf die Reise gehn – zuvor aber mußt du begreifen, daß es bei solchen Geheimnissen nicht ankommt auf das, was du weißt, sondern auf das, was du *tust.*»

Socrates zog ein zerlesenes Lexikon aus der Schreibtischschublade und hielt es hoch. «Hier, lerne die Tatsachen, nutze das Wissen, das du dir erworben hast. Aber erkenne die Grenzen des Wissens. Denn Wissen allein genügt nicht, wenn das Herz dabei fehlt! Mit Wissen allein kannst du deine Seele nicht nähren, kannst du nicht am Leben bleiben. Das höchste Glück, den wahren Frieden findest du nicht durch das Wissen. Das Leben verlangt mehr von dir als bloße Kenntnisse. Es verlangt Gefühle; starke Gefühle und Energie. Das Leben verlangt von dir *richtiges Handeln* – falls es dir darauf ankommt, deine Kenntnisse anzuwenden.»

«Das weiß ich doch längst, Soc.»

«Ja, das ist dein Problem. Du weißt alles, aber du tust es nicht. Du bist kein Krieger.»

«Ich kann dir einfach nicht glauben, Soc», sagte ich. «Ich habe durchaus schon gehandelt wie ein Krieger. Du solltest mich mal in der Turnhalle sehen!»

«Vielleicht spürst du tatsächlich die Entschlossenheit, die Klarheit und Wendigkeit eines Kriegers in dir. Vielleicht hast du durch dein sportliches Training den Körper eines Kriegers bekommen – kräftig, elastisch und voll Energie. Vielleicht hast du sogar das Herz eines Kriegers in dir gespürt – voll Liebe zu allem, was dir begegnet.

Aber ich sage dir, diese Eigenschaften sind bei dir isoliert. Was dir fehlt, ist die Verbindung. Meine Aufgabe könnte es sein, dich wieder zusammenzubauen, mein Kleiner.»

«He, warte mal, alter Freund. Du willst *mich* zusammenbauen? Daß ich nicht lache! Betrachte die Situation doch realistisch. Ich bin ein Collegestudent, du bist Nachtwächter in einer Tankstelle. Ich habe eine Weltmeisterschaft gewonnen, und du darfst springen, wenn draußen ein Kunde hupt. Du bastelst in deiner Werkstatt an Schrottautos herum, und wenn ein armer Irrer vorbeispaziert wie ich, dann erschreckst du ihn mit deinen Kunststückchen zu Tode. Und *du* willst mir helfen? Vielleicht könnte *ich* dir helfen, dich wieder zusammenzubauen!» – In meiner Wut wußte ich nicht, was ich redete. Aber jedenfalls tat es mir gut.

Socrates lachte mich nur aus. Anscheinend war es ihm ganz egal, was ich von seiner sozialen Stellung dachte. Er kam herüber und hockte sich vor mir auf den Boden. «Du willst *mich* zusammenbauen? Gut, vielleicht kommt eines Tages die Gelegenheit. Einstweilen aber mußt du begreifen, welch ein Unterschied besteht zwischen uns!»

Er boxte mich in die Rippen, nur so zum Spaß, aber es tat trotzdem weh. «Ein Krieger agiert ...»

Er boxte mich noch einmal. «Au! Laß das gefälligst», schrie ich. «Du gehst mir auf die Nerven!»

«... und ein Esel reagiert.»

«Na, was hattest du andres erwartet?»

«Ich box dich in die Rippen, und du wirst wütend. Ich beleidige dich, und du reagierst mit einem Wutausbruch. Ich rutsche auf einer Bananenschale aus ...»

Er trat einen Schritt zurück, glitt aus und plumpste wie ein Slapstick-Komiker auf den Hintern. Ich lächelte schadenfroh.

Er richtete sich auf dem Teppich auf und sah mich ernst an. «Alle deine Gefühle und Reaktionen sind automatisch, vorprogrammiert und vorhersehbar. Meine sind es nicht! Ich lebe spontan. Dein Leben ist festgelegt durch deine Vergangenheit.»

«Wieso weißt du das alles – von meiner Vergangenheit und so?»

«Weil ich dich seit Jahren beobachte», sagte er.

«Ach, ja?» höhnte ich und wartete auf den Witz, mit dem er sich aus der Affäre ziehen würde. Aber es kam keiner.

Es war spät geworden, und ich hatte viel nachzudenken. Ich wußte nicht, ob ich mich dieser neuen Herausforderung gewachsen fühlte. Inzwischen kam Socrates von draußen herein, wischte sich die Hände an einem Lappen ab und füllte seinen Becher mit frischem Quellwasser aus dem Wasserspender. Während er mit kleinen Schlucken trank, erklärte ich: «Es ist spät geworden, Soc. Ich muß jetzt gehen. Ich habe wichtige Dinge zu tun, weißt du, für die Schule.»

Socrates blieb ungerührt sitzen. Ich stand auf und zog meine Jacke an. Als ich schon in der Tür stand, sprach er endlich. Er sprach langsam und ruhig, und jedes seiner Worte traf mich wie eine Ohrfeige.

«Überlege sie dir gut, deine *wichtigen* Dinge. Ob sie dir wichtiger sind als die Chance, eines Tages ein Krieger zu sein? Einstweilen, sage ich dir, bist du ein Esel, mit Stroh im Hirn. Gewiß, es *gibt* wichtige Dinge, um die du dich kümmern solltest. Allerdings in einer anderen Schule als der, an die du denkst.»

Ich hatte die ganze Zeit verlegen auf den Teppich gestarrt. Jetzt hob ich den Kopf und versuchte ihn anzusehen. Aber ich schaffte es nicht, ihm in die Augen zu blicken. Achselzuckend wandte ich mich ab.

«Du wirst viel Energie brauchen», sagte er. «Wenn du die Lehren bestehen willst, die die Zukunft für dich bereithält, wirst du mehr Energie brauchen, als du heute hast. Du mußt die Verkrampfungen deines Körpers lösen. Du mußt deinen Kopf von unnützem Wissen befreien. Du mußt dein Herz für die Kräfte wahren Gefühls öffnen.»

«Schön und gut, Socrates. Vielleicht sollte ich dir mal meinen Stundenplan erklären. Ich würde dich gerne öfter besuchen – aber es geht wirklich nicht. Ich hab keine Zeit.»

«Vielleicht hast du weniger Zeit, als du glaubst», sagte er düster.

«Wie meinst du das?» fuhr ich auf.

«Ach, vergiß es einstweilen. Fahr fort.»

«Nun ja, ich habe Ziele. Ich möchte Champion im Turnen werden. Ich möchte, daß unsere Mannschaft die amerikanische Meisterschaft gewinnt. Ich möchte ein gutes Examen machen, und das heißt, Bücher lesen und Referate schreiben. Was kannst du mir dagegen bieten? Ich soll mir die Nächte um die Ohren schlagen und mir die Geschichten eines, verzeih, komischen Heiligen anhören, der mich in seine Phantasiewelt hineinziehen möchte. Das ist doch verrückt!»

«Ja», nickte Socrates traurig. «Es ist verrückt.»

Socrates sank auf seinem Stuhl zusammen und starrte auf den Boden. «Aha!» dachte ich, «jetzt kommt die Masche ‹armer-alter-Mann!›» Aber mein Herz fühlte sich hingezogen zu diesem rüstigen, exzentrischen alten Kauz, der behauptete, ein ‹Krieger› zu sein. Also zog ich meine Daunenjacke wieder aus und streifte die Schuhe ab und setzte mich auf meinen Platz auf dem Sofa. Und plötzlich fiel mir eine Geschichte ein, die mir mein Großvater einmal erzählt hatte:

Es war einmal ein König, der lebte in seinem Schloß auf einem hohen Berg, von wo er sein ganzes Land überblickte. Der König war sehr beliebt bei seinem Volk. Jeden Tag brachten ihm die Leute aus der Stadt schöne Geschenke, und der Geburtstag des Königs wurde im ganzen

Land gefeiert. Die Leute liebten den König, denn er war weise und gerecht.

Eines Tages geschah ein Unglück. Alle Brunnen im Lande wurden vergiftet, und alle – Mann, Frau und Kind – wurden verrückt. Nur der König, der auf seinem Berg einen eigenen Brunnen besaß, blieb verschont.

Bald danach fingen die verrückten Leute im ganzen Land an zu tuscheln: «Wie seltsam ist doch unser König. Er ist überhaupt nicht mehr weise, er ist gar nicht mehr gerecht.»

Manche behaupteten sogar, der König sei verrückt geworden. Vorbei war es mit seiner Beliebtheit, und niemand brachte ihm mehr Geschenke. Natürlich feierte auch niemand mehr seinen Geburtstag.

Der einsame König, hoch droben auf seinem Berg, blieb ganz allein. Er langweilte sich, darum beschloß er eines Tages, von seinem Berg herabzusteigen und in die Stadt zu gehen. Es war furchtbar heiß an diesem Tag, darum trank der König einen tüchtigen Schluck aus dem Brunnen am Marktplatz.

An diesem Abend feierte die ganze Stadt ein großes Fest. «Unser geliebter König hat endlich seinen Verstand wiedergefunden», jubelten die Leute.

Jetzt wurde mir klar, daß Socrates gar nicht seine ‹Verrücktheit› gemeint hatte, sondern meine!

Ich stand auf und wollte nun endlich gehen. «Socrates, du hast selbst gesagt, ich sollte auf mein eigenes Gefühl hören – und nicht auf das, was andere mir sagen. Warum sollte ich also sitzen bleiben und dir zuhören?»

«Eine gute Frage», lachte er. «Und hier die ebenso gute Antwort. Ich erzähle nicht von mir selbst. Ich erzähle auch keine abstrakten Theorien, die ich aus Büchern oder von Professoren übernommen hätte. Ich bin ein Mensch, der seinen Körper und seine Seele kennt. Und darum kenne ich auch Seele und Körper anderer Menschen. Und wieso», zwinkerte er mir zu, «willst du wissen, daß nicht *ich* das Gefühl bin, das dir sagt, daß es Zeit wird für dich, zu gehen?»

Damit wandte er sich wieder den Papieren auf seinem Schreibtisch zu, und ich war, so schien es, entlassen.

In den nächsten Tagen fühlte ich mich ziemlich durcheinander.

Wirre Gedanken schossen mir durch den Kopf, ich fühlte mich unsicher, weil dieser Mann mich behandelte wie ein Kind. Sollte ich vielleicht mit ihm in seiner Tankstelle meine Zeit totschlagen? Während ich in meiner eigenen Welt ein angesehener Sportler war – beinahe ein Star!

Ich verausgabte mich völlig im Training, ich war stolz auf meine Kraft und Gewandtheit, wenn ich hoch über dem Trampolin schwebte, wenn ich rasend um die Reckstange rotierte. Aber es war nicht mehr wie früher. Bei jeder neuen Schwierigkeit, die ich schaffte, bei jedem Lob, das ich einheimste, mußte ich daran denken, wie dieser alte Mann mich durch die Luft gewirbelt hatte – anscheinend ohne einen Finger zu rühren!

Hal, unser Trainer, nahm mich besorgt auf die Seite. Ob etwas nicht stimmte mit mir? fragte er. «Alles in Ordnung, Hal», schwindelte ich. Nein, ich hatte einfach keine Lust mehr, mit den Jungens aus unserer Mannschaft herumzublödeln. Ich war einfach durcheinander!

In dieser Nacht träumte ich wieder meinen Alptraum vom Schnitter Tod. Mit einem Unterschied allerdings: Ein lachender Socrates, ausstaffiert mit der schwarzen Kutte des grausigen Schnitters, richtete ein Gewehr auf mich, und als der Schuß krachte, flattert aus der Mündung ein Fähnchen, und darauf stand geschrieben: *Peng!* Zur Abwechslung erwachte ich einmal kichernd, und nicht mit einem Schreckensschrei.

Am nächsten Morgen fand ich einen Zettel in meinem Briefkasten. Es waren nur zwei Wörter: ‹Dächer – Geheimnisse›. Und als Socrates kurz vor Mitternacht zum Dienst erschien, saß ich schon auf der Türschwelle vor dem Büro und erwartete ihn. Ich hatte versucht, den Mann von der Tagschicht auszufragen! Ob er mir Socrates' wahren Namen verraten könne? Seine Adresse? Ein Achselzucken! «Keine Ahnung. Irgendein alter Mann, der gerne die Nachtschicht übernimmt.»

Socrates zog seine Windjacke aus. «Da kommst du endlich», rief ich. «Willst du mir jetzt verraten, wie du auf das Dach gekommen bist?»

«Hm», sagte er. «Ich glaube, jetzt bist du endlich bereit, es zu hören.»

Er machte ein ernstes Gesicht.

«Also, in Japan gab es in alten Zeiten eine Elitetruppe von Schwertkämpfern, die im Volk die *Tödlichen Krieger* genannt wurden.» Dies letzte Wort betonte er mit dumpfer Stimme und sah mich dabei so düster an, daß mir ein Schauder über den Rücken lief.

«In Wirklichkeit aber», fuhr er fort, «hießen sie die *Ninja*. Man erzählte sich schreckliche Dinge über sie. Man sagte, sie könnten sich sogar in Tiere verwandeln und durch die Luft fliegen – natürlich nur über kurze Distanzen.»

«Natürlich», echote ich gedankenlos. Wieder spürte ich, wie sich mit eisigem Hauch jene Tür zur Traumwelt auftat. Aber es war nur die Tür zur Werkstatt, durch die Soc mich hinauswinkte.

«Muß mal die Zündkerzen auswechseln», murmelte er und schob den Kopf unter eine chromblitzende Motorhaube.

«Na, und was ist mit dem Sprung aufs Dach?» Ich ließ nicht locker.

«Zuerst die Arbeit, dann das Spiel», lachte er. «Hab doch Geduld, es lohnt sich bestimmt!»

Ich hockte mich auf die Werkbank und spielte mit einem Hammer.

«Diese Arbeit macht wirklich Spaß,» hörte ich ihn aus der Tiefe des Motorraums murmeln, «wenn man aufmerksam dabei ist.»

Ihm konnte so etwas Spaß machen! *Mir* jedenfalls nicht.

Plötzlich ließ Socrates die Zündkerzen und den Schlüssel fallen und sprang zum Lichtschalter. Im nächsten Moment war es so finster, daß ich nicht mal die Hand vor den Augen sah. Es war unheimlich. Wer weiß, dachte ich, was ihm noch alles einfallen mochte – nach seinen Gruselgeschichten über die *Ninja*.

«Socrates? Soc, wo bist du?»

«Wo bist *du*», dröhnte er hinter meinem Rücken.

Ich fuhr erschrocken herum und stolperte über die Motorhaube eines aufgebockten und zerlegten Chevrolet. «Ich ... ich weiß nicht ...» stammelte ich.

«Sehr richtig!» lachte er und schaltete das Licht wieder ein. «Immerhin, du machst Fortschritte.» Er lächelte unergründlich wie eine Siamkatze.

Während er mit sicheren Handgriffen die neuen Zündkerzen einschraubte und die Verteilerkappe löste, fuhr er mit seiner Erzählung fort:

«Diese *Ninja* waren keine Zauberer. Ihr Geheimnis lag in ihrem körperlichen und geistigen Training. Es war viel intensiver, als du dir vorstellen kannst.»

«Socrates, wo führt das hin?»

«Wenn du wissen willst, wo etwas hinführt, mußt du warten, bis du dort angekommen bist», grinste er und fuhr mit seiner Geschichte fort:

«Die *Ninja* konnten sogar mit ihrer schweren Kriegsrüstung Flüsse durchschwimmen. Sie konnten wie Eidechsen senkrechte Felswände hinaufklettern, winzige Risse als Griffe und Tritte nutzend. Sie hatten wunderbare Kletterseile erfunden, dünn und beinah unsichtbar. Auch sich selbst konnten die *Ninja* unsichtbar machen. Sie kannten viele Tricks, um den Gegner zu täuschen, Ablenkungs- und Fluchtmanöver. Vor allem aber», erklärte er, «waren die *Ninja* phantastische Springer.»

«Na, endlich, jetzt kommt das Geheimnis.» Ich rieb mir gespannt die Hände.

«Die Krieger wurden seit frühester Kindheit im Springen trainiert», sagte er. «Die Eltern gaben dem kleinen Jungen ein Getreidekorn und befahlen ihm, es einzupflanzen. Der Halm fing an zu wachsen, und der junge Krieger mußte immer wieder darüber hinwegspringen. Die Pflanze wuchs immer höher, und der kleine *Ninja* mußte immer höher springen. Bald war der Halm ihm über den Kopf gewachsen, aber das konnte so einen kleinen *Ninja* nicht hindern. War der Halm schließlich so hoch geworden, daß der junge Krieger ihn nicht mehr überspringen konnte, so gaben die Eltern ihm ein neues Korn, und er mußte von vorne anfangen. Schließlich gab es keinen noch so hohen Getreidehalm, den ein junger *Ninja* nicht hätte überspringen können.»

«Na und, wo bleibt das Geheimnis?» Ich wartete ungeduldig auf die Offenbarung.

Socrates machte eine lange Pause. «Verstehst du denn nicht? Die kleinen *Ninja* trainierten mit Kornhalmen. Und ich trainiere mit Hausdächern.»

Ich schwieg verblüfft. Socrates sah mich an, und sein Gelächter schallte durch die Werkstatt. Er lachte und lachte und mußte sich schließlich auf die Stoßstange des Datsun setzen, an dem er gerade herumbastelte.

«War das alles?» fragte ich enttäuscht. «Mehr kannst du mir nicht verraten über deinen Supersprung?»

«Das ist alles, Dan, was ich dir verraten kann – bevor du es selber *tun* kannst», antwortete er.

«Du wirst mir also beibringen, auf Hausdächer zu springen?» Ich sah ihn erwartungsvoll an.

«Vielleicht; vielleicht nicht. Jeder Mensch hat seine besonderen Fähigkeiten. Vielleicht wirst du einmal auf Dächer springen», lachte er. «Aber einstweilen bin ich schon zufrieden, wenn du mir mal den Schraubenzieher rüberwirfst.»

Ich warf ihm den Schraubenzieher hinüber. Er fing ihn aus der Luft, tatsächlich, obwohl er mit dem Rücken zu mir stand. Als er den Schraubenzieher nicht mehr brauchte, warf er ihn mir zurück. «Paß auf!» rief er. Ich griff in die Luft, und der Schraubenzieher klapperte auf den Boden. Es war zum Verzweifeln. Immer mußte er mir etwas beweisen. Und er sparte nicht mit seinem Spott.

Die Wochen vergingen, und ich gewöhnte mich an mein ‹Nachtleben› an der Tankstelle. Ich stellte verwundert fest, daß meine Abenteuer mit Socrates mir mehr Spaß machten als das Training in der Turnhalle. Eigentlich taten wir nichts Besonderes. Ich half ihm beim Bedienen der Kunden, er tankte Benzin, während ich die Windschutzscheiben putzte. In den Zwischenpausen forderte er mich oft auf, ihm von meinem Leben zu erzählen. Er selbst war schweigsam, was die Umstände seines Privatlebens betraf.

Einmal fragte ich ihn, was er an meinen Geschichten denn so interessant fände? – «Ich muß deine Illusionen verstehen, um das Maß deiner Krankheit abzuschätzen», erklärte er ganz ernsthaft. «Wir müssen zuerst deinen Kopf leerfegen, bevor du durch die Pforte eintreten kannst, um den Pfad des Kriegers zu beschreiten.»

«Oh, meinen Kopf laß aus dem Spiel. Ich bin ganz zufrieden so, wie er ist.»

«Wenn du wirklich so zufrieden wärst, dann wärest du wahrscheinlich nicht hier», erklärte er geduldig. «Du hast dich schon mehrmals verändert im Lauf deines Lebens. Warum also nicht noch einmal – und diesmal gründlich?»

Vorsicht! sagte ich mir. Immerhin kannte ich diesen Menschen kaum. Vielleicht war er sogar verrückt?

Überhaupt konnte ich niemals schlau werden aus Socrates. Mal war er ernst, mal war er lustig und ausgelassen, mal war er sogar regelrecht kindisch. Einmal zum Beispiel flitzte er kläffend einem Hündchen hinterher, das arglos vor unserer Zapfsäule das Bein gehoben hatte. Und dies mitten in einem langen Vortrag über den ‹Wert unerschütterlichen Gleichmuts der Seele›.

Ein andermal wanderten wir am frühen Morgen, nach einer durchredeten Nacht, zum Strawberry Creek hinaus. Wir standen auf der Brücke und beobachteten den vom Winterregen angeschwollenen Fluß.

«Ich frag mich nur, wie tief mag das Wasser heute sein?» sagte ich mehr zu mir selbst. Im nächsten Moment strampelte ich in den rauschenden trüben Fluten. Er hatte mich von der Brücke gestoßen!

«Na, wie tief ist es?» lachte er.

«Für mich – tief genug!» gurgelte ich und schleppte mich mit meinen durchweichten Klamotten ans Ufer. – Soviel zum Thema ‹müßige Spekulationen›.

Wenn ich mir ehrlich Rechenschaft gab, konnte ich nicht bestreiten, daß es tatsächlich große Unterschiede gab zwischen uns beiden. Bei unseren nächtelangen Debatten futterte ich dauernd Bonbons und Schoko-Riegel, während Socrates ruhig einen Apfel oder eine Birne kaute. Ich rutschte hektisch auf der Sofakante hin und her, während Socrates gelassen wie ein Buddha auf seinem Stuhl am Schreibtisch saß. Ich bewegte mich ungeschickt, laut und zappelig, während Socrates mit katzenhafter Geschmeidigkeit über den Teppich glitt. Dabei war er schon ein alter Mann!

Er erteilte mir viele kleine Lektionen, die mir allmählich einen neuen Blick auf die Welt öffneten. Eines Abends hatte ich mich beklagt, wie unfreundlich und unfair meine Mitschüler am College zu mir wären.

Leise und eindringlich sagte Socrates: «Übernimm lieber du selbst die Verantwortung für dein Leben, statt anderen Menschen oder den *Umständen* die Schuld zu geben. Mach die Augen auf und erkenne, daß dein Glück, deine Gesundheit und deine ganze Situation im Leben von dir selbst verursacht sind – ob bewußt oder unbewußt.»

«Ich versteh dich nicht, Socrates», protestierte ich. «Ich jedenfalls bin anderer Ansicht.»

«Dann laß dir mal eine kleine Geschichte erzählen, über einen Burschen wie dich:

Sam arbeitete auf dem Bau, in einer Stadt des mittleren Westens. Jeden Tag, wenn die Sirene zur Mittagspause ertönte, setzten sich die Kollegen hin und packten ihre Lunch-Pakete aus. Und mit schöner Regelmäßigkeit hörten sie, wie Sam sich beklagte.

‹Hol mich der Teufel!› jammerte er. ‹Nicht schon wieder Sandwich mit Erdnußbutter und Marmelade. Ich hasse Erdnußbutter und Marmelade!›

So ging es jeden Tag, bis es den Kollegen zuviel wurde. ‹Hör mal›, sagte einer. ‹Wenn du Erdnußbutter und Marmelade nicht magst, dann sag doch mal endlich deiner Alten, sie soll dir etwas anderes mitgeben.›

‹Gott bewahre›, protestierte Sam. ‹Ich bin nicht *verheiratet. Ich mach mir meine Sandwiches selbst›.»*

Socrates schwieg nachdenklich. Nach einer Pause fügte er hinzu: «Siehst du, auch im Leben macht jeder sich selbst sein Sandwich.»

Er warf mir eine Papiertüte herüber, darin waren zwei Sandwiches. «Möchtest du Käse mit Tomaten – oder Tomaten mit Käse?»

«Ha, eins so gut wie das andere», witzelte ich.

Während ich mit vollen Backen kaute, sprach Socrates: «Erst wenn du bereit bist, die volle Verantwortung für dein Leben zu übernehmen, kannst du ein voll entfalteter Mensch werden. Dann erst wirst du erkennen, was es heißt, ein Krieger zu sein.»

«Vielen Dank, Socrates, für Speis und geistigen Trank!» sagte ich mit großartiger Verbeugung. Ich zog meine Jacke an und verabschiedete mich: «Ich werde einige Zeit nicht wiederkommen, weißt du? Die Zwischenprüfung steht bevor, und außerdem habe ich eine Menge nachzudenken!»

Bevor er etwas einwenden konnte, winkte ich ihm Lebewohl und machte mich auf den Heimweg.

In den letzten Vorlesungswochen büffelte ich fleißig, beim Training in der Halle verausgabte ich mich wie noch nie. Aber immer, wenn ich mir eine Pause gönnte, beschlichen mich sonderbare Gedanken. Ich fing an, mich entfremdet zu fühlen in meiner gewohnten Welt.

Zum ersten Mal in meinem Leben stand ich vor der Wahl zwischen zwei Wirklichkeiten. Die eine schien mir verrückt, die andere – immer noch – vernünftig. Aber ich mußte mich doch fragen, ob es sich nicht vielmehr umgekehrt verhielt? Ich wußte es nicht. Einstweilen beschloß ich, mich nicht endgültig festzulegen.

Auch konnte ich den Verdacht nicht loswerden, daß Socrates vielleicht gar nicht so verrückt sei. Vielleicht! Immerhin hatte er recht gehabt mit fast allem, was er über mich und über mein bisheriges Leben gesagt hatte. Ja, er hatte nur allzu recht! Mit Schrecken erkannte ich, wie gleichgültig ich zu meinen Mitmenschen war, auch zu meinen Freunden.

Bill, zum Beispiel, war in den Ferien vom Pferd gefallen und hatte sich den Arm gebrochen. Was nun aus seiner Sportkarriere werden sollte, war ja nicht mein Problem. Rick hatte ein ganzes Jahr lang den Salto mit voller Schraubendrehung geprobt. Endlich gelang es ihm – und ich konnte mich nicht mal mit ihm freuen.

Unter der Wucht meiner neuen Selbsterkenntnis ging es rasch bergab mit meiner Selbstachtung.

Eines Abends, kurz vor der Prüfung, klopfte es leise an meine Tür. Ich öffnete – und war glücklich und überrascht! Es war Susie, die blonde Augenweide mit dem Zahnpasta-Lächeln. Seit Wochen hatte ich sie nicht mehr gesehen. Ich merkte, wie einsam ich gewesen war.

«Darf ich reinkommen, Dan?»

«O ja, zieh deinen Mantel aus. Wirklich, ich freu mich, daß du gekommen bist. Hast du Lust, etwas zu essen, etwas zu trinken?»

Susie schaute mich unsicher an.

«Was hast du, Susie?»

«Ich weiß nicht ... Danny, du hast dich sehr verändert in letzter Zeit.» Sie strich mir über die Wange. «Etwas mit deinen Augen ... du schaust irgendwie anders ...»

Ich faßte sie an der Schulter. «Bleib doch bei mir, Susie. Bitte!»

«Oh, und ich dachte schon, du würdest es niemals sagen. Siehst du, ich hab sogar meine Zahnbürste mitgebracht ...»

Am andern Morgen drehte ich mich im Bett um und beschnupperte Susies Haar, das zerzaust und duftend wie Sommerheu auf meinem Kopfkissen lag. Ich spürte ihren sanften Atem an meiner Schulter. Eigentlich hätte ich glücklich sein sollen. Doch meine Stimmung war grau wie der Nebel draußen vor dem Fenster.

Danach waren Susie und ich öfter zusammen. Ich war gewiß keine unterhaltsame Gesellschaft für sie, aber Susies Temperament reichte für zwei.

Irgend etwas hielt mich davon ab, ihr von Socrates zu erzählen. Dies war eine völlig andere Welt; eine Welt, an der Susie keinen Anteil hatte. Wie hätte sie es verstehen sollen, wenn nicht mal ich verstand, was mit mir los war?

Die Prüfung kam und ging vorbei. Ich hatte ganz gut abgeschnitten, aber es war mir gleich. Susie fuhr heim in die Ferien, und ich war froh, wieder allein zu sein mit mir.

Bald waren auch die Osterferien herum, und ein warmer Wind in den abfallbedeckten Straßen Berkeleys kündigte den Frühling an. Ich wußte, mir würde nichts anderes übrigbleiben, als noch einmal in die Welt dieses seltsamen Kriegers zurückzukehren, in die einsame Nachttankstelle am Rainbow's End.

Ich hatte keine Angst mehr vor Socrates, vor seiner Überlegenheit und seinem Spott. Diesmal würde ich zurückschlagen!

Erstes Buch

Sturm der Veränderung

1
Ein Hauch von Magie

Es war schon spät am Abend. Nach dem Training und dem Abendessen hatte ich mich ein Weilchen hingelegt. Kurz vor Mitternacht war ich aufgewacht und wanderte nun durch die kühle Frühlingsnacht zur Tankstelle. Eine heftige Brise wehte mich von hinten an, als wollte sie mich über die Parkwege des Campus vorantreiben.

An der altvertrauten Straßenkreuzung blieb ich stehen. Leichter Regen hatte eingesetzt, und ich fröstelte. Im freundlichen Licht des Tankstellenbüros sah ich Socrates. Er saß am Tisch und trank aus seinem Becher.

Eine Mischung aus Angst und Vorfreude schnürte mir die Brust ein und ließ mein Herz schneller schlagen.

Den Kopf gesenkt, überquerte ich die Straße und näherte mich der Tür zum Büro. Wieder fuhr mir ein kühler Windhauch in den Nacken. Ich zog die Schultern hoch, und als ich den Kopf hob, sah ich Socrates im Türrahmen stehen. Er witterte wie ein Wolf in die Nacht und schaute in meine Richtung. Mir war es, als schaute er durch mich hindurch.

Erinnerungen an den Schnitter Tod überfielen mich wieder. Ich wußte, dieser Mann hatte ein Herz voll Liebe und Mitgefühl; aber ich spürte auch, daß hinter seinen dunklen Augen eine große, unbekannte Gefahr lauerte.

Meine Angst war sofort verflogen, als Socrates mich freundlich begrüßte. «Gut, daß du wiedergekommen bist.» Er hielt mir die

Tür auf und winkte mich ins Büro. Gerade wollte ich, wie gewohnt, meine Schuhe ausziehen, da schellte die Tankstellenglocke. Ein alter, zerbeulter Plymouth rumpelte auf einem platten Reifen in die Einfahrt zur Tankstelle.

Socrates, in seinen Regenponcho gehüllt, war bereits draußen. Wie ich ihn so durch die beschlagene Fensterscheibe beobachtete, verstand ich gar nicht mehr, warum ich mich so gefürchtet hatte.

Finstere Regenwolken brauten sich draußen zusammen, und wieder packte mich diese sonderbare Beklemmung. Verschwommene Bilder vom Schnitter Tod stiegen vor mir auf, und das Prasseln der Regentropfen auf dem Dach erschien mir als Trommelwirbel bleicher Fingerknöchel. Ich rutschte unbehaglich auf dem Sofa hin und her. Auch steckte mir noch der Muskelkater vom Nachmittagstraining in den Gliedern. Die Verbandsmeisterschaft stand bevor, und entsprechend hart hatten wir uns an die Kandare genommen.

Plötzlich stand Socrates in der Tür und rief: «Komm heraus, schnell!» Dann ließ er mich wieder allein. Ich zog seufzend meine Schuhe an und spähte durch die beschlagene Fensterscheibe. Dort, hinter der Zapfsäule, sah ich Socrates. Er stand reglos, und sein triefender Regenponcho sah aus wie eine schwarze Kutte.

Nein! Ich würde nicht hinausgehen. Dieses freundlich helle Büro war meine sichere Burg, meine Zuflucht vor dem dunklen nächtlichen Unwetter draußen. Wieder winkte mir Socrates. Ich gab den Widerstand gegen mein Schicksal auf und ging hinaus.

Als ich mich vorsichtig näherte, flüsterte er: «Horch! Fühlst du es?»

«Was?»

«Fühle!»

In diesem Moment hörte der Regen auf, und der Wind schlug um. Sonderbar! Plötzlich war es ein warmer Frühlingswind. «Meinst du den Wind, Socrates?»

«Ja. Der Wind ist umgeschlagen. Dies kündigt einen Wendepunkt in deinem Leben an. Vielleicht weißt du es nicht – und auch ich habe es bis jetzt nicht gewußt –, aber diese Nacht ist ein entscheidender Augenblick für dich. Du bist fortgegangen, aber du bist wiedergekommen. Jetzt weht der Wind für dich aus einer neuen Richtung.»

Er sah mich nachdenklich an. Dann schlenderte er ins Büro zurück, als sei nichts gewesen.

Ich setzte mich auf das altvertraute Sofa. Socrates saß auf seinem Stuhl am Schreibtisch und musterte mich mit einem Blick, der mich auf meinem Platz festnagelte. Und mit einer Stimme, machtvoll genug, um durch Wände zu dringen, und zugleich sanft wie der Märzwind, verkündete er: «Jetzt muß ich für dich etwas tun. Sei unbesorgt.»

Er stand auf.

«Socrates, du machst mir Angst», stammelte ich und rutschte auf dem Sofa zurück, während er sich mit lautlosen Schritten näherte – wie ein Tiger seiner Beute.

Er warf einen schnellen Blick durchs Fenster, ob uns auch niemand stören würde, und dann kniete er sich hin vor mich und sagte leise: «Weißt du noch, Dan, ich habe dir einmal gesagt, daß wir dein Denken ändern müssen, bevor du den Pfad des Kriegers erkennen kannst.»

«Ja, aber eigentlich glaube ich nicht ...»

«Sei unbesorgt», wiederholte er. «Denk an den Spruch des Konfuzius: ‹Nur der erhabene Weise und der unwissende Narr verändern sich nicht.›»

Mit diesen Worten legte er mir seine Hände leicht an die Schläfen. Im ersten Moment passierte nichts, aber dann spürte ich einen Druck im Kopf, der sich rasend schnell verstärkte. Zuerst war es ein lautes Brummen wie im Radio, dann rauschte es wie die Meeresbrandung. Glocken fingen an zu klingen, und mir war, als wollte mein Kopf zerspringen. Dann schaute ich ein Licht, ein strahlend helles Licht ... Es war wie die Widerspiegelung meines explodierenden Schädels. Ich wußte, etwas in mir war gestorben, und etwas Neues wurde in diesem Moment geboren. Ich war ganz eingehüllt von diesem Licht.

Als ich wieder zur Besinnung kam, lag ich auf dem Sofa. Socrates hielt mir einen Becher Tee an die Lippen und schüttelte mich sachte. «Was ... ist ... mit mir geschehen?»

«Nun, man könnte sagen, ich habe deine Energie verstärkt und ein paar neue elektrische Schaltkreise in deinem Hirn angeschlossen. Das Feuerwerk, das du gesehen hast, das war der Jubel deiner Gehirnzellen über diese Welle neuer Energie. Jetzt bist du befreit von deiner lebenslangen Illusion über das Wissen. Gewöhnliches Wissen, wie Bücher- und Schulweisheit, wird dich in Zukunft nie mehr befriedigen, fürchte ich.»

«Versteh ich nicht», murmelte ich.

«Du wirst es verstehen.»

Auf einmal war ich sehr müde. Wir tranken schweigend unseren Tee. Dann stand ich auf, zog meinen Pullover an und machte mich wie im Traum auf den Weg nach Hause.

Am nächsten Tag saß ich in meinen Kursen und hörte meine Professoren nur sinnlose Wörter plappern. Der gute Watson zum Beispiel versuchte uns zu erklären, wie Winston Churchills politischer Instinkt den Ausgang des Zweiten Weltkriegs beeinflußt habe. Ich hörte auf, mir Notizen zu machen. Allzu sehr fesselten mich die leuchtenden Farben und Formen im Hörsaal. Ich spürte die strahlenden Energiefelder meiner Kommilitonen. Das bloße Geräusch der Stimme meines Professors erschien mir viel interessanter als die Gedanken, die er vortrug. Was hatte Socrates mit mir angestellt! Wenn das so weiterging, würde ich niemals die Semesterprüfung schaffen.

Die Vorlesung war vorbei, und ich drängte mich in der Menge der anderen Studenten hinaus. Auf dem Korridor war ich ganz vertieft in das faszinierende Muster des Teppichbodens. Plötzlich hörte ich neben mir eine vertraute Stimme: «Oh, Danny! Hab dich seit Tagen nicht mehr gesehen. Ich habe so oft angerufen, aber du warst nie zu Hause. Sag mal, wo steckst du eigentlich die ganze Zeit?»

«Ach, Susie! Wie schön, dich wiederzusehen. Wo ich ...? Ach, weißt du, ich habe ... gelernt.» Ich wurde unsicher. Susies Worte gaukelten wie Schmetterlinge vor mir in der Luft. Ich verstand nicht mehr, was sie sagte. Aber ich fühlte ganz deutlich, was Susie empfand: Gekränktheit, ein bißchen Eifersucht, ein stummer Vorwurf. Ihr Gesicht aber strahlte mich an wie immer.

«Wir sollten einmal miteinander sprechen», sagte ich. «Aber weißt du, ich habe keine Zeit. Ich muß gleich zum Training.»

«O ja, das hatte ich ganz vergessen.»

Wieder spürte ich ihre Enttäuschung.

«Schön», sagte sie lächelnd. «Dann sehn wir uns bald?»

«Aber ja, Susie!»

«Ach», meinte sie, schon halb im Gehen, «Watsons Vorlesung – war die nicht toll heute? Die Sache mit Winston Churchill ... wirklich interessant!»

«Wie? Was? Hm ja. Tolle Vorlesung ...»

«Good bye, Danny.»

«Bye bye.» Mit hängenden Schultern schlich ich davon. Ich mußte daran denken, was Socrates über meine ‹Schüchternheit und Ängstlichkeit› gesagt hatte. Vielleicht hatte er recht. Obwohl ich mich für selbstsicher hielt, erlebte ich immer wieder, daß ich mich überhaupt nicht wohlfühlte mit anderen Menschen zusammen. Ich wußte nie, was ich sagen sollte ...

Was ich aber *tun* sollte, wußte ich ganz genau. Wenigstens an diesem Nachmittag in der Turnhalle. Ich war aufgedreht wie noch nie beim Training. Ich flog schwerelos über die Geräte, ich federte, sprang und hüpfte wie ein Schimpanse, wie ein Clown, wie ein Zauberer. Ich war so klar im Kopf, ich konnte überhaupt keinen Fehler machen. Alle Bewegungen, alle Griffe saßen präzise. Dabei fühlte ich mich so entspannt, geschmeidig und federleicht. Auf dem Trampolin gelang mir zum erstenmal ein anderthalbfacher Salto rückwärts mit halber Drehung beim Abrollen. Am Hochreck schaffte ich beim Abgang einen doppelt geschraubten Salto – eine in Amerika erstmals gezeigte Figur.

Bald darauf flog unsere Mannschaft nach Oregon, zur amerikanischen Verbandsmeisterschaft. Wir gewannen das Treffen, es war ein einziger Traum von Ruhm und Erfolg. Doch auf dem Heimflug quälten mich wieder Ängste und Zweifel.

Ich konnte noch immer nicht fassen, was eigentlich mit mir passiert war in jener Nacht, als ich das Feuerwerk explodierender Lichter vor mir gesehen hatte. Irgend etwas *mußte* passiert sein. Socrates hatte es selber gesagt. Aber was? Das war die Frage, die mir Sorgen machte. Vielleicht war Soc nicht so harmlos, wie er tat. Vielleicht war er sogar ein böser, gefährlicher Mensch.

Diese Gedanken waren sofort verflogen, als ich durch die Tür in das Tankstellenbüro trat und sein erwartungsvolles Lächeln sah. Ich hatte mich noch nicht hingesetzt, da fragte er schon: «Hast du Lust auf eine Reise?»

«Eine Reise?» echote ich.

«Ja, ein Ausflug, ein Trip, eine Fahrt ins Blaue – ein Abenteuer.»

«Nein, vielen Dank. Ich bin auch gar nicht dafür angezogen.»

«Unsinn!» donnerte er so laut, daß wir uns beide erschrocken umschauten, ob uns jemand gehört hatte. «Pssst!» flüsterte er im nächsten Moment. «Nicht so laut, du weckst ja die Nachbarn aus dem Schlaf.»

Ich beschloß, seine gute Laune zu nutzen und eine Konfrontation zu wagen.

«Socrates», sagte ich, «mein Leben ist sinnlos geworden, seit ich dich kenne. Nichts klappt mehr, alles ist mir gleichgültig geworden – mein Studium, meine Beziehungen zu anderen, meine Zukunft. Nur das Training macht mir noch Spaß.»

Ich schaute ihn herausfordernd an. «Meinst du nicht, du solltest dafür sorgen, daß es mir besser geht? Ich dachte, das wäre die Aufgabe eines Lehrers.»

Bevor er antworten konnte, fiel ich ihm ins Wort: «Ich weiß, wo der Fehler liegt! Bisher war ich überzeugt, daß jeder Mensch seinen eigenen Weg suchen muß im Leben. Daß keiner ihm sagen kann, wie er leben sollte.»

Socrates schlug sich vor die Stirn und sah mich entgeistert an. «Welch eine Logik! Ich *bin* doch ein Teil des Weges, den du dir selbst ausgesucht hast. Oder habe ich dich etwa aus dem Kinderwagen geraubt und hier eingesperrt? Immerhin kannst du jederzeit gehen», sagte er und hielt mir schwungvoll die Tür auf.

Im selben Moment kam eine prächtige schwarze Limousine vorgefahren. Einen britischen Akzent parodierend, näselte Socrates: «Bitte, Sirrr, der Wagen steht bereit!»

Ich war so verdattert, daß ich tatsächlich meinte, wir würden mit diesem Luxus-Schlitten auf die Reise gehen. Warum auch nicht? In Socrates' Welt war alles möglich. Wie benebelt ging ich hinaus, machte den hinteren Wagenschlag auf und wollte einsteigen.

Erschrocken starrte ich in das faltig schlaffe Gesicht eines ältlichen Männchens, das mich mit wütenden Augen anfunkelte. Er schlang besitzergreifend den Arm um ein junges Mädchen. Sie war bestimmt noch keine sechzehn Jahre – wohl eines der Taxi-Girls aus den Straßen Berkeleys.

Eine feste Hand packte mich am Kragen, und ich wurde mit

einem Ruck zurückgerissen. Socrates drückte die Wagentür zu und verbeugte sich höflich gegen den Fahrer: «Entschuldigen Sie bitte, Sir, aber mein junger Freund hat noch nie ein so schönes Auto gesehen, und da wollte er wohl ... nicht wahr, Jack?»

Ich grinste dümmlich. «Sag mal», flüsterte ich. «Was geht hier eigentlich vor?»

Aber Socrates beachtete mich nicht und konzentrierte sich auf die Windschutzscheibe der Luxuskarosse.

Als das ungleiche Pärchen weitergefahren war, fragte ich, rot vor Verlegenheit: «Socrates, warum hast du mich nicht zurückgehalten? Wie habe ich mich blamiert!»

«Ja, tatsächlich, du hast dich wie ein Esel benommen. Aber ich hätte nicht gedacht, daß du so leichtgläubig bist.»

Wir standen uns gegenüber im grellen Neonflimmer und starrten einander mit Blicken nieder. Socrates allerdings grinste gelassen, während ich mich zähneknirschend beherrschen mußte.

«Ich habe es satt, für dich den Idioten zu spielen!» schrie ich ihn an.

«Immerhin paßt die Rolle dir wie angegossen.»

Ich gab der Abfalltonne einen Tritt und stampfte, innerlich kochend, ins Büro. «Überhaupt», schimpfte ich, «wie kommst du dazu, mich Jack zu nennen?»

«I-A-CK ruft der Esel», grinste er.

Das war für mich der letzte Tropfen. Das Faß lief über! Jetzt mußte ich diesem eingebildeten Kerl beweisen, daß er mir nicht imponieren konnte. Daß ich keine Angst hatte vor seiner Welt der Geheimnisse und Kriegertaten.

«Schön, machen wir meinetwegen diese Reise ...»

«Hach, eine ganz neue Seite an dir? Danny, der Draufgänger?»

«Draufgänger oder nicht – jedenfalls bin ich kein Blindgänger. Darauf kannst du Gift nehmen. Sag mir endlich, wohin die Reise geht? Wieso frag ich dich überhaupt? Ich sollte hier die Führung übernehmen – nicht du!»

Socrates seufzte geduldig. «Ich kann dir nichts versprechen, Dan. Der Weg des Kriegers führt über subtile Stufen, die für den Uneingeweihten nicht zu erkennen sind. Bisher wollte ich dir nur zeigen, was ein Krieger *nicht* ist. Ich habe dir deine eigenen Irrtümer vor Augen geführt. Vielleicht wirst du's bald begreifen.

Vorher aber muß ich dich mitnehmen auf die Reise. Komm jetzt.»

Er führte mich in ein Gelaß hinter den Werkzeugregalen, das ich bislang noch nicht entdeckt hatte. Als einziges Möbel stand dort ein massiver Lehnstuhl auf einem grauen Teppich. Alles war grau in grau. Mir wurde flau im Magen.

«Setz dich», befahl er.

«Nein! Zuerst erkläre mir, was das alles soll.» Trotzig verschränkte ich die Arme über der Brust.

«Hör mir gut zu», explodierte er, offensichtlich mit seiner Geduld am Ende. «Der Krieger bin *ich* – und du bist ein Hanswurst! Willst *du* mir Vorschriften machen? Verdammt, ich werde dir nichts im voraus erklären. Setz dich, und halte den Mund. Oder verschwinde und vergiß, daß du mich je gekannt hast.»

«Ist das dein Ernst, Soc?»

«Ja, mein voller Ernst!»

Ich zögerte, dann setzte ich mich auf den Stuhl, wie er mir befohlen hatte. Aus einer Schublade holte Socrates ein paar lange Bänder, mit denen er mich an die Stuhllehne zu fesseln begann.

«Was hast du vor? Willst du mich foltern?» Teils machte ich Spaß, teils war es mir wirklich unheimlich.

«Nein, jetzt sei still», sagte er, während er eines der Bänder um meine Hüfte schlang und hinter der Lehne verknotete. Es paßte wie ein Sicherheitsgurt.

«Sag mal, soll das eine Flugreise werden?» fragte ich nervös.

«Ja, in gewissem Sinn», murmelte er. Dann kniete er sich hin, nahm meinen Kopf zwischen seine beiden Hände und drückte mir die Daumen leicht gegen die Stirn. Mir klapperten die Zähne, ich mußte dringend aufs Klo, aber im nächsten Moment hatte ich alles vergessen.

Farbige Lichter sprühten vor meinen Augen, und ich meinte seine Stimme zu hören, die ich aber nicht verstand, weil sie zu weit entfernt war.

Nun wanderten wir beide durch einen langen, von blauen Nebelschwaden verhangenen Korridor. Meine Füße bewegten sich, aber ich spürte keinen Boden unter mir. Plötzlich ragten zu beiden Seiten hohe Bäume auf. Die Bäume verwandelten sich in

Hochhäuser, und die Hochhäuser verwandelten sich in Felszinnen, und dann kletterten wir eine steile Schlucht hinauf.

Die Nebel hatten sich verzogen. Es war eiskalt. Unter uns erstreckte sich meilenweit eine geschlossene grüne Wolkendecke, die sich am Horizont in einen orangeroten Himmel auflöste.

Ich schlotterte vor Angst. Ich wollte etwas sagen, aber meine Stimme kam nur gedämpft hervor, wie erstickt. Ich zitterte unbeherrscht am ganzen Leib.

Socrates legte mir die Hand auf den Bauch. Sofort breitete sich eine wunderbar beruhigende Wärme in mir aus, und ich entspannte mich. Dann faßte mich Socrates an der Hand, und wir rannten los – über den Abgrund hinaus, über den Rand der Welt.

Wir tauchten ein in die grünliche Wolkenschicht, und im nächsten Moment schaukelten wir wie zwei betrunkene Riesenspinnen im Deckengebälk eines Sport-Stadions.

«Oh», sagte Socrates. «Ich habe mich wohl etwas verrechnet.»

«Teufel eins», keuchte ich und suchte strampelnd nach besserem Halt auf meinem luftigen Sitz. Socrates hockte lässig auf dem Balken neben mir. Ich konnte nur staunen, welch eine körperliche Gewandtheit er besaß – immerhin schon ein alter Mann!

«Oh, sieh mal», rief ich, «dort unten findet ein Turnertreffen statt. Socrates, du bist verrückt!»

«Wer ist hier verrückt?» sagte er. «Ich dachte, es wäre *deine* Reise, nicht wahr?»

«Wie kommen wir von hier runter?»

«Genau so, wie wir raufgekommen sind, ist doch klar.»

«Und wie sind wir heraufgekommen?»

Er kratzte sich am Kopf. «Ich weiß nicht so recht. Eigentlich hatte ich auf einen der vorderen Sitzplätze gehofft. Aber anscheinend war alles ausverkauft ...»

Ich bekam einen hysterischen Lachanfall. «Eine schöne Bescherung!» Socrates drückte mir die Hand auf den Mund. «Pssst», versuchte er mich zu beruhigen und zog seine Hand zurück. Das war sein Fehler!

«Hihihi!» wieherte ich los, bevor er mich erneut zum Schweigen bringen konnte. Es dauerte noch ein Weilchen, bis ich mich beruhigen konnte. Wie ein Bekloppter kicherte ich leise vor mich hin.

«Paß auf!» zischte er. «Diese Reise ist Realität! Viel realer, als die Tagträume deines normalen Lebens.»

Inzwischen fesselte das Geschehen dort unten meine Aufmerksamkeit. Die Zuschauer, aus solcher Höhe betrachtet, verschwammen für mich zu einem Meer bunter Tupfer, beinahe wie auf einem pointillistischen Gemälde. Auf einem Podium in der Mitte der Arena entdeckte ich das vertraute blaue Viereck einer Bodenturnmatte. Rundherum standen die verschiedenen Geräte. Mich packte, wie gewohnt, das Fieber des Wettkampfs.

Socrates kramte in seinem kleinen Rucksack. Woher hatte er den auf einmal? Er zog ein Fernglas hervor, das er mir in die Hand drückte.

Ich stellte das Glas scharf und richtete es auf die Turnerin, die sich dort unten für ihre Kür bereitmachte. Ich stellte fest, daß sie das Trikot der Sowjetunion trug. ‹Aha!› dachte ich, ‹ein internationaler Wettkampf.›

Die sowjetische Turnerin trat an den Stufenbarren. Aber, wie das? Ich konnte auf einmal die Worte verstehen, mit denen sie sich selber Mut machte. ‹Tolle Akustik hier in der Halle!› dachte ich. ‹Das ist ja phantastisch.› Dann aber sah ich durchs Fernglas, daß sie gar nicht die Lippen bewegte.

Ich richtete das Glas auf die Zuschauermenge und hörte ein Gemurmel von vielen Stimmen. Die Leute aber saßen reglos in gebanntem Schweigen. Auf einmal verstand ich. Irgendwie konnte ich ihre Gedanken lesen.

Jetzt hatte ich wieder die sowjetische Turnerin im Visier. Trotz der Sprachbarriere verstand ich genau, was sie sagte – oder vielmehr dachte: ‹Stark sein jetzt ...› Vor meinem inneren Auge sah ich die Bewegungsfolge ihrer Kür ablaufen, während sie die einzelnen Schritte im Geist vorwegnahm.

Ein Mann im Publikum zog meine Aufmerksamkeit auf sich, ein Bursche im weißen Sporthemd, der in erotischen Phantasien um eine der DDR-Turnerinnen schwelgte. Ein anderer, anscheinend der russische Trainer, dachte intensiv an das Mädchen am Start. Eine Zuschauerin beschäftigte sich ebenfalls in Gedanken mit ihr: ‹Welch ein schönes Mädchen! Hoffentlich schafft sie ihre Kür ... Nach der schweren Verletzung im letzten Jahr.›

Inzwischen wurde mir klar, daß ich nicht die *Worte* der

Leute verstand, sondern es waren Gefühlsbilder, geistige Vorstellungen – manchmal gedämpft und verschwommen, manchmal deutlich klar. Deshalb also verstand ich auf einmal Deutsch und Russisch und alle anderen Sprachen. Es war das reinste Pfingstwunder!

Und noch etwas Merkwürdiges fiel mir auf. Als die sowjetische Athletin mit ihrer Übung anfing, verstummten plötzlich ihre Gedanken. Erst als sie die Kür beendet hatte und an ihren Platz zurückging, kam ihr innerer Dialog wieder in Fluß. Dasselbe beobachtete ich bei der DDR-Turnerin an den Ringen, bei der Amerikanerin am Hochreck. Im Augenblick der Wahrheit verstummte der Gedankenstrom der Sportler vollkommen.

Ein DDR-Athlet ließ sich, mitten im Aufschwung zum Handstand am Barren, durch ein Geräusch ablenken. Ich spürte direkt, wie seine Gedanken magisch von diesem Geräusch angezogen wurden. ‹Was ...?› dachte er, während er seinen Absprung mit voller Drehung aus dem Handstand verpatzte.

Wie ein telepathischer Voyeur war ich Zeuge der privatesten Gefühle und Gedanken der Menschen! ‹Ich sterbe vor Hunger ...›, dachte der eine. ‹Ich muß das Elf-Uhr-Flugzeug erwischen, sonst platzen meine Pläne für Düsseldorf!› dachte der andere. Aber solange die Athleten konzentriert an den Geräten turnten, verstummten auch die Gedanken der Zuschauer.

Jetzt wurde mir erstmals bewußt, was mir am Turnen so gut gefiel. Es schenkte mir immer wieder willkommene Atempausen im Chaos meiner lärmenden Gedanken. Wenn ich zur Riesenwelle am Hochreck oder zum Salto ansetzte, gab es für mich nur noch Konzentration und Bewegung, sonst nichts. Dann schwieg mein ewig plätschernder Gedankenfluß.

Das Gemurmel der Zuschauer langweilte mich mit der Zeit. Es war immer wieder dasselbe – wie eine hängengebliebene Schallplatte. Ich setzte das Fernglas ab, um es vor der Brust baumeln zu lassen. Aber ich hatte vergessen, mir den Riemen um den Hals zu hängen. Und – schwupp – verschwand es in der Tiefe. Fast wäre ich beim Versuch, es aufzufangen, von meinem Hochsitz gepurzelt, direkt auf die Turnerin dort unten.

«Socrates!» flüsterte ich erschrocken. Er aber saß seelenruhig neben mir. Ich schielte vorsichtig hinunter, um mir den Schaden anzusehen, aber es war wie verhext, das Fernglas war spurlos verschwunden.

«Die Dinge laufen eben nach anderen Gesetzen, wenn du mit mir auf die Reise gehst», lachte Socrates. Und dann war auch er verschwunden, und ich segelte durch den leeren Raum – aber nicht in die Tiefe, sondern hinauf. Dabei hatte ich das sonderbare Gefühl, rückwärts über den Rand einer Klippe zu laufen, rückwärts durch eine Schlucht hinabzuklettern und mich durch einen nebelverhangenen Korridor zu tasten – alles rückwärts, wie in einem verkehrt abgespulten Stummfilm.

Socrates fuhr mir mit einem feuchten Tuch über die Stirn. Ich hing schlaff in meinen ‹Sicherheitsgurten›.

«Ja», sagte er, «Reisen erweitern den Horizont, nicht wahr?»

«Das kannst du laut sagen», stöhnte ich. «Uff, willst du mich nicht losbinden?»

«Noch nicht», sagte er und legte mir wieder beide Hände an die Schläfen.

«Halt – warte!» konnte ich noch schreien. Dann gingen wieder die Lichter aus. Ein brausender Sturmwind erfaßte mich und trug mich davon in Raum und Zeit.

Ich selbst war der Wind, aber anscheinend hatte ich Augen und Ohren. Ich sah alles, und ich hörte alles im weiten Umkreis. Ich strich über die Küsten Ostindiens hinweg, über den Golf von Bengalen, und sah eine magere alte Frau auf ihrem Reisfeld sich plagen. In Hongkong wirbelte ich an einem Tuchhändler vorbei, der kreischend mit seinem Kunden feilschte. Ich war eine frische Brise in den Straßenschluchten Sao Paolos und trocknete deutschen Touristen den Schweiß von der Stirn, die in der sengenden Sonne Volleyball spielten.

So trug mich der Wind – oder so kam ich als Wind in alle Länder der Erde. Ich brauste über die Weiten Chinas und über die Steppen der Mongolei, ich wehte, Schönwetter bringend, über das weite fruchtbare Rußland, ich fauchte als heißer Föhnwind durch die Alpentäler Österreichs und suchte als eisiger Hauch die Fjorde Norwegens heim.

Auf der Place Pigalle in Paris wirbelte ich Kehricht und alte

Zeitungen auf, in Texas toste ich als Hurrikan über die staubige Prärie, in Canton, Ohio, strich ich einem jungen Mädchen, das gerade an Selbstmord dachte, sanft übers Haar.

So erlebte ich alle Gefühle, ich hörte jeden Schrei aus der Not, hörte jedes befreite Lachen. Alle Situationen des menschlichen Lebens lagen offen vor mir. Dies alles spürte ich – und ich verstand.

Die Welt war voll von Gedanken, die schneller umherwirbelten als der Wind, stets auf der Suche nach Ablenkung und Vergnügen, stets auf der Flucht vor Traurigkeit, vor dem Dilemma von Leben und Tod, stets nach Sicherheit strebend, nach dem Sinn des Lebens fragend; nach dem Glück suchend, nach der Lösung des Großen Rätsels forschend.

Die Menschen waren alle unterwegs auf einer verzweifelten Suche. Doch niemals erreichten sie ihr erträumtes Ziel. Das Glück wartete auf sie – nur um die Ecke. Aber die Menschen liefen immer daran vorbei. Schuld war ihr rastloser Gedankenfluß, ihre Ideen und Vorstellungen.

Socrates nahm mir die Bänder ab, die mich auf dem Stuhl festgehalten hatten. Die frühe Sonne schien zum Fenster der Werkstatt herein und blendete meine Augen, die so vieles gesehen hatten. Ich weinte.

Zurück ins Büro mußte Socrates mich stützen. Als ich zitternd auf dem Sofa lag, wußte ich, daß ich nicht mehr jener naive, von seiner Wichtigkeit überzeugte junge Mann war, der sich vor wenigen Minuten – oder waren es Stunden oder Tage – auf den Stuhl in der grauen Nische gesetzt hatte. Ich fühlte mich alt, sehr alt.

Ich hatte das Leid der Welt gesehen, die Situation des seinen Gedanken ausgelieferten Menschen. Ich war todtraurig. Es gab keinen Ausweg.

Socrates hingegen war lustig und fidel. «Nun, heute haben wir keine Zeit mehr für unsere Spielchen. Mein Dienst endet gleich. Geh jetzt nach Hause, mein Freund, und schlaf dich mal richtig aus!»

Unsicher richtete ich mich auf und fuhr prompt mit dem Arm in den falschen Jackenärmel. Benommen zappelte ich mich frei und fragte schüchtern: «Warum hast du mich festgebunden, Socrates?»

«Für dumme Fragen bist du anscheinend niemals zu schwach»,

lachte er. «Ich habe dich festgebunden, weil du vom Stuhl gekippt wärst vor Schreck, als du wie Peter Pan durch die Lüfte flogst.»

«Oh, bin ich wirklich geflogen? So ist's mir jedenfalls vorgekommen.»

«Es war ein Flug deiner Phantasie, könnte man sagen.»

«Hast du mich vielleicht hypnotisiert?»

«Nicht in dem Sinn, wie du meinst», sagte er. «Und gewiß nicht in dem Sinn, wie du bisher als Schlafwandler durchs Leben getappt bist – hypnotisiert von deinen eigenen wirren Gedanken!»

Lachend griff er nach seinem Rucksack – wo hatte ich den schon gesehen? – und schickte sich an zu gehen.

«Weißt du», sagte er, «ich habe dich in eine der vielen parallelen Wirklichkeiten entführt, nur so zur Abwechslung – und damit du etwas zum Nachdenken hast.»

«Wie hast du das gemacht?»

«Ach», gähnte er, «das ist zu kompliziert für heute früh. Vielleicht ein andermal.» Socrates reckte sich wie eine Katze. Und während ich durch die Tür stolperte, hörte ich hinter mir seine Stimme: «Schlaf gut, Dan. Und mach dich gefaßt auf eine kleine Überraschung!»

Ich erwachte vom Ticken des Weckers, der auf meinem blauen Nachtkästchen stand. Aber ich besaß gar keinen so altmodischen Tick-Tack-Wecker. Und es gab auch kein blaues Nachtkästchen in meiner Studentenbude. Und die Bettdecke, die sich um meine Beine gewickelt hatte, war auch nicht meine!

Oh! Es waren ja gar nicht meine Beine. Sie waren viel zu kurz. Durch ein – mir völlig unbekanntes – Erkerfenster fiel der erste Sonnenstrahl herein. Wo war ich? Wer war ich? Ich klammerte mich an meine letzte blasse Erinnerung – dann war auch sie versunken.

Ich strampelte meine kurzen Beinchen frei und sprang auf. Aus der Küche hörte ich Mamis Stimme: «Danny! Steh auf, mein Kleiner!» Ja, richtig, es war der 22. Februar 1952, mein sechster Geburtstag! Ich schlüpfte aus dem Pyjama und sprang in meinen Lone Ranger-Shorts die Treppe hinunter.

Welch ein Tag! Bald würden meine Spielkameraden kommen, sie würden mir Geschenke mitbringen, wir würden Kuchen essen und Limonade trinken, soviel wir wollten, und viel Spaß haben.

Später war der Partyschmuck wieder abgenommen, meine Freunde waren gegangen und ich hockte lustlos in einer Ecke und beschäftigte mich mit meinen neuen Spielsachen. Ich langweilte mich, ich war müde, ich hatte Bauchweh. Irgendwann fielen mir die Augen zu, und ich schlief ein.

Ich sah die Zeit verrinnen, eine endlose Folge von Tagen: Schule, Wochenende, wieder Schule, und dann endlich die Sommerferien, der Herbst und der Winter ... So verging ein Jahr nach dem anderen, und bald war ich Dan Millman, der beste Turner an der High School von Los Angeles.

Ja, in der Turnhalle machte mir das Leben Spaß. Sonst kannte ich nur Langeweile und Enttäuschung. Meine wenigen glücklichen Momente erlebte ich auf dem Trampolin, wenn ich mit federndem Sprung himmelwärts schnellte, oder auf dem Rücksitz meines zerbeulten Valiant, beim Schmusen mit Phyllis, meiner wohlgerundeten ersten Freundin.

Eines Tages schellte zu Hause das Telefon. Es war Harold Frey, der Trainer aus Berkeley, California. Er wollte mich in seine Mannschaft holen und versprach mir ein Stipendium fürs College. Ich war begeistert, ich konnte es kaum erwarten, mich ins Leben der sagenhaften ‹Westküste› zu stürzen.

Doch Phyllis hatte wohl andere Vorstellungen von unserer Zukunft. Wir zerrten hin, wir zerrten her, und schließlich trennten wir uns.

Eine Zeitlang ging es mir ziemlich mies, aber ich tröstete mich mit der Aussicht auf meinen Studienplatz in Berkeley. Ich wußte, bald würde das Leben erst richtig anfangen!

Am College vergingen die Jahre wie im Flug, mit vielen sportlichen Triumphen, aber wenig anderen Höhepunkten. In meinem letzten Studienjahr, kurz vor den Olympischen Spielen, heirateten Susie und ich. Wir blieben in Berkeley wohnen, so daß ich mit der Mannschaft trainieren konnte. Ich lebte ausschließlich für den Sport und hatte weder Zeit noch Energie für meine junge Frau übrig.

Dann kam die amerikanische College-Meisterschaft. Ich jubelte, als ich die Benotung hörte. Mein Platz in der Olympia-Mannschaft der USA war mir sicher. Aber meine Leistung bei den Olympischen Spielen enttäuschte mich. Ich fuhr nach Hause und versank allmählich in der Anonymität.

Bald kam unser kleiner Sohn zur Welt, und ich litt unter der wachsenden Verantwortung. Ich fand einen Job als Versicherungsagent, der meine Tage und Abende ausfüllte. Für die Familie blieb mir kaum Zeit.

Ein Jahr später lebten Susie und ich getrennt. Zuletzt reichte sie die Scheidung ein. Immerhin, dachte ich wehmütig, die Chance für einen neuen Anfang.

Als ich eines Tages vor dem Spiegel stand, wurde mir klar, daß schon vierzig Jahre meines Lebens vorbei waren. Ich war alt geworden. Was hatte ich aus meinem Leben gemacht? Mit Hilfe meines Psychiaters hatte ich ein kleines Alkoholproblem überwunden. Ich hatte Geld gehabt, Frauen und Wohnungen. Jetzt hatte ich niemanden mehr. Ich war einsam.

Was mochte aus meinem Sohn geworden sein? fragte ich mich, wenn ich schlaflos im Bett lag. Viele Jahre hatte ich ihn nicht mehr gesehen. Was mochte aus Susie geworden sein? Und aus meinen Freunden in den guten alten Tagen?

Mittlerweile verbrachte ich meine Tage im Schaukelstuhl. Neben mir ein Glas Wein, vor mir im Fernseher die Baseball-Reportage, so grübelte ich alten Zeiten nach. Ich schaute den Kindern zu, die vor dem Haus spielten. Nun, es war kein schlechtes Leben gewesen, redete ich mir ein. Ich hatte alles erreicht, was man erreichen konnte. Oder nicht? Warum also war ich nicht glücklich?

Eines der Kinder, die auf dem Rasen vor meinem Haus spielten, kam eines Tages zu mir an den Balkon. Ein kleiner Junge war es, herzig und zutraulich, und er fragte mich:

«Wie alt bist du, Onkel?»

«Zweihundert Jahre», sagte ich.

Er kicherte. «Oh, nein. Gar nicht wahr!» Und stemmte seine Fäustchen in die Hüften.

Ich mußte selber lachen, was wieder einen meiner Hustenanfälle auslöste. Und Mary, meine tüchtige junge Pflegerin, mußte den Jungen fortschicken.

Nachdem ich, mit Hilfe des Inhalators, wieder Luft holen konnte, keuchte ich: «Mary, lassen Sie mich bitte einen Moment allein.»

«Gewiß, Mister Millman.» Ich schaute ihr nicht mal nach, als sie ging. Auch das war längst vorbei.

Ich blieb alleine sitzen. Mein ganzes Leben war ich einsam gewesen, so schien mir. Ich lehnte mich im Schaukelstuhl zurück und atmete tief, eines der letzten Vergnügen, die mir das Leben noch vergönnte. Auch das würde bald vorbei sein.

Ich weinte lautlos, bittere Tränen. «O verflucht, verflucht!» stöhnte ich. Warum mußte meine Ehe scheitern? Wie hätte ich es anders machen sollen? Was hätte ich anfangen können mit meinem Leben?

Auf einmal war die bohrende Angst wieder da, die schrecklichste Angst meines Lebens. Ob ich etwas Wichtiges verpaßt hatte – etwas, das wirklich einen Unterschied gemacht hätte? «Nein, unmöglich!» dachte ich. Laut zählte ich alle meine Erfolge auf. Die Angst blieb.

Ich stand schwerfällig auf und blickte vom Balkon meiner Bergvilla über die Stadt. Wo war mein Leben geblieben? Wozu hatte ich gelebt? Ob jeder dazu verurteilt war ...?

«Oh, mein Herz!» versuchte ich zu schreien. «Oh, mein Arm! Der Schmerz!» Ich brachte nur ein Röcheln hervor.

Meine Fingerknöchel verfärbten sich weiß, so fest krallte ich mich an die Balkonbrüstung. Ich zitterte, meine Beine wurden eiskalt, mein ganzer Körper, mein Herz wurde schwer wie ein Stein.

Ich kippte rückwärts in meinen Sessel. Mein Kopf sank kraftlos auf die Brust.

Der Schmerz hatte plötzlich nachgelassen. Ich sah Lichter, wie ich niemals welche gesehen, ich hörte Klänge, wie ich niemals welche gehört hatte. Sphärenmusik? Visionen schwebten vorüber. «Bist du es, Susie?» fragte eine Stimme irgendwo tief drinnen. Zuletzt verdichteten sich die Bilder und Klänge zu einem einzigen leuchtenden Punkt, wie am unerreichbaren Ende eines Tunnels. Dann wurde es dunkel.

Ich hatte endlich Frieden gefunden – den einzigen, den ich jemals gekannt hatte.

Ich hörte ein unbändiges Kriegerlachen. Erschrocken fuhr ich auf in meinem Bett, und all die verflossenen Jahre strömten rückwärts zu mir zurück. Ich lag in meinem wohlvertrauten Bett, in meiner Wohnung in Berkeley. Ich war noch immer der Collegestudent im dritten Studienjahr, und mein elektrischer Radiowecker zeigte 18:25 Uhr. Ich hatte all meine Kurse verschlafen, und auch das Nachmittagstraining!

Ich sprang auf und stellte mich vor den Spiegel. Ich fuhr mit den Fingerspitzen über mein noch immer junges Gesicht und schüttelte mich erleichtert. Alles war nur ein böser Traum gewesen. Der Traum eines Menschenlebens – das Leben als Alptraum! Ob das die kleine Überraschung war, die Socrates mir versprochen hatte?

Nachdenklich saß ich in meinem Zimmer und sah aus dem Fenster. Ich hatte ein banges Gefühl. Mein Traum war so unglaublich lebendig gewesen. Und er hatte mit meinem bisherigen Leben genau übereingestimmt, bis in die kleinsten Einzelheiten – sogar längst vergessene Episoden wie jener Kindergeburtstag.

Solche Reisen in eine andere Wirklichkeit, hatte Socrates gesagt, wären gleichwohl Wirklichkeit. Ob diese Zeitreise ein Ausblick auf meine Zukunft gewesen war?

An diesem Abend, kurz vor zehn Uhr, kam ich in die Tankstelle, gerade als Socrates' Schicht begann. Kaum war er ins Büro eingetreten, kaum war der Tages-Tankwart gegangen, da bestürmte ich ihn: «Was ist mit mir geschehen, Socrates?»

«Das mußt du besser wissen als ich. Es war *dein* Leben, nicht meines – zum Glück.»

«Socrates!» flehte ich, beide Hände ausgestreckt. «Soll *das* mein zukünftiges Leben sein? Da lohnt es ja gar nicht, weiterzuleben.»

Er sprach leise und eindringlich, wie immer, wenn er meine besondere Aufmerksamkeit forderte: «Weißt du, Dan, man kann die Vergangenheit ganz verschieden interpretieren und deuten. Folglich gibt es auch Möglichkeiten, die Gegenwart zu verändern. Und es gibt *immer* mehrere Möglichkeiten der Zukunft. Dieser Traum wäre wahrscheinlich deine Zukunft geworden, falls du mich nicht getroffen hättest.»

«Du meinst also, wenn ich nicht damals zufällig in diese Tankstelle gestolpert wäre, würde dieser Alptraum für mich Wirklichkeit?»

«Ja», sagte er, «sehr wahrscheinlich. Und er kann immer noch deine Wirklichkeit werden. Die Entscheidung liegt jetzt bei dir. Du kannst die Gegenwart ändern, und damit auch deine Zukunft.»

Socrates bereitete Tee und stellte meinen Becher vor mich hin. Seine Bewegungen waren behutsam und geschickt.

«Ich weiß nicht, Socrates, was ich davon halten soll. Mein Leben in diesen drei Monaten, seit ich dich kenne, war wie ein unwirklicher Traum. Verstehst du? Manchmal wünsche ich mir, ich könnte zurückkehren in mein normales Leben, wie ich es früher gewohnt war. Diese nächtlichen Diskussionen mit dir, diese Reisen und diese Träume – das alles macht mir schwer zu schaffen.»

Socrates sah mich nachdenklich an. Ich wußte, jetzt kam etwas Wichtiges:

«Ich muß dich noch härter fordern, Dan. Das heißt, falls du bereit bist dafür, falls du genug Energie hast. Ich garantiere dir, daß dein früheres Leben dir keinen Spaß mehr machen wird, wenn du erst andere Möglichkeiten kennengelernt hast, die dir viel interessanter, viel aufregender und zugleich viel *normaler* vorkommen werden. Vorläufig aber wäre es ein Fehler, dich unvorbereitet in diese neuen Möglichkeiten hineintappen zu lassen.»

«Aber, Socrates, ich erkenne den Wert all dessen, was du mir zeigen willst.»

«Mag sein», sagte er. «Aber du hast immer noch ein erstaunliches Talent, dir etwas vorzumachen. Aus diesem Grund mußte ich dir dein zukünftiges Leben im Traum vor Augen führen. Erinnere dich daran, falls du einmal in Versuchung kommst, alles hinzuwerfen und fortzugehen, um deinen alten Illusionen nachzulaufen.»

«Keine Angst, Socrates, ich werde es schaffen.»

Hätte ich gewußt, was mir bevorstand, ich hätte lieber meinen Mund gehalten.

2
Das Netz der Illusionen

Milde Märzwinde wehten, und die bunten Frühlingsblumen verströmten ihren Duft bis in die Duschkabine, wo ich mir nach einem harten Training den Schweiß und die Erschöpfung aus den Poren wusch.

Ich schlüpfte in meine Jeans und rannte über die Hintertreppe des Harmon Gym hinaus, um den Sonnenuntergang zu sehen, der über Edwards Field den Himmel blutrot färbte. Danach schlenderte ich, fröhlich und zufrieden mit mir und der Welt, durch die Stadt. Auf dem Weg zum Studentenkino leistete ich mir einen saftigen Cheeseburger. Auf dem Programm stand diesmal *Der große Ausbruch*, ein spannender Film über die tollkühne Flucht von britischen und amerikanischen Kriegsgefangenen.

Nach dem Kino joggte ich langsam die University Avenue hinunter, bog in die Shattuck ein und hatte bald die Tankstelle erreicht, kurz nachdem Socrates zum Dienst gekommen war. Es gab viel zu tun an diesem Abend, darum half ich ihm bis Mitternacht, und als es ruhiger wurde, gingen wir hinein und wuschen uns die Hände.

«Als Überraschung für dich gibt es heute chinesisches Essen», verkündete Soc. Noch während er das Essen zubereitete, begann für mich ein neues Kapitel seiner Lehren.

Es fing damit an, daß ich ihm ganz harmlos von dem Film erzählte. «Klingt ja ganz interessant», meinte er, während er Lauch und Karotten aus einer Tüte zog, «und paßt auch ganz gut auf dich.»

«Ach? Wieso?»

«Auch du mußt einen Ausbruch wagen, Dan. Auch du bist in Gefangenschaft – ein Gefangener deiner eigenen Illusionen. Um dich von deinen falschen Vorstellungen über dich selbst und die Welt zu befreien, wirst du Mut und Kraft brauchen, mehr als diese Soldaten im Film.»

Ich war so gut aufgelegt an diesem Abend, daß ich Socs Worte nicht ernst nehmen konnte. «Ich fühle mich gar nicht wie ein Gefangener, außer wenn du mich an deinen Flugsessel fesselst.»

Socrates ließ sich nicht beirren. Unter dem plätschernden Wasserstrahl wusch er ruhig sein Gemüse. «Du erkennst dein Gefängnis nicht», sagte er, «weil die Gitterstäbe unsichtbar sind. Meine Aufgabe ist es, dir deine mißliche Lage vor Augen zu führen, und ich hoffe, es wird eine desillusionierende Erfahrung für dich sein.»

«Besten Dank», witzelte ich, nun doch leicht schockiert über seinen tödlichen Ernst.

«Mir scheint, du hast mich nicht verstanden.» Er schwenkte mit einem Lauchstengel in meine Richtung. «Desillusionierung – das ist das beste Geschenk, das ich dir machen kann. Sie mag dir als etwas Negatives erscheinen, nur weil du deine Illusionen liebst. Vielleicht bedauerst du einen Freund: ‹Oh, welch eine desillusionierende Erfahrung mußte der Arme machen!› Du solltest ihn aber beglückwünschen und dich freuen mit ihm, weil er von seiner Illusion befreit worden ist. Statt dessen ziehst du es vor, dich an deine Illusionen zu klammern.»

«Was redest du da?» fragte ich. «Tatsachen, bitte!»

«Tatsache ist», sagte er, den in Würfel geschnittenen Tofu beiseite schiebend, «daß du leidest. Das Leben freut dich im Grunde nicht, Dan. Deine Vergnügungen, deine Spielereien mit Mädchen, sogar der Sport – all das sind nur Mittel, um dich von deiner tiefsitzenden Angst abzulenken!»

«Halt, Socrates», protestierte ich. «Willst du etwa behaupten, daß Turnen und Kino und Sex etwas Schlechtes sind?»

«An und für sich nicht. Aber für dich sind es Betäubungen, keine Vergnügungen. Du versuchst dich nur abzulenken von dem, was du tun solltest: dich befreien. Und das weißt du!»

«Halt, halt, Socrates. Das sind keine Tatsachen.»

«Doch. Sogar beweisbare Tatsachen – nur willst du's nicht einsehen. Du bist auf Leistung und auf Zerstreuung konditioniert, Dan, und das hilft dir, vor der Ursache deines Leidens die Augen zu verschließen.»

«So, meinst du?» höhnte ich, unfähig, meine Feindseligkeit zu unterdrücken.

«Das hörst du nicht gerne, wie?»

«Nein, nicht sehr. Mag sein, es ist eine interessante Theorie, aber auf mich trifft sie nicht zu. Kannst du nicht etwas mehr zur Sache kommen?»

«Aber sicher», meinte er und fuhr seelenruhig fort, sein Gemüse zu schnitzeln. «Die Sache ist die, lieber Dan, daß dein Leben wunderbar ist und du kein bißchen leidest. Du bist bereits ein Krieger – du brauchst mich gar nicht! Na, wie klingt das?»

«Schon besser», lachte ich. Schlagartig hatte sich meine Stimmung gebessert. Trotzdem wußte ich, daß es nicht stimmte. «Die Wahrheit liegt wohl irgendwo dazwischen, nicht wahr?»

Ohne von seinen Töpfen und Tellern aufzublicken, sagte Socrates: «Dieses *irgendwo dazwischen,* das ist die Hölle.»

Feindselig zischte ich: «Ich bin hier wohl der einzige Idiot, wie? Oder hast du dich auf die Arbeit mit geistig Behinderten spezialisiert?»

«So könnte man sagen», lachte er, während er Sesamöl in eine Pfanne träufelte, die er auf die Kochplatte stellte. «Aber du bist nicht der einzige; die ganze Menschheit leidet an diesem Problem.»

«Ja? Und welches Problem ist das, bitte?»

«Ich hab's dir schon oft erklärt», seufzte er geduldig. «Wenn du nicht bekommst, was du haben willst, dann leidest du. Wenn du bekommst, was du nicht haben willst, dann leidest du. Du leidest sogar, wenn du genau das bekommst, was du haben wolltest, nur weil du es nicht ewig behalten kannst. Das Problem ist dein *Denken.* Es scheut die Veränderung, es scheut Schmerzen, es scheut die Anforderungen des Lebens und Sterbens. *Veränderung* heißt das Gesetz aber, und du kannst dir einreden, was du willst – an diesem Gesetz kannst du nicht deuteln.»

«Socrates, du kannst einem wirklich den Spaß verderben. Ich

hab keine Lust mehr auf dein Essen. Wenn das Leben, wie du sagst, nichts als Leiden ist – wozu dann die ganze Aufregung?»

«Nein, das Leben ist nicht Leiden. Nur du leidest, weil du es nicht genießen kannst, solange du nicht die Fesseln deines Denkens abwirfst und dich auf den Weg machst, ganz gleich was geschieht.»

Socrates tat das zerkleinerte Gemüse in die Pfanne, und bald verbreitete sich ein köstlicher Duft im Raum. Ich vergaß meine Bedenken. «Mein Appetit ist wiedergekehrt, glaube ich.»

Socrates lachte mir aufmunternd zu und verteilte den Inhalt der Pfanne auf die zwei Teller am Tisch. Wir aßen schweigend, aber während Socrates sein Gemüse langsam mit Stäbchen zum Munde führte und bedächtig kaute, hatte ich meine Portion nach dreißig Sekunden verschlungen. Anscheinend hatte ich wirklich Hunger gehabt!

Socrates war noch nicht fertig, da bestürmte ich ihn: «Nun sag endlich, was ist der positive Zweck unseres Denkens?»

Er schaute von seinem Teller auf und meinte: «Es gibt keinen.» Unbekümmert wandte er sich wieder seinem Teller zu.

«Wie? Es gibt keinen? Das ist verrückt, Socrates. Was ist mit all den wunderbaren Schöpfungen unseres Denkens? Was ist mit Büchern, Symphonien, Kunstwerken? Und was ist mit den Fortschritten der Gesellschaft, errungen von den größten Geistern?»

Grinsend legte Socrates seine Stäbchen weg und sagte: «Es gibt keine großen Geister.» Dann stand er auf und trug unsere Teller hinaus.

«Hör doch auf mit deinen unverantwortlichen Sprüchen, Socrates! Drück dich klar aus.»

Mit zwei blitzblank gespülten Tellern kam Soc aus der Toilette zurück. «Vielleicht sollten wir für dich ein paar Begriffe neu definieren. *Denken* zum Beispiel ist ein genauso verschwommenes Wort wie *Liebe*. Die jeweilige Definition hängt ganz von deinem Bewußtseinszustand ab. Du kannst es folgendermaßen betrachten: Du hast ein Gehirn, das deinen Körper steuert. Es sammelt Informationen und wendet diese Informationen an. Diese abstrakten Vorgänge im Gehirn bezeichnen wir als *Verstand*. Was du als *Denken* bezeichnest, kommt nirgends vor. Gehirn und Gedanken sind nicht dasselbe. Das Gehirn ist real, die Gedanken nicht.

Dein *Denken* ist das illusorische Ergebnis einfacher Hirnvorgänge. Es wuchert – wie ein Tumor. Es umfaßt all die zufälligen, ziellosen Gedanken, die aus dem Unterbewußtsein ins Bewußtsein aufsteigen. Aber Bewußtsein ist nicht gleich Denken! Aufmerksamkeit ist nicht gleich Denken. Gewahrwerden ist nicht gleich Denken. Das sogenannte Denken ist eine Störung, ein geistiger Kurzschluß. Es ist ein Irrtum in der Evolution des Menschen, ein eingebauter Fehler im menschlichen Experiment. Mit dem, was du *Denken* nennst, kann ich nichts anfangen.»

Ich schwieg. Ich fühlte mich wie erschlagen und wußte nicht recht, was ich sagen sollte.

«Das ist eine sonderbare Betrachtungsweise, Soc. Ich weiß nicht, wovon du redest, aber mir scheint, du meinst es ernst.»

Er lächelte nur und hob die Schultern.

«Socrates», flehte ich. «Soll ich mir etwa den Kopf abschneiden, nur um mein Denken loszuwerden?»

«Das wäre womöglich eine Therapie», grinste er, «aber sie hat unangenehme Nebenwirkungen. Das Gehirn ist ein Werkzeug, mit dem wir allerhand anfangen können. Es kann Telefonnummern speichern, es kann mathematische Gleichungen lösen und Gedichte ersinnen. So arbeitet es für den Rest unseres Körpers, fast wie ein Traktor. Aber was ist, wenn du nicht mehr aufhören kannst zu denken, wenn dir dauernd mathematische Gleichungen oder Telefonnummern einfallen und deine Gedanken unaufhörlich um Erinnerungen kreisen, ohne daß du es willst? *Das* ist nicht mehr dein Gehirn, das funktioniert, sondern dein Denken, das ziellos umherschweift. Dann bist du der Sklave deiner Gedanken, und dein Traktor rast steuerlos durch die Gegend.»

«Aha, ich verstehe.»

«Unsinn. Falls du's wirklich verstehen willst, mußt du es selbst an dir beobachten. Zum Beispiel: bei dir blubbert ein wütender Gedanke hoch und du *wirst* wütend. Genauso geht es mit allen anderen Gefühlen. Es sind nur automatische Reflexe auf Gedanken, die du nicht kontrollieren kannst. Deine Gedanken gebärden sich wie wilde, von der Tarantel gestochene Affen!»

«Hör mal, Socrates, ich denke ...»

«Du *denkst* zuviel!»

«Ich wollte nur sagen, ich bin wirklich bereit, mich zu ändern.

Das ist das Besondere an mir, ich bin immer offen für eine Veränderung.»

«Das», polterte Socrates, «ist deine allergrößte Illusion! Du bist vielleicht bereit, deine Kleidung zu ändern, deinen Haarschnitt, Frauen, Jobs und Wohnungen. Du bist bereit, alles zu ändern – außer dich selbst. Aber du wirst dich ändern, das verspreche ich dir. Entweder gelingt es mir, dir die Augen zu öffnen, oder die Zeit wird es tun. Und die Zeit ist nicht immer ein sanfter Lehrer, darauf kannst du dich verlassen.

Du kannst dich entscheiden», sagte er dann versöhnlicher. «Aber zuerst mußt du erkennen, daß du in einem Gefängnis bist. Erst dann können wir deinen Ausbruch planen.»

Er wandte sich seinem Schreibtisch zu, spitzte einen Bleistift und fing an, Rechnungen zu kontrollieren. Mein Gefühl sagte mir, ich sei entlassen. Das war mir ganz recht – ich hatte genug für diesen Abend.

In den nächsten Tagen war ich zu beschäftigt, so redete ich mir ein, um Socrates einen Besuch zu machen. Es vergingen Wochen, und noch immer konnte ich mich nicht aufraffen. Seine Worte aber klangen mir in den Ohren, und ich konnte nicht aufhören, mich mit ihnen auseinanderzusetzen.

Irgendwann kaufte ich mir ein Notizbuch und fing an, alles aufzuschreiben, was mir tagsüber so durch den Kopf ging. Außer beim Training, da schwiegen die Gedanken und traten zurück hinter der Aktion. Schon nach zwei Tagen mußte ich mir ein dickeres Heft kaufen, und auch dies war nach einer Woche vollgeschrieben! Ich war verblüfft über die Menge – und vor allem die Negativität – meiner täglichen Grübeleien.

Aber es war eine gute Übung, die meine Aufmerksamkeit für den 'Gedanken-Lärm' schärfte. Es war, als hätte ich die Lautstärke meiner Gedanken, die vorher nur Hintergrundmusik gewesen war, voll aufgedreht. Schließlich gab ich es auf, alles niederzuschreiben, aber meine Gedanken dröhnten unvermindert weiter. Ob Socrates mir helfen konnte, meine Gedankenlautstärke wieder herunterzudrehen? Ich beschloß, ihn noch am gleichen Abend zu besuchen.

Ich fand ihn in der Werkstatt, wo er, hinter Dampfwolken

verborgen, einem alten Chevrolet eine Motorwäsche verpaßte. Ich wollte ihm etwas zurufen, als ein zierliches schwarzhaariges Mädchen lautlos in der Tür erschien. Nicht einmal Socrates hatte sie kommen hören – und das wollte schon etwas heißen! Doch dann entdeckte er sie, er stellte den Dampfstrahl ab und ging ihr mit ausgebreiteten Armen entgegen. Sie kam ihm entgegengesprungen, und sie umarmten sich herzlich und tanzten durch die Werkstatt. Sie schauten sich stumm in die Augen, und Socrates fragte: «Ja?» und immer wieder: «Ja?» Und sie antwortete: «Ja.»

Es war schon seltsam. Aber weil sie mich anscheinend nicht bemerkten, schaute ich ihnen einfach zu, jedesmal wenn sie vorbeitanzten. Das Mädchen war nicht sehr groß, knapp einssechzig, und sie war von einer beinahe zerbrechlichen Zartheit. Ihr langes schwarzes Haar trug sie in einem Knoten aufgesteckt, und die straff aus der Stirn gekämmten Strähnen unterstrichen die Klarheit ihres strahlenden Gesichts. Überhaupt, das Auffälligste an diesem Gesicht waren die Augen – große, leuchtende schwarze Augen.

Endlich hatten sie mich bemerkt.

«Dan, sieh mal, das ist Joy», sagte Socrates.

Ich fühlte mich sofort zu ihr hingezogen. Ihre Augen funkelten mich an, ihr warmes Lächeln war leicht spitzbübisch.

«Heißt du wirklich Joy, also Freude? Oder bezieht sich das bei dir auf deine Stimmung?» versuchte ich witzig zu sein.

«Beides», erwiderte sie lachend, mit einem Seitenblick zu Socrates. Der nickte bestätigend. Und dann umarmte sie mich herzlich – und voller Zärtlichkeit. Das Leben lächelte mich gleich viel freundlicher an als vor ein paar Minuten, und ich war sofort verliebt.

«Der alte Buddha hat dich wohl tüchtig in die Mangel genommen?»

«Oh, ja.» Wach auf, Dan! flüsterte ich mir selber zu. «Die Mühe lohnt sich auf jeden Fall. Weiß ich aus eigner Erfahrung – mich hat er auch schon bearbeitet», sagte sie strahlend.

Mir war auf einmal, als hätte ich einen Kloß im Hals. Ich wollte noch etwas sagen, aber ich wußte nicht mehr weiter. Auch hatte sie sich schon wieder zu Soc umgedreht und sagte: «Also, ich gehe jetzt. Wie wär's, treffen wir uns alle am Samstagmorgen zu einem

Picknick im Tilden Park? Ich bringe etwas zu essen mit. Ganz bestimmt wird die Sonne scheinen. Also, abgemacht?» Sie schaute Socrates an, dann mich. Ich konnte nur dümmlich nikken, während sie winkend zur Tür hinausschwebte.

Den Rest dieses Abends war ich keine große Hilfe für Socrates. Auch den Rest der Woche verlebte ich wie im Traum. Endlich war Samstag früh, und ich schlenderte mit nacktem Oberkörper zur Bushaltestelle. Konnte nicht schaden, so dachte ich, ein paar bräunende Sonnenstrahlen einzufangen! Und außerdem wollte ich Joy mit meinen Muskeln beeindrucken.

Mit dem Bus fuhren wir zum Park hinaus, und dann wanderten wir querfeldein durch raschelndes Laub, das noch vom letzten Jahr in dicken Polstern zwischen den Fichten, den Birken und Ulmen lag. Auf einer grasbewachsenen Hügelkuppe ließen wir uns nieder, im strahlendsten Sonnenschein, und packten unsere Vorräte aus. Ich räkelte mich auf der Decke und ließ mich von der Sonne braten und hoffte nur, Joy würde sich neben mich legen.

Ganz unverhofft aber kam ein Sturmwind auf, und dicke Gewitterwolken brauten sich zusammen. Ich traute meinen Augen nicht. Und jetzt regnete es sogar – zuerst ein paar Tröpfchen, dann ein wahrer Wolkenbruch. Fluchend langte ich nach meinem Hemd und zog es mir über. Socrates sah mich an und lachte.

«Du findest es wohl furchtbar komisch», schimpfte ich. «Wir werden patschnaß, der Bus fährt erst in einer Stunde, und unser ganzes Picknick ist ruiniert! Joy hat das Essen so schön vorbereitet. Ich wette, Joy findet das auch nicht so ...»

Aber Joy warf nur die Arme in die Luft und lachte ebenfalls.

«Dan», rief Socrates, «ich lache nicht über den Regen, ich lache über *dich!*» Brüllend schlug er sich auf die Schenkel und ließ sich ins nasse Laub fallen. Joy war aufgesprungen, parodierte einen Tanz und sang dazu ‹Singin' in the Rain.› Ginger Rogers und der Buddha, es war nicht zu fassen.

So plötzlich wie das Unwetter gekommen war, so plötzlich verschwand es wieder. Die Sonne brach durch die Wolken, und bald waren unsere Sachen und unsere Picknicktüten wieder trocken.

«Mein Regentanz hat geholfen», jubelte Joy und machte eine bühnenreife Verbeugung.

Und während Joy sich hinter mich kauerte und anfing, mir Schultern und Hals zu massieren, hielt Socrates mir einen Vortrag:

«Es wird Zeit, Dan, daß du aus den Erfahrungen deines Lebens lernst, statt wehleidig die Dinge über dich ergehen zu lassen. Vorhin, da wurden dir zwei wichtige Lehren erteilt, sozusagen aus heiterem Himmel ...»

Ich schaufelte Kartoffelsalat in mich hinein und versuchte nicht hinzuhören.

«Erstens», sagte er, ein Salatblatt kauend, «waren deine Wut und deine Enttäuschung nicht durch den Regen bedingt.»

Ich kaute gerade mit vollen Backen und konnte nicht protestieren. Socrates schwenkte eine rohe Mohrrübe wie einen Taktstock.

«Der Regen war eine ganz normale Naturerscheinung. Deine *Wut* über das ruinierte Picknick und deine *Freude*, als die Sonne wieder schien, waren beides Produkte deines Denkens. Sie hatten nicht das geringste mit den tatsächlichen Vorgängen zu tun. Du hast doch schon einmal erlebt, daß du *unglücklich* warst auf einem Fest, oder? Und bestimmt hatten deine trüben Gedanken nichts mit den Leuten zu tun, auch nichts mit der Situation. Siehst du, das ist die erste Lektion für dich.

Und die zweite», fuhr er zwischen zwei Happen Kartoffelsalat fort, «ergibt sich aus der Tatsache, daß du noch wütender wurdest, als du bemerktest, daß ich mich gar nicht aufregte über das Wetter. Da konntest du dich mal mit einem Krieger vergleichen – pardon, mit zwei Kriegern», lächelte er in Joys Richtung. «Und dieser Vergleich fiel ungünstig für dich aus, Dan. Er zeigte dir, daß du dich ändern mußt.»

Ich hockte mürrisch im Gras und ließ Socs Worte auf mich einwirken. Ich bemerkte nicht mal, daß die beiden fortgingen. Nach einer Weile fing es wieder zu regnen an.

Joy und Socrates kamen zurück. Weiß der Teufel, was der alte Buddha sich wieder ausgedacht hatte, um mich zu ärgern! Jedenfalls hüpfte er auf und ab und machte ein Mordsgetue, bis ich merkte, daß er mein Verhalten von vorhin nachäffte: «Gottverdammter Regen!» zeterte er. «Unser ganzes schönes Picknick fällt ins Wasser!» Mitten in seiner Parodie blieb er stehen und zwinkerte mir aufmunternd zu. Dann hechtete er mit einem Kopfsprung in einen tropfnassen Haufen Laub und machte Schwimmbewegungen. Hol mich doch ...! dachte ich. Joy fing an zu singen – oder lachte sie mich aus? Ich konnte es nicht mehr unterscheiden.

Endlich gab ich mir einen Ruck und fing an, mit den beiden im nassen Laub herumzutollen. Ich bekam Joy zu fassen und buddelte sie in die Blätter unter. Meine Wut war verraucht – es machte mir plötzlich riesigen Spaß, und ihr auch, hoffte ich. Überhaupt konnte Joy lustig sein wie ein verspielter junger Hund. Und im nächsten Moment war sie wieder ganz die beherrschte junge Frau. Ich war hingerissen.

Am Ende dieses – trotz allem – so schönen Tages ließen wir uns im Bus durch das Hügelland über der Bucht schaukeln, während ein goldflammender Sonnenuntergang den Himmel verfärbte. Socrates gab sich Mühe, noch einmal die ‹zwei Lektionen› für mich zusammenzufassen, und ich gab mir alle Mühe, nicht hinzuhören und mich umso heftiger an Joy zu kuscheln.

Und dann tauchten aus dem Dunst die ersten Lichter der City von San Francisco auf. Der Bus hielt, und Joy sprang auf, gab mir einen freundschaftlichen Rippenstoß und stieg aus. Ich rappelte mich aus dem Sitzpolster hoch und wollte hinterherspringen, aber Socrates, schon an der Tür, warf nur einen Blick über die Schulter und sagte: «Nein.» Einfach so. Joy lachte mich durch das offene Fenster an.

«Wann sehen wir uns wieder, Joy?»

«Vielleicht bald? Kommt darauf an», sagte sie.

«He, auf was denn?» rief ich verzweifelt, während der Bus anruckte. «Joy, warte, geh nicht einfach weg!» rief ich, und: «Hallo, Fahrer, anhalten!» Aber der Bus rollte weiter. Joy und Socrates versanken hinter mir in der Ferne.

Am folgenden Tag, Sonntag, packte mich eine Depression, gegen die ich machtlos war. Montags in der Vorlesung hörte ich kaum ein Wort von dem, was der Professor sagte. Beim Training plagten mich dumpfe Gedanken, und ich fühlte mich wie ein nasses Handtuch. Außerdem hatte ich seit unserem Picknick nichts mehr gegessen. Ich konnte es kaum erwarten, bis es Abend wurde und Socrates' Schicht auf der Tankstelle begann. Sollte ich Joy dort antreffen, dann würde ich es so anstellen, daß sie mit mir fortging – oder ich mit ihr.

Und wirklich, o Freude, sie war gekommen! Die beiden erzählten sich irgendwelche Geschichten und lachten, als ich leicht verlegen in das Büro eintrat. Ich fühlte mich beinah wie ein Fremder. Ob sie über mich lachten? Ich zog meine Schuhe aus und setzte mich auf das Sofa.

«Hallo, Dan. Na, bist du jetzt klüger als am Samstagmorgen?» Joy lächelte, aber ihr Lächeln tat mir weh.

«Ich wußte nicht», sagte Soc, «ob du dich heute blicken lassen würdest, Dan. Aus Angst, etwas Unangenehmes zu hören, das du vielleicht nicht hören willst.» Seine Worte trafen mich wie Hammerschläge. Ich biß die Zähne zusammen und antwortete nicht.

«Ach, Dan, beruhige dich.» Joy versuchte mir zu helfen, aber ich hatte das Gefühl, als ob die beiden sich verschworen hätten, mich kritisch auseinanderzunehmen. Ich ließ den Kopf hängen.

«Hör mal, Dan», sagte Socrates. «Wenn du vor deinen Schwächen die Augen verschließt, kannst du sie niemals korrigieren. Und du kannst dir auch nicht deine Stärken zunutze machen. Es ist genau wie beim Turnen. Du mußt dich ganz objektiv sehen.»

Ich brachte kein Wort hervor. Als ich trotzdem den Mund aufmachte und etwas zu sagen versuchte, klang meine Stimme fast weinerlich vor lauter Selbstmitleid. Schrecklich, mich in diesem Zustand vor Joy zu zeigen!

Aber Socrates kümmerte sich nicht um meine Stimmung. «Wie ich dir sagte», fuhr er fort, «machst du den großen Fehler, dich zwanghaft mit deinen Launen und deinen Gedanken zu beschäftigen. Wenn du dich nicht bemühst, diesen Fehler loszuwerden, dann wirst du der bleiben, der du jetzt bist – ein trauriges Schicksal fürwahr!» Socrates konnte herzlich lachen über seinen Witz, aber auch Joy nickte zustimmend.

«Er kann wohl ganz schön störrisch sein?» Sie blickte fragend zu Socrates.

Ich hockte stumm daneben und ballte die Fäuste. Endlich räusperte ich mich und stieß heiser hervor: «Ich find' euch zwei überhaupt nicht witzig.» Ich hoffte nur, daß es nicht gar so feindselig klang.

Socrates lehnte sich auf dem Stuhl zurück und musterte mich überlegen. «Du bist wütend», sagte er mit berechneter Grausamkeit, «aber du hast nicht mal die Kraft, es zu verbergen, du Esel.» Nein; dachte ich, nicht in Joys Beisein! «Deine Wut», fuhr er fort, «ist Beweis genug für deine hartnäckigen Illusionen. Wieso verteidigst du ein Selbst, an das du nicht mal selber glaubst? Wann willst du eigentlich erwachsen werden?»

«Jetzt will *ich* dir etwas sagen», schrie ich, «du verrückter, alter Bastard! Ich bin ganz okay, wie ich bin. Ich hab dich ein paarmal besucht, weil es mir Spaß machte. Und ich habe gesehen, was ich sehen wollte. Mir langt's. *Deine* Welt ist düster und voller Leiden – die meine nicht! Ich bin deprimiert, gut, aber nur, wenn ich bei dir bin.»

Joy und Socrates schwiegen. Beide nickten sie mit dem Kopf und sahen mich freundlich an, fast mitleidig. Auch noch Mitleid! «Ihr beide findet das Leben ganz einfach und klar und lustig. Ich versteh euch nicht. Ich weiß nicht mal, ob ich euch verstehen will.»

Blind vor Verwirrung, Schmerz und Verlegenheit stolperte ich zur Tür. Insgeheim schwor ich mir, diesen Kerl zu vergessen, dieses Mädchen zu vergessen – überhaupt zu vergessen, daß ich jemals in einer sternklaren Nacht zu dieser Tankstelle gekommen war.

Aber meine Empörung war nur gespielt, und ich wußte es. Schlimmer noch, ich wußte, daß *sie* es wußten. So schön hatte es angefangen, und ich hatte alles verpatzt! Was für ein schwacher, täppischer Kerl ich war, wie ein kleiner Junge. Meinetwegen mochte ich vor Socrates mein Gesicht verlieren – aber nicht vor ihr! Jetzt wußte ich, daß ich sie verloren hatte, für immer.

Als ich so durch die Straßen irrte, merkte ich, daß ich in die ganz verkehrte Richtung lief, fort von zu Hause. Egal, dachte ich, und landete schließlich in einer Bar an der University Avenue, wo ich mich nach Kräften betrank. Gegen Morgen schwankte ich nach Hause und versank in einen bleiernen Schlaf, dankbar für die Bewußtlosigkeit.

Zurückgehen konnte ich nicht mehr. Ich faßte den eisernen Beschluß, mein normales Leben wieder aufzunehmen, dort, wo ich es vor ein paar Monaten verlassen hatte. Zuerst einmal mußte ich im Studium tüchtig nachlernen, wenn ich die Semesterprüfungen schaffen wollte. Von Susie borgte ich mir ein Scriptum über Geschichte, die Psychologie-Notizen gab mir jemand aus unserer Mannschaft. Ich büffelte und schrieb bis spät in die Nacht. Ich versuchte, mich in den Büchern zu vergraben. Ich hatte mich an viel zu erinnern – und viel zu vergessen.

Beim Training in der Halle verausgabte ich mich bis zum Umfallen. Anfangs waren der Trainer und die Kameraden begeistert über meinen Eifer, meine neue Energie. Rick und Sid, mit denen ich die meiste Zeit zusammensteckte, staunten über meine tollkühnen Kunststücke und rissen Witze über ‹Dannys heimlichen Todeswunsch›. Ja, ich riskierte alles – ob vorbereitet oder nicht. Die anderen glaubten, mich habe der Ehrgeiz gepackt, aber in Wirklichkeit ließ ich's drauf ankommen, mich bei einem Unfall zu verletzen. Ich brauchte einen körperlichen Grund für den Schmerz da innen.

Nach einer Weile merkten auch Sid und Rick etwas, und sie fragten besorgt: «Weißt du, Dan, daß du dunkle Ringe unter den Augen hast? Sag mal, wann hast du dich zum letztenmal rasiert?»

Und Sid meinte kopfschüttelnd, ich sei viel zu mager: «Fehlt dir was, Danny?»

«Geht euch 'n Dreck an», fauchte ich zurück. «Äh-hm, tut mir leid, ich wollte sagen, mir geht's ganz gut. Ihr wißt ja, ein guter Hahn wird selten fett.»

«Paß aber auf, daß du manchmal ein Auge zutust. Sonst bleibt bald nichts mehr von dir übrig, haha.»

«Klar, gemacht», grinste ich. Ich sagte kein Wort darüber, daß es mir ganz recht wäre, für immer von der Bildfläche zu verschwinden.

Auf diese Weise verwandelte ich auch das letzte bißchen Fett auf meinen Knochen in stahlharte Muskeln und Sehnen. Ja, hart sah ich aus, wie eine steinerne Statue. Und bleich wie Marmor war auch meine Haut.

Abend für Abend rannte ich ins Kino, und trotzdem wurde ich dieses Bild nicht los, wie Socrates – vielleicht mit Joy – in seiner einsamen nächtlichen Tankstelle hockte. Mitunter verfolgten mich schreckliche Visionen, wie die beiden die Köpfe zusammensteckten und über mich lachten ...

Mit Susie war ich nicht mehr zusammen. Auch den anderen Frauen, die ich kannte, ging ich aus dem Weg. Was noch übrig blieb an Bedürfnissen, verausgabte ich beim Training und wusch mir der Schweiß weg. Und überhaupt – wie hätte ich eine andere anschauen sollen, jetzt, wo ich in Joys tiefe schwarze Augen geblickt hatte?

Eines Abends klopfte es leise und schüchtern an meiner Tür. «Danny? Bist du da, Dan?» Es war Susies Stimme. Sie schob einen Zettel unter der Tür hindurch. Ich stand nicht mal auf, um nachzusehen.

Das Leben war eine Qual für mich. Wenn andere lachten, tat es mir in den Ohren weh. Ich mußte an Joy und Socrates denken, wie sie kichernd herumtanzten, Zaubermeister und Hexe, und ihre Ränke gegen mich schmiedeten. Im Kino, wo ich nur meine Zeit vor der Leinwand absaß, verblaßten die Farben auch der buntesten Farbfilme. Das Essen schmeckte wie Zahnpasta. Und eines Tages im Seminar, als Professor Watkins über die sozialen Einflüsse von diesem auf jenes erzählte, hörte ich mich auf einmal brüllen: «Blödsinn!»

Watkins beachtete mich nicht weiter, aber fünfhundert Augenpaare starrten mich neugierig an. Um so besser, dachte ich, ein großes Publikum. Denen würde ich's zeigen!

«Blödsinn!» schrie ich noch einmal, aus vollem Hals. Ein paar anonyme Hände klatschten Beifall. Im Hintergrund kicherte es und tuschelte es.

Professor Watkins, immer flanellgraue Gelassenheit, ließ sich nicht aus der Ruhe bringen: «Vielleicht wären Sie so freundlich, Mister Millman, Ihre Ansichten für uns alle zu erläutern?»

Trotzig schob ich mich aus meiner Bankreihe und ging den Mittelgang hinunter. Herrjeh, dachte ich, hätte ich doch nur ein sauberes Hemd angezogen! Und dann stand ich vor Professor Watkins:

«Ich wollte nur wissen», sagte ich tapfer, «was haben alle diese soziologischen Theorien mit dem Glück des Menschen zu tun? Mit dem wahren Leben?»

Händeklatschen, und ein dünnes ‹Sehr richtig!› aus dem Hintergrund.

Ich spürte, wie der Professor mich kühl von oben bis unten

musterte. Wollte er sich vergewissern, ob ich gefährlich sei? Meinetwegen, ich war gefährlich! Mein Selbstbewußtsein stieg.

«Sie mögen recht haben», gab er mit leiser Stimme zu. Himmel, dachte ich, der Kerl veräppelt mich vor fünfhundert Leuten. Und dabei wollte ich ihnen die Augen öffnen, ihnen erklären, wie es wirklich ist.

Ich drehte mich zu den Zuhörern und fing umständlich an zu erzählen, wie ich eines Abends, an einer Tankstelle, einen weisen alten Mann getroffen hätte, der mir gesagt habe, daß das Leben ganz anders sei, als wir nach dem äußeren Anschein glaubten. Und ich erzählte diese Geschichte vom glücklichen König, der ganz allein auf seinem Berg lebte, umgeben von lauter Verrückten in seiner Stadt.

Atemlos stilles Lauschen im Hörsaal – dann fing einer, dann noch einer zu lachen an. Was war los? Hatte ich vielleicht etwas so Komisches gesagt? Ich wollte fortfahren mit meiner Geschichte, aber bald ging ich im Johlen und Lachen der Kommilitonen unter. Teufel, waren denn alle verrückt geworden? Oder war ich verrückt?

Watkins flüsterte mir etwas ins Ohr, doch ich verstand ihn nicht gleich. Unbeirrt stammelte ich weiter, obwohl kein Mensch mich verstand. Jetzt zupfte Professor Watkins mich am Ärmel und sagte: «Mein Sohn, ich denke, die Studenten lachen, weil Ihr Hosenschlitz offen ist.»

Mir schoß das Blut ins Gesicht, verlegen starrte ich an mir hinab, dann auf die kichernde Menge. Nein-nein-nein, dachte ich, nicht schon wieder! Nicht schon wieder als dummer Esel dastehen! Vor Wut und Verzweiflung kamen mir die Tränen, und das Gelächter verebbte.

Blindlings stolperte ich aus dem Hörsaal, ich rannte den Korridor entlang, die Treppe hinunter, hinaus – weit, weit weg von der Uni und vom Campus, bis mir die Luft ausging und ich nicht weiterlaufen konnte. Zwei Frauen trippelten auf Stöckelschuhen vorbei, Plastikroboter, soziale Drohnen ... Sie blieben stehen und schauten mich entgeistert an, mißbilligend und voll Abscheu, wie mir schien.

Was war mit mir los? Ich sah meine schmutzigen Klamotten, die höchstwahrscheinlich stanken. Mein Haar war zerrauft und verfilzt, seit Tagen hatte ich mich nicht mehr rasiert ...

Irgendwie fand ich zurück zum Studentenhaus, ließ mich in einen der Plastiksessel fallen und schlief sofort ein. Im Traum saß ich auf einem hölzernen Karusselpferd, mit einem glühenden Schwert festgespießt. Das Karussel drehte sich unaufhörlich im Kreis herum, während ich verzweifelt die Arme ausstreckte und mich an der Bande festzuhalten suchte. Trostlose Musik dröhnte in meinen Ohren, und zwischendurch vernahm ich schreckliches Hohngelächter.

Ich erwachte und stolperte betäubt nach Hause.

Es kam so weit, daß ich wie ein Phantom durch die Uni schlich. Meine Welt war durcheinander – das Unterste zuoberst, das Innerste nach außen gekehrt. Klar, ich hatte mich angestrengt, zur alten Routine zurückzufinden, aber vergeblich. Ich hatte mich im Training verausgabt – aber auch das war sinnlos geworden.

Die Professoren redeten weiter vom Lebensgefühl der Renaissance, von den Instinkten der Ratte, von Miltons Verlorenem Paradies. Ich trottete dumpf über die Sproul Plaza – Studentendemonstrationen, wohin man schaute, jeden Tag Teach-Ins, Sit-Ins, Go-Ins und was noch – und ich ging an allem vorbei wie im Traum. Was hatten all diese Dinge mir zu sagen? Was sollte ich mit Joints und Trips anfangen? So ließ ich mich treiben, ein Fremder in fremdem Land, gefangen zwischen zwei Welten, weder zur einen, noch zu der anderen gehörend.

Eines Nachmittags saß ich wieder mal unter den Redwoodbäumen am Rande des Campus und sinnierte, wie ich mir am besten das Leben nehmen könnte. Ohnehin hatte ich nichts mehr verloren auf dieser Welt. Irgendwo war mir ein Schuh abhanden gekommen, ich hatte nur noch die Socke an, mein linker Fuß war dreckig, von braunem Blut verkrustet. Aber ich spürte keinen Schmerz, gar nichts.

Da beschloß ich, ein letztesmal Socrates zu besuchen. Ich schleppte mich abends zur Tankstelle und blieb auf der Straßenseite gegenüber stehen. Soc tankte gerade einen Wagen auf, als eine Frau mit einem Kind, einem kleinen Mädchen von etwa vier Jahren, an die Tankstelle kam. Ich hatte nicht den Eindruck, als ob die Frau Socrates kannte. Aber plötzlich rief das Mädchen irgend etwas und streckte die Hände nach ihm aus. Er hob die Kleine hoch, und sie schlang ihre Ärmchen um seinen Hals. Die Frau versuchte, das Kind von ihm wegzuzerren, aber es wollte nicht loslassen. Socrates lachte und sprach etwas zu dem Mädchen, dann setzte er es sachte ab. Er kniete sich hin, und die beiden umarmten sich.

Ich wurde ganz unerklärlich traurig, und ich fing an zu schluchzen. Vor Schmerz zitterte ich am ganzen Leib. Ich wandte mich ab, lief ein paar hundert Meter und brach mitten auf der Straße zusammen. Ich war zu erschöpft, um nach Hause zu gehen oder sonstwas zu tun. Vielleicht war das meine Rettung.

Ich erwachte in einem Krankenhausbett. Eine Infusionsnadel steckte in meinem linken Arm. Jemand hatte mich rasiert und gewaschen. Und wenigstens fühlte ich mich ausgeschlafen. Am andern Tag, nachmittags, wurde ich entlassen – und ich rief sofort einen Psychiater an.

«Hier Praxis Dr. Baker, ja bitte?» sagte die Sprechstundenhilfe.

«Mein Name ist Dan Millman. Ich brauche einen Termin bei Doktor Baker. Möglichst bald.»

«Aber ja, Mister Millman», tönte die berufsmäßig freundliche Stimme der psychiatrischen Arzthelferin. «Der Herr Doktor hat Zeit, heute in einer Woche – paßt es Ihnen? Also Dienstag, ein Uhr.»

«Ach, geht es nicht früher?»

«Ich fürchte, nein ...»

«Ich bringe mich um, ich halte die Woche nicht aus, bis Dienstag. Hören Sie, Frau ...»

«Gut, können sie heute nachmittag kommen?» Jetzt klang ihre Stimme beschwichtigend. «Kommen sie um zwei Uhr.»

«Ja.»

«Also, wir freuen uns auf Sie, Mister Millman.»

Dr. Baker, ein korpulenter großer Mann, hatte einen nervösen Tic am linken Auge. Blinzelnd musterte er mich. Und plötzlich war mir die Lust vergangen, mein Herz auszuschütten. Wie hätte ich auch anfangen sollen? Vielleicht so: ‹Also, Herr Doktor, ich hab 'nen Lehrer, der heißt Socrates und springt auf Hausdächer ... ja, hinauf ... nicht hinunter. Hinunter werde ich bald springen ... Und, ja, er nimmt mich auf Reisen mit, in andere Zeiten und Länder, und ich bin der Wind, und außerdem bin ich ein wenig depressiv ... ach, die Uni? Da geht's gut, und ich bin ein Star im Kunstturnen und will mich umbringen ...›

Ich stand auf. «Vielen Dank, Doktor, für Ihre Zeit und Mühe. Mir geht's auf einmal ganz blendend. Wollte nur mal sehen, wie die andere, bessere Hälfte der Menschheit so lebt. Na, es war wunderbar.»

Er klappte den Mund auf, wollte etwas sagen und suchte offenbar nach den ‹passenden› Worten. Ich jedenfalls war schon draußen und zog leise die Tür hinter mir ins Schloß. Ich lief nach Hause und warf mich ins Bett. Schlafen – das war im Moment die einfachste Lösung.

Am Abend schleppte ich mich wieder zur Tankstelle. Joy war nicht da, das sah ich gleich. Teils war es eine schmerzliche Enttäuschung, wie gern hätte ich wieder in ihre Augen geschaut; teils war ich erleichtert. Ja, es stand wieder eins-zu-eins. Socrates und ich.

Als ich an meinem vertrauten Platz auf dem Sofa saß, verlor er kein Wort über mein Fernbleiben. «Du siehst aber müde und deprimiert aus», sagte er nur. Und er sagte es ohne eine Spur von Mitleid. Mir stiegen Tränen in die Augen.

«Ja, ich bin deprimiert. Ich bin nur gekommen, um dir Lebewohl zu sagen. Das bin ich dir immerhin schuldig. Ich bin auf halbem Weg steckengeblieben, und jetzt kann ich nicht mehr weiter. Ich will nicht mehr leben.»

«Da irrst du dich, Dan – gleich zweimal!» Er kam zu mir her und setzte sich neben mich auf das Sofa. «Erstens hast du noch längst nicht den halben Weg hinter dir. Noch längst nicht, aber du bist schon sehr dicht am Ende des Tunnels. Und zweitens» – er legte mir seine Hände an die Schläfen – «wirst du dich nicht umbringen.»

«Wer behauptet das?» funkelte ich ihn trotzig an. Da erst merkte ich, daß wir gar nicht mehr an der Tankstelle waren. Wir saßen in einem schäbigen kleinen Hotelzimmer. Kein Zweifel – der muffige Geruch, die fadenscheinigen Teppiche, die zwei schmalen Betten, der gesprungene Spiegel über dem Waschbecken.

«Was geht hier vor?» Für einen Moment waren meine Lebensgeister wieder erwacht. Diese ‹Reisen› jagten jedesmal meinen

Adrenalinspiegel in die Höhe. Ich fühlte mich beflügelt von neuer Energie.

«Ein Selbstmordversuch. Nur du kannst ihn zurückhalten.»

«Wen? Ich will mich ja nicht sofort umbringen!» protestierte ich.

«Du doch nicht, Narr. Der junge Mann da draußen vor dem Fenster, auf dem Mauersims. Er studiert an der University of South California. Er heißt Donald. Er ist Fußballspieler und studiert Philosophie. Es ist sein letztes Studienjahr – und er will nicht mehr leben. Geh hinaus zu ihm.» Socrates schob mich ans Fenster.

«Ich kann nicht, Soc.»

«Dann muß Donald sterben.»

Ich beugte mich über die Fensterbank und sah dort unten, winzig wie Ameisen, Menschen auf den Straßen der Stadt zusammenströmen. Alle gafften herauf. Und dort stand er – keine drei Meter von mir entfernt, auf dem schmalen Mauersims, ängstlich den Rücken an die Wand gelehnt. Er starrte in die Tiefe. Er machte sich bereit für den Sprung.

Um ihn nicht zu erschrecken, rief ich ganz leise seinen Namen. «Donald!» Er hörte mich nicht. «Donald!»

Er warf den Kopf herum, fast wäre er abgestürzt. «Komm nur ja nicht näher!» warnte er feindselig. Und dann, zaghafter: «Woher kennst du meinen Namen?»

«Ein Freund von mir kennt dich, Donald. Sag, darf ich mich hersetzen, auf das Fensterbrett, und mit dir reden? Ich verspreche dir, ich komm nicht näher.»

«Nein, keine Worte mehr.» Sein Gesicht war schlaff, aus seiner monotonen Stimme war bereits alles Leben gewichen.

«Don – so nennen dich die Leute, nicht wahr, Don?»

«Jaja», antwortete er automatisch.

«Okay, Don, es ist dein Leben. Jedenfalls sagt man, daß sich 99 Prozent aller Menschen auf der Welt selber umbringen.»

«Wieso? Was zum Teufel soll das heißen?» fragte er, und eine Spur Leben kehrte in seine Stimme zurück. Er klammerte sich vorsichtiger an die Mauerkante.

«Tja, ich werd's dir sagen. Es ist die Art, wie die Leute *leben*, das bringt sie um. Verstehst du, was ich meine – Don? Vielleicht dauert es dreißig, vierzig Jahre, bis jemand sich mit Rauchen, Saufen, Fresserei oder Streß ums Leben bringt, aber jedenfalls bringen die Leute sich selber um.»

Ich rückte ein paar Zentimeter näher zu ihm. Ich mußte jetzt vorsichtig meine Worte wählen. «Hör mal, Don, ich heiße Dan. Ich wollte, wir könnten mal miteinander reden. Vielleicht gibt's allerhand Gemeinsamkeiten bei uns. Du spielst Fußball, he? Ich bin auch Sportler, an der University of California, in Berkeley.»

«Naja ...» Er wollte etwas sagen und fing an zu zittern.

«He, Don, mir wird's unheimlich hier draußen auf dem Fenstersims. Muß mal aufstehen und sehen, wo ich mich festhalten kann.» Vorsichtig richtete ich mich auf – und fing selbst an zu zittern. ‹Lieber Gott›, dachte ich, ‹was habe ich hier draußen verloren?›

Ich sprach sanft auf ihn ein und versuchte, mit Worten eine Brücke zu ihm zu bauen. «Ich hab mir sagen lassen, Don, heute wird's einen wunderbaren Sonnenuntergang geben. Der Santa Ana-Wind weht, und Gewitterwolken ziehen auf. Bist du sicher, daß du nie wieder einen Sonnenuntergang sehen willst? Oder den Sonnenaufgang? Bist du sicher, daß du nie wieder Bergsteigen gehen willst?»

«Bin nie in den Bergen gewesen.»

«Kaum zu glauben, Don, das mußt du gesehen haben. Alles ist so rein und klar – das Wasser, die Luft. Und überall riechst du Tannennadeln. Vielleicht gehn wir mal zusammen, was meinst du? Wir müßten mal zusammen wandern gehen. Teufel, wenn du dich umbringen willst, tu's meinetwegen hinterher, nachdem du die Berge gesehen hast!»

Da – ich hatte gesagt, was ich sagen konnte. Jetzt lag es bei ihm. Während ich sprach, hatte ich mir selbst immer leidenschaftlicher gewünscht, er möge am Leben bleiben. Ich war nur noch ein paar Schritte von ihm entfernt.

«Halt!» sagte er. «Ich will sterben ... Und zwar jetzt.»

Ich gab's auf. «Meinetwegen», sagte ich. «Dann spring ich mit dir. Hab die verdammten Berge sowieso schon gesehen.»

Er sah mich ungläubig an. «Was? Meinst du es ernst?»

«Klar», sagte ich, «meine ich's ernst. Wer springt zuerst – du oder ich?»

«Aber», sagte er, «warum willst *du* denn sterben? Das ist doch verrückt. Du siehst so gesund aus. Du mußt 'ne Menge Gründe haben, um weiterzuleben.»

«Schau mal», sagte ich. «Ich hab keine Ahnung, was du für Probleme hast – aber ich hab Probleme, die stellen die deinen weit in den Schatten. Du würdest sie niemals begreifen. So, und jetzt ist genug geredet!»

Ich schaute in die Tiefe. Ja, es wäre so leicht, sich ein bißchen vorzubeugen, den Rest würde die Schwerkraft besorgen. Und ich hätte es Socrates diesem alten Fuchs bewiesen – ein für allemal. Einen lachenden Abgang würde ich machen. ‹Du hast dich geirrt, du alter Schurke!› würde ich schreien und dann hinuntertrudeln, all die Stockwerke tief, bis meine Knochen unten auf dem Asphalt zerschmettern würden und ich alles hinter mir hätte – auch alle Sonnenuntergänge.

«Warte!» Es war Don, der mir die Hand entgegenstreckte. Ich zögerte einen Moment, dann packte ich seine Hand. Als ich Don in die Augen sah, begann sein Gesicht sich zu verändern. Es wurde schmäler, kantiger. Sein Haar wurde dunkler, sein Körper wurde schlanker. Ich selbst war es, der dort stand und mich anschaute! Im nächsten Moment war das Spiegelbild verschwunden, und ich war allein.

Erschrocken trat ich einen Schritt zurück – und trat ins Leere. Ich stürzte, ich drehte mich, ich kreiselte durch die Luft. Vor meinem inneren Auge sah ich das grausige Kapuzen-Gespenst, das mich dort unten hohnlachend erwartete. Ich vernahm Socrates' Stimme, der mir aus der Höhe nachrief: «Zehnter Stock, Wäsche und Bettbezüge; achter Stock, Haushaltswaren, Fotoapparate ...»

Ich lag im Büro der Tankstelle auf dem Sofa und blickte in Socrates' freundlich lächelndes Gesicht.

«Und?» sagte er. «Möchtest du dich noch immer umbringen?»

«Nein!» Doch mit dieser Entscheidung fiel die ganze Last der Verantwortung für mein Leben wieder auf mich zurück. Ich mußte Soc erzählen, wie mir zumute war. Er packte mich an den Schultern und sagte nur: «Bleib dran, Danny.»

Bevor ich mich in dieser Nacht verabschiedete, fragte ich ihn: «Wo ist Joy? Ich würde sie so gern wiedersehen.»

«Alles zu seiner Zeit. Sie wird später zu dir zurückkommen – vielleicht.»

«Ach, wenn ich wenigstens mit ihr sprechen könnte. Das würde vieles leichter machen.»

«Wer sagt denn, daß du es leicht haben sollst?»

«Socrates», sagte ich. «Ich *muß* sie sehen!»

«Du *mußt* überhaupt nichts, außer endlich aufhören damit, die ganze Welt ausschließlich aus dem Blickwinkel deiner Wünsche zu sehen. Hör auf, laß los! Laß deine Gedanken los, vielleicht kommst du dann zu Verstand. Bis dahin aber mußt du sehr sorgfältig auf deinen Gedanken-Müll aufpassen.»

«Mann, wenn ich sie wenigstens anrufen könnte ...»

«Hau ab», sagte er.

In den folgenden Wochen lärmte mein ‹Gedanken-Müll›, wie Soc es genannt hatte, ganz ungeheuer. Ziellose, wilde, blödsinnige Gedanken. Schuldgefühle, Ängste, hemmungslose Wünsche – mit einem Wort: *Lärm.* Sogar im Schlaf brandete das Getöse meiner Traumgedanken an meine Ohren. Socrates hatte recht. Ich *war* in einem Gefängnis eingesperrt.

Dienstagabend rannte ich zur Tankstelle und platzte atemlos durch die Tür. «Ich werde wahnsinnig, Soc», stöhnte ich. «Dieser Lärm. Wenn ich ihn doch nur abstellen könnte. Meine Gedanken sind völlig entgleist – genau wie du's vorhergesagt hast.»

«Wunderbar», sagte er. «Das ist die erste Erkenntnis eines Kriegers.»

«Wenn *das* ein Fortschritt sein soll, dann wünsche ich mir lieber einen Rückschritt!»

«Dan, hör zu. Wenn du dich auf ein wildes Pferd schwingst, von dem du glaubst, es sei zahm, was passiert dann?»

«Es wirft mich ab, es gibt mir einen Tritt.»

«Siehst du, das Leben auf seine komische Art hat dir schon ein paarmal einen Tritt gegeben.»

Ich konnte die Wahrheit nicht leugnen.

«Wenn du allerdings *weißt*, daß es ein wildes Pferd ist, kannst du richtig mit ihm umgehen, oder nicht?»

«Ich denke, ich verstehe, Socrates.»

«Du willst wohl sagen, du verstehst, daß du denkst», lächelte er.

Als ich mich verabschiedete, gab er mir den guten Rat mit auf den Weg, meine ‹Erkenntnis› zu vertiefen, wenigstens noch ein paar Tage lang. Ich tat mein Bestes. Immerhin war meine Aufmerksamkeit geschärft worden in diesen Monaten, aber am Ende kam ich doch wieder mit den gleichen Fragen zur Tankstelle: «Socrates, ich habe den unerträglichen Lärm meiner Gedanken erkannt. Ich hab erkannt, daß mein Leben ein wildes Pferd ist – aber wie kann ich es zähmen? Und wie den Lärm abstellen? Was soll ich nur tun?»

Er kratzte sich umständlich am Kopf. «Nun, ich würde vorschlagen, du lernst erst mal Humor», meinte er lachend. Dann gähnte er und reckte sich, aber er reckte sich nicht auf die Art, wie die meisten Menschen es tun, mit seitwärts ausgestreckten Armen, sondern eher wie eine Katze. Er krümmte den Buckel, und ich hörte seine Wirbelsäule knacksen.

«Wußtest du, Socrates, daß du eben wie eine Katze ausgesehen hast, als du dich recktest?»

«Ja, wahrscheinlich», antwortete er unbekümmert. «Und es ist eine gute Übung, die positiven Eigenschaften von Tieren nachzuahmen. Ähnlich wie wir uns positive Menschen zum Vorbild nehmen. Zufällig bewundere ich Katzen. Ich finde, sie bewegen sich wie Krieger. Aber zufällig hast du dir den Esel zum Vorbild genommen, mein Freund. Es wird Zeit, daß du dein Repertoire erweiterst, meinst du nicht?»

«Ja, mag sein», erwiderte ich ruhig. Innerlich aber kochte ich vor Wut. Ich verabschiedete mich bald und ging nach Hause. Es war kurz nach Mitternacht, und ich erwischte noch ein paar Stunden Schlaf, bis der Wecker schellte und ich wieder zur Tankstelle eilte.

Ich hatte insgeheim einen Entschluß gefaßt: Nie wieder würde ich das Opfer für ihn spielen – den Trottel, vor dem er sich überlegen fühlen konnte. Von jetzt an würde *ich* der Jäger sein, und ich würde ihm auf die Schliche kommen.

Es war noch eine Stunde Zeit, bis es Tag wurde, bis Socrates' Schicht endete. Ich versteckte mich im Gebüsch am äußersten Rande des Campus, nicht weit von der Tankstelle entfernt. Ich wollte ihm nachschleichen und irgendwie Joy wiederfinden.

Wenn ich durchs Laub spähte, konnte ich ihn genau beobachten, jede seiner Bewegungen. Meine Wachsamkeit beruhigte meine

Nerven. Ich hatte nur noch den Wunsch, etwas über sein Leben außerhalb der Tankstelle in Erfahrung zu bringen – ein Thema, über das er sich bislang ausgeschwiegen hatte. Aber jetzt würde ich die Antworten selber entdecken.

Wie eine Eule starrte ich zu ihm hinüber. Noch nie war mir aufgefallen, wie gewandt – ja, wie elegant er sich bewegte. Ohne einen überflüssigen Handgriff putzte er die Windschutzscheiben, wie ein Artist ließ er das Zapfventil in den Tankstutzen gleiten.

Socrates ging in die Werkstatt, vermutlich, um an einem Wagen zu basteln. Ich wurde schläfrig. Der Himmel war schon hell, als ich aus einem – wie es mir schien – kurzen Nickerchen aufschreckte. O je, nein! Ich hatte ihn verpaßt!

Dann aber sah ich ihn wieder. Er ordnete bereits seine Sachen. Mein Herz setzte aus, als er die Tankstelle verließ und über die Straße kam, direkt zu mir herüber – zu meinem Versteck, wo ich steif und mit schmerzenden Knochen, aber gut getarnt, auf der Lauer lag. Ich konnte nur hoffen, daß er nicht auf die Idee kam, so früh morgens mal ‹auf den Busch zu klopfen›.

Ich verzog mich tiefer in das Gebüsch und hielt den Atem an. Ein Paar Sandalen glitt an mir vorbei, keine zwei Meter von meinem Hinterhalt entfernt. Kaum, daß ich seine Schritte hörte. Er bog ab nach rechts, in einen der Parkwege.

Hurtig wie ein Eichhörnchen, aber vorsichtig, hastete ich ihm nach. Socrates legte ein ganz erstaunliches Tempo vor. Ich konnte kaum Schritt halten mit ihm, und fast hätte ich ihn aus den Augen verloren – aber dort vorne sah ich jetzt einen weißen Schopf im Portal zur Universitätsbibliothek verschwinden. ‹Was?› dachte ich. ‹Was hat er denn dort verloren?› Zitternd vor Aufregung hetzte ich hinterher.

Kurz hinter der schweren Eichentür lief ich an einer Gruppe von Frühaufstehern vorbei – Studenten, die sich lachend nach mir umdrehten, als sie mich sahen. Ich achtete nicht auf sie, sondern pirschte durch einen langen Korridor meiner Beute nach. Ich sah ihn rechts abbiegen und verschwinden. Mit ein paar Sätzen sprang ich hinterher. Nein – Irrtum ausgeschlossen! Das war die Tür, in die er verschwunden war. Es war die Männer-Toilette, und dort gab es keinen zweiten Ausgang.

Ich wagte nicht, hineinzugehen. Ich postierte mich in einer Telephonzelle gegenüber. Zehn Minuten verstrichen, zwanzig Minuten. Konnte er mir entwischt sein? Und ausgerechnet jetzt funkte meine Blase Notsignale. Ich mußte hinein, nicht nur um Socrates zu finden, sondern um selbst das Örtchen zu benutzen. Warum auch nicht? Dies hier war mein Reich, nicht das seine. Ich würde eine Erklärung von ihm fordern. Trotzdem, es konnte peinlich werden.

In der Toilette sah ich anfangs niemanden. Nachdem ich selbst mein Geschäft verrichtet hatte, schaute ich mich genauer um. Es gab keine andere Tür, er mußte also noch da sein! Jemand trat aus einer der Kabinen, er sah mich gebückt am Boden kauern und unter den Türen hindurchspähen. Kopfschüttelnd, mit einem mißbilligenden Blick, eilte er zum Ausgang.

Aber zurück zur Sache! Ich bückte mich und warf einen raschen Blick unter die letzte Kabinentür. Zuerst sah ich nur ein Paar Sandalen, und zwar von hinten, und dann tauchte Socs Gesicht auf, kopfstehend, mit einem schiefen Grinsen. Anscheinend stand er mit dem Rücken zur Tür und beugte sich vor, den Kopf zwischen den Knien.

Schockiert taumelte ich zurück, ich war völlig verwirrt. Immerhin hatte ich keinen vernünftigen Grund für mein merkwürdiges Verhalten auf einer öffentlichen Toilette.

Socrates riß die Kabinentür auf, zog die Kette und dröhnte: «Hohoho, da muß man ja Verdaungsbeschwerden kriegen, wenn einem so ein Jungkrieger nachpirscht!» Sein Gelächter schallte durch den gekachelten Raum, und ich spürte, wie mir das Blut bis unter die Haarwurzeln schoß. Wieder mal hatte er es geschafft! Beinah spürte ich, wie meine Ohren sich streckten und ich mich in einen Esel verwandelte. In meinem Innern brodelte es, eine Mischung aus Scham und Wut.

Ich stand da, wie begossen. Als ich einen Seitenblick in den Spiegel riskierte – entdeckte ich, feinsäuberlich in mein Haar geflochten, ein keckes gelbes Schleifchen. Aha, jetzt verstand ich das Grinsen der Leute, als ich durch den Campus lief, diesen sonderbaren Blick, den mir mein Schicksalsgenosse an diesem Ort der Notwendigkeit gegönnt hatte. Socrates mußte mir das Bändchen ins Haar geknotet haben, während ich im Gebüsch eingenickt war. Auf einmal furchtbar müde, wandte ich mich ab und strebte zum Ausgang.

Kurz bevor die Tür ins Schloß fiel, hörte ich Socrates, nicht ohne Mitgefühl, rufen: «Nur damit du nicht vergißt, *wer* der Lehrer ist und *wer* der Schüler.»

Beim Training an diesem Nachmittag warf ich mich an die Geräte wie von den Furien der Hölle getrieben. Mit keinem sprach ich ein Wort, und die anderen taten gut daran, mir aus dem Weg zu gehen. Innerlich tobte ich und schwor mir, ich würde alles riskieren und Socrates zwingen, mich endlich als Krieger anzuerkennen.

Einer der Teamkameraden hielt mich an der Tür zurück und drückte mir einen Briefumschlag in die Hand. Ich riß ihn auf. Da stand, auf ein unliniertes Blatt Papier geschrieben: «Wut ist stärker als die Angst, stärker als der Schmerz. Dein Mut wächst. Du bist bereit für das Schwert – Socrates.»

5
Der Sprung in die Freiheit

Über Nacht hatten sich Nebelschwaden aus der Bucht herangewälzt, die Sommersonne war grau verhangen, und es war kühl. Ich stand spät auf, kochte Tee und aß einen Apfel.

Ich beschloß, es mir gutgehen zu lassen, bevor ich mich in die Pflichten des Tages stürzen wollte. Also rückte ich meinen kleinen Fernseher zurecht, stellte eine Schale voll Plätzchen bereit und suchte ein rührseliges Stück, um mich zur Abwechslung mal in die Probleme anderer Leute zu vertiefen. Ganz hypnotisiert von dem Drama im Kasten, griff ich wieder nach einem Keks – und stellte fest, daß die Schüssel leer war. Konnte es sein, daß ich all diese Kekse aufgegessen hatte?

Später am Vormittag ging ich zum Lauftraining auf das Edwards Field. Dort lernte ich Dwight kennen, der an der Lawrence Hall of Science, draußen in den Berkeley Hills arbeitete. Ich mußte ihn zweimal nach seinem Namen fragen, weil ich beim erstenmal nicht richtig hinhörte; ein weiteres Zeichen für meine schwache Aufmerksamkeit und meine Gedankenflucht. Nach ein paar Runden sagte Dwight irgend etwas von ‹klarem blauen Himmel›. Ich war so in Gedanken verloren, daß ich das schöne Wetter nicht einmal bemerkt hatte. Irgendwann ließ Dwight mich hinter sich und rannte ins offene Hügelland hinaus – er war Marathonläufer –, während ich nach Hause zurückkehrte, über meine Gedanken nachgrübelnd. Eine frustrierende Beschäftigung!

Beim Training in der Halle war meine Aufmerksamkeit wieder

präzise auf jeden Bewegungsablauf konzentriert. Aber sobald ich die Reckstange losließ, sobald ich nicht mehr vom Trampolin in die Höhe schnellte, beschlichen mich wieder müßige Gedanken, die meine Wahrnehmung trübten.

Abends ging ich frühzeitig zur Tankstelle; ich wollte Socrates gleich beim Schichtwechsel begrüßen. Inzwischen hatte ich mir Mühe gegeben, den gestrigen Zwischenfall zu vergessen, und mir war jedes Mittel recht, das Soc gegen hyperaktive Gedankentätigkeit vorschlagen würde.

Ich wartete, und es wurde Mitternacht. Bald danach kam Socrates.

Kaum hatten wir es uns im Büro bequem gemacht, mußte ich furchtbar niesen, und meine Nase fing an zu laufen. Hatte ich mir beim Warten eine Erkältung geholt? Socrates stellte den Teekessel auf, und ich überfiel ihn – wie immer – mit einer Frage:

«Socrates, wie kann ich meine Gedanken anhalten, mein Grübeln – außer, indem ich Humor lerne?»

«Zuerst mußt du begreifen, woher deine Gedanken kommen, wie sie überhaupt entstehen. Jetzt, zum Beispiel, bist du erkältet. Es ist ein körperliches Symptom, das dir sagt, daß dein Körper wieder ins Gleichgewicht kommen muß, daß er Sonne, frische Luft und einfache, gesunde Nahrung braucht, daß er sich harmonisch auf seine Umwelt einstellen will.»

«Was hat dies alles mit meinen Gedanken zu tun?»

«Sehr viel. Auch müßige Gedanken, die deine Aufmerksamkeit ablenken, sind Symptome. Sie zeigen dir, daß du verstimmt bist, daß du nicht mehr im Einklang mit deiner Umwelt lebst. Wenn der Kopf sich dem Gang des Lebens widersetzt, steigen die Gedanken auf. Wenn dir etwas zustößt, das deinen festgefügten Ansichten widerspricht, fängt das Grübeln an. Solches Sinnieren ist ein unbewußter Widerstand gegen das Leben.»

Ein Wagen kam in die Tankstelle gerollt, mit einem älteren Paar in Abendgarderobe, das steif und kerzengerade auf den Sitzen thronte. «Komm mit», sagte Socrates. Er zog seinen Anorak aus, auch den dünnen Baumwollpullover, und ließ einen durchtrainierten Oberkörper sehen – straffe, nervige Muskeln unter einer glatten, schimmernden Haut.

Er trat an die Fahrerseite des Wagens und verbeugte sich

lächelnd vor dem schockierten Paar. «Was kann ich für euch tun, Leute? Benzin, vielleicht Super, um eure Stimmung anzuheizen? Etwas Öl, um das müde Getriebe eures Alltags zu schmieren? Oder wie wär's mit einer neuen Batterie, um Spannung in euer Leben zu bringen?» Breitbeinig stand er da und grinste die beiden unverschämt an, während der Wagen mit einem Ruck anfuhr und aus der Tankstelle brauste. Er kratzte sich den Kopf. «Vielleicht ist ihnen eingefallen, daß sie zu Hause den Wasserhahn offengelassen haben.»

Wieder zurück im Büro, tranken wir gemütlich Tee, und Socrates erklärte mir die Lektion, die er mir hatte erteilen wollen: «Da hast du einen Mann und eine Frau gesehen, die mit einer für sie ungewöhnlichen Situation konfrontiert waren. In ihren konventionellen Ansichten und ihren Ängsten befangen, haben sie es verlernt, spontan auf eine Situation zu reagieren. Hoffentlich habe ich ihnen ein Licht aufgesteckt, auf ihre alten Tage!

Siehst du, Dan, wenn du dich auflehnst gegen deine Situation, fangen deine Gedanken an zu rotieren. Diese Gedanken, die auf dich einstürmen, erzeugst du in Wirklichkeit selbst.»

«Und dein Denken funktioniert anders?»

«Mein Denken ist wie ein stiller, klarer Wasserspiegel. Dein Denken hingegen ist aufgewühlt von stürmischen Wellen, weil du dich von jeder unverhofften, unwillkommenen Situation abgestoßen, ja sogar bedroht fühlst. Dein Denken ist wie ein Teich, in den jemand Felsbrocken wirft!»

Ich lauschte seinen Worten und blickte in den Grund meiner Teetasse. Plötzlich spürte ich eine leichte Berührung hinter den Ohren. Meine Wahrnehmung wurde immer schärfer, immer angespannter starrte ich auf den Grund meiner Tasse, immer tiefer ...

Ich war unter Wasser und schaute nach oben. Lächerlich! War ich vielleicht in meine Teetasse gefallen? Ich hatte Flossen und Kiemen, ziemlich fischig! Ich wedelte mit der Schwanzflosse und schoß in die Tiefe, wo es still und friedlich war.

Plötzlich platschte ein riesiger Stein auf den Wasserspiegel. Schockwellen breiteten sich aus und rissen mich mit. Mit peitschenden Flossen davonschnellend suchte ich mich in Sicherheit zu bringen. Ich versteckte mich auf dem Grund, bis alles wieder ruhig war. Später gewöhnte ich mich an die kleinen Steine, die manchmal ins Wasser fielen und seine Oberfläche kräuselten. Aber die großen Brocken erschreckten mich noch immer.

Wieder in eine Welt der Trockenheit und der Geräusche zurückgekehrt, lag ich auf dem Sofa und starrte mit weit offenen Augen in Socrates' lachendes Gesicht.

«Soc, es war unglaublich!»

«Nur kein Fischerlatein, bitte. Freut mich, daß dir das kleine Bad gefallen hat. Darf ich jetzt mit meiner Erklärung fortfahren?» – Er wartete meine Antwort nicht ab.

«Du warst ein ziemlich nervöser Fisch, Dan, dauernd auf der Flucht vor jeder größeren Welle. Mit der Zeit hast du dich an die Wellen gewöhnt, aber du konntest ihre Ursache nicht erkennen. Du siehst, es bedeutet einen gewaltigen Bewußtseinssprung für den Fisch, wenn er seinen Horizont über den Tümpel, in dem er schwimmt, erweitern und die Ursache der Wellen erkennen will.

Einen ähnlichen Sprung des Bewußtseins mußt du jetzt wagen. Hast du die Ursache klar erkannt, werden deine Gedankenwellen dir nichts mehr anhaben können. Du wirst sie einfach registrieren, ohne dich mit ihnen zu identifizieren. Du brauchst nicht mehr jedesmal, wenn ein Steinchen fällt, übertrieben zu reagieren. Du wirst frei sein von den Wirbeln der Welt, sobald du deine Gedanken beruhigen kannst. Denke daran, wenn du Probleme hast, laß deine Gedanken los und wehre dich gegen dein Grübeln!»

«Aber wie, Socrates?»

«Gar keine schlechte Frage», rief er. «Beim sportlichen Training hast du gelernt, daß Trampolinsprünge, genau wie Bewußtseinssprünge, nicht von heute auf morgen gelingen. Dazu braucht es Zeit und Übung. Und die richtige Übung, um die Ursache deiner aufgewühlten Gedanken zu erkennen, ist die Meditation.»

Nach dieser Eröffnung entschuldigte er sich und verschwand in der Toilette. Jetzt war der richtige Zeitpunkt gekommen, ihn mit meiner Neuigkeit zu überraschen. Laut, damit er mich durch die geschlossene Tür verstehen konnte, schrie ich: «Diesmal bin ich dir einen Schritt voraus, Socrates! Ich habe letzte Woche einen Meditationskurs angefangen! Hab mir gedacht, ich probiere schon mal selber, was für mich zu tun. Wie findest du das?» Und als keine Antwort kam, erklärte ich: «Wir sitzen jeden Abend eine halbe Stunde zusammen. Ich merke schon, daß ich entspannter bin und meine Gedanken etwas kontrollieren kann. Hast du auch bemerkt, daß ich ruhiger geworden bin? Sag, Socrates, meditierst du auch? Falls nicht, ich kann dir beibringen, was ich gelernt ... »

Die WC-Tür flog auf, und mit einem markerschütternden Schrei kam Socrates herausgesprungen, ein blitzendes Samurai-Schwert hoch über dem Kopf schwingend. Bevor ich ausweichen konnte, fuhr die Klinge – lautlos die Luft durchtrennend – herab und blieb Zentimeter über meinem Scheitel hängen. Ich schielte vorsichtig nach oben, ich sah das drohende Schwert, ich sah Socrates an. Er grinste.

«O Mann, was für ein Auftritt! Hätte mir fast in die Hose gemacht vor Schreck», japste ich.

Die Klinge hob sich langsam. Wie sie dort oben über meinem Kopf schwebte, schien es, als ob alles Licht im Raum sich an der Schneide sammelte. Das gleißende Licht blendete mich, ich mußte die Augen schließen. Diesmal beschloß ich, auch den Mund zu halten.

Aber Socrates kniete sich nur vor mich hin, legte behutsam das Schwert zwischen uns, schloß die Augen, tat einen tiefen Atemzug und saß vollkommen reglos. Ich beobachtete ihn eine Weile. Ob dieser ‹schlafende Tiger› erwachen und sich auf mich stürzen würde, wenn ich mich bewegte? Es vergingen zehn Minuten, dann zwanzig. Vielleicht wollte er, daß auch ich meditierte? Ich schloß die Augen und blieb eine halbe Stunde sitzen. Als ich wieder die Augen aufmachte, saß er immer noch da, wie ein Buddha. Ich wurde unruhig, und schließlich stand ich leise auf, um einen Schluck Wasser zu trinken. Ich füllte am Wasserhahn meinen Becher, als ich eine leichte Berührung an der Schulter spürte. Wasser plätscherte mir auf die Schuhe, so sehr zitterte meine Hand.

«Socrates, du solltest dich nicht so heimlich anschleichen. Kannst du nicht wenigstens einen Ton von dir geben?»

Er lächelte und sprach: «Schweigen ist die Kunst des Kriegers – und die Meditation ist sein Schwert. Es ist die Waffe, mit der man die Illusionen zerschlagen kann. Aber du mußt wissen, wie nützlich dieses Schwert ist, hängt von dem Schwertkämpfer ab. Du hast noch nicht gelernt, die Waffe zu führen, darum kann sie in deiner Hand ein gefährliches oder trügerisches oder sogar nutzloses Werkzeug sein.

Die Meditation mag dir am Anfang helfen, etwas ruhiger zu werden. Voll Stolz stellst du gleich dein ‹Schwert› zur Schau und prahlst damit. Der helle Glanz dieses Schwertes verführt viele Meditierende zu neuen Illusionen, bis sie es doch wieder wegwerfen, um nach anderen *inneren Alternativen* zu suchen.

Der Krieger hingegen benutzt das Schwert mit Geschick und tiefem Wissen. Er nutzt es, um seine Grübeleien und müßigen Gedanken in Fetzen zu hauen und um ihre Leere zu offenbaren. Nun hör gut zu und lerne aus dem folgenden:

Alexander der Große, der an der Spitze seiner Soldaten durch die Wüste marschierte, fand seinen Weg versperrt durch zwei dicke Seile, die zu einem großen, verschlungenen Knoten verknüpft waren, dem Gordischen Knoten. Niemand hatte ihn je zu lösen vermocht, bis Alexander vor diese Aufgabe gestellt war. Ohne zu zögern, zog er sein Schwert und hieb mit einem einzigen kraftvollen Streich den Gordischen Knoten entzwei. Er war ein Krieger!

So mußt auch du lernen, die Knoten deines Denkens anzugreifen – mit der Waffe der Meditation. Dann wirst du eines Tages überhaupt keine Waffe mehr brauchen.»

Ein alter VW-Bus kam in die Tankstelle gerattert, weißlackiert, einen großen bunten Regenbogen auf die Seiten gemalt. Sechs junge Leute darin, die man auf den ersten Blick kaum unterscheiden konnte. Erst als wir hinausgingen, erkannte ich, daß es vier Männer und zwei Frauen waren, alle von Kopf bis Fuß gleich blau gekleidet. Es waren Mitglieder einer der vielen spirituellen Gruppen, die in der Bay Area wie Pilze aus dem Boden schossen. Diese Leute hier waren so selbstgerecht, daß sie es vermieden, uns zur Kenntnis zu nehmen, als ob unsere Weltlichkeit sie anstecken könnte!

Socrates ließ sich die Chance nicht entgehen. Augenblicklich verwandelte er sich in einen humpelnden, lispelnden Kretin. Er war der perfekte Quasimodo. «Ha, Jack», ranzte er den Fahrer an, einen Mann mit dem längsten Bart, den ich je gesehen hatte. «Wollt ihr Benzin, oder was?»

«Ja, Benzin bitte», sagte der Mann. Seine Stimme war glatt wie Salatöl.

Socrates warf den beiden Frauen im Fond lüsterne Blicke zu. Er steckte den Kopf durch das Fenster und flüsterte laut: «He, ihr zwei Süßen, was macht ihr denn immer – *meditieren?»* Es hörte sich an, als meinte er eine bestimmte sexuelle Variante.

«Jawohl, wir meditieren», sagte der bärtige Fahrer, und seine Stimme triefte vor kosmischer Erhabenheit. «Bitte, Mister, wollen Sie jetzt unseren Wagen auftanken?»

Durch ein Zeichen gab Socrates mir zu verstehen, ich sollte den Zapfhahn bedienen, während er selbst bei dem Mann am Steuer alle Register zog. «He, weißte, Mann, wie du aussiehst in deinem blauen Kittel? Wie 'n Mädchen. Versteh mich nicht falsch, es steht dir wirklich gut. Und warum rasierst du dich eigentlich nicht? Was mußt du denn verstecken hinter diesem Urwald?»

Ich krümmte mich hinter dem Wagen vor Lachen, während Soc vorne von bissigem Spott zu plumper Gemeinheit überwechselte. «He», machte er eine der Frauen an, «der Kerl da, ist das dein Freund? Und ihr beide», zu dem Mann auf dem Beifahrersitz gewandt, «treibt ihr's denn machmal, oder spart ihr's euch auf, wie ich in der Zeitung gelesen habe?»

Das war zuviel. Bis Socrates ihnen endlich ihr Wechselgeld abgezählt hatte, mit quälender Langsamkeit, immer wieder von vorne anfangend, erstickte ich beinah vor Lachen, und die armen Leute im VW-Bus bebten vor Wut. Der Fahrer grabschte nach dem Wechselgeld, gab Gas und donnerte mit höchst unheiligem Tempo aus der Tankstelle. Socrates schrie ihnen hinterher: «Meditation tut euch gut. Übt schön fleißig weiter ...»

Kaum hatten wir uns wieder gesetzt, kurvte ein großer chromglitzernder Chevrolet in die Tankstelle. Nach dem Scheppern der Tankstellenglocke ertönte gleich eine ungeduldige Drei-Klang-Hupe. Ich lief hinter Socrates hinaus, um zu helfen.

Am Steuer hockte ein schicker ‹Teenager› von vielleicht vierzig Jahren, Hemd und Hose aus glänzendem Satin, mit einem großen, federgeschmückten Safarihut. Er war ungeheuer zappelig und klopfte dauernd mit seinen Ringen aufs Lenkrad. Neben ihm, die falschen Wimpern aufschlagend und ihre Nase im Rückspiegel pudernd, saß eine Blondine von undefinierbarem Alter. Irgendwie waren die beiden mir widerwärtig. Sie sahen einfach blöd und unnatürlich aus. Am liebsten hätte ich sie angesprochen: «Warum benehmt ihr euch nicht, wie's eurem Alter entspricht?» Aber ich schwieg und beobachtete.

«Hallo, Tankwart, gibt es hier einen Zigarettenautomat?» rief der übernervöse Fahrer.

Socrates richtete sich auf und sagte mit gewinnendem Lächeln: «Nein, Sir, leider nicht. Aber ein Stückchen weiter gibt es einen Supermarkt, der hat die ganze Nacht offen.» Dann beugte er sich wieder über den Motorraum, um den Ölstand der Maschine zu prüfen. Das alles mit fachmännischer Aufmerksamkeit. Am Schluß gab er das Wechselgeld heraus, mit einer Geste, als würde er einem Kaiser Tee servieren.

Nachdem der große Schlitten davongerauscht war, konnte ich mich nicht mehr halten. «Socrates, du warst so höflich zu diesen Leuten. Aber die blaugewandeten Sucher, die doch eindeutig auf einer höheren Stufe der menschlichen Entwicklung stehen, hast du behandelt wie den letzten Dreck. Warum?»

Und endlich einmal bekam ich eine einfache, klare Antwort: «Die einzige Entwicklungsstufe, die dich interessieren sollte, ist meine – und deine eigene!» sagte er grinsend. «Diese armen Leutchen brauchten ein wenig Freundlichkeit. Die spirituellen Sucher dagegen, die brauchten etwas zum Nachdenken.»

«Na, und was brauche ich?»

«Mehr Übung», kam es prompt zurück. «Deine einwöchige Meditationspraxis hat dir nichts genützt, als ich mit dem Schwert auf dich losging. Du hast völlig die Nerven verloren. Aber auch unseren Freunden im blauen Kittel hat ihre Meditation nichts genützt, als ich ein paar dumme Späße auf ihre Kosten machte.

Man könnte es folgendermaßen ausdrücken: Eine Hechtrolle vorwärts ist noch nicht das ganze Turnen. Die Meditation ist auch nicht der ganze Weg des Kriegers. Erst wenn du die ganze Wahrheit kennst, bist du gefeit dagegen, dir Illusionen zu machen und dein ganzes Leben lang die Rolle vorwärts zu üben – oder zu meditieren – und nur einen Bruchteil des möglichen Trainingserfolges zu erzielen.

Was du brauchst, um auf dem richtigen Weg zu bleiben, ist eine besondere Landkarte – eine Karte, die das ganze Gebiet umfaßt, das du erforschen willst. Erst dann wirst du den Wert und die Grenzen der Meditation erkennen. Und ich frage dich, wo bekommt man eine gute Landkarte?»

«Klar, an einer Tankstelle!»

«Richtig, mein Herr, treten Sie ein ins Büro. Ich werde Ihnen genau die Karte verkaufen, die Sie brauchen.»

Lachend gingen wir hinein. Ich setzte mich auf mein Sofa, und Socrates nahm schweigend auf seinem Sessel Platz.

Lange sah er mich nachdenklich an. ‹O weh›, dachte ich, den Atem anhaltend. ‹Jetzt kommt etwas Wichtiges!›

«Unser Problem ist», sagte er endlich, «daß ich dir das Gebiet, das du erforschen willst, nicht beschreiben kann. Wenigstens nicht mit ... Worten.» Er stand auf und kam zu mir herüber – mit diesem Funkeln in den Augen, das mir sagte: ‹Aufgepaßt, Dan, es geht auf die Reise›.

Im nächsten Moment hatte ich das Gefühl, als schwebte ich irgendwo draußen im Weltraum, ich dehnte mich aus mit Lichtgeschwindigkeit, blähte mich, explodierte bis an die äußersten Grenzen des Seins, bis *ich* das ganze Universum war. Da gab es nichts von mir Getrenntes. Ich war Alles. Ich war Bewußtsein, das sich selbst erkennt; ich war das reine Licht, das die Naturwissenschaft aller Materie zuschreibt und das die Dichter als Liebe besingen. Ich war Eins, und ich war Alles, und ich überstrahlte die Welten alle. Das Ewige hatte sich mir offenbart – mit unaussprechlicher Gewißheit.

Blitzartig war ich dann wieder zurück in meiner sterblichen Hülle, und jetzt schwebte ich zwischen den Sternen. Ich schaute ein gläsernes Prisma, geformt wie ein menschliches Herz, und es war so groß, daß die Galaxien daneben verschwanden. Reines Licht der Bewußtheit strahlte es aus, in einem berstenden Regen leuchtender Farben, funkelnde Splitter in allen Tönen des Regenbogens über den ganzen Kosmos verstreuend.

Mein Körper selbst wurde zum leuchtenden Prisma, das Strahlen in allen Farben, nach allen Richtungen aussandte. Und ich begriff, daß es der höchste Zweck des menschlichen Körpers sei, selbst ein reines Behältnis für dieses Licht zu werden, damit es leuchtend alle Blockierungen, alle Knoten und Widerstände auflöse.

Ich spürte, wie sich das Licht über die Nervenbahnen, durch die Blutgefäße meines Körpers ausbreitete. Da wußte ich, allein durch Wachheit kann der Mensch das Licht der Bewußtheit erfahren.

Und ich erfuhr die Bedeutung von Aufmerksamkeit. Es ist die willentliche Bündelung von Bewußt-Sein. Ich spürte meinen Körper wieder als Ganzes, als ein leeres Gefäß. Ich sah meine Beine; sie waren erfüllt von einem warmen, strahlenden Licht, das mit der Helle um mich her verschmolz. Ich sah meine Arme; es war das gleiche Bild. Ich richtete meine Aufmerksamkeit auf jeden Teil meines Körpers, bis ich abermals einzig Licht war. Zuletzt wurde mir das Wesen wahrer Meditation zuteil. Sie besteht darin, die Wachheit, das Bewußt-Sein zu erweitern und die Aufmerksamkeit zu zentrieren, um sich am Ende dem Licht der Bewußtheit hinzugeben.

Ein Lichtstrahl flammte auf in der Dunkelheit. Ich erwachte, als Socrates mir mit der Taschenlampe in die Augen leuchtete.

«Stromausfall», meinte er lakonisch. Seine Zähne sahen aus wie die einer Kürbismaske zu Halloween, als er den Strahl seiner Taschenlampe auf sein Gesicht richtete. «Nun, ist dir die Sache jetzt klarer?» fragte er, als hätte ich eben erfahren, wie eine Glühbirne funktioniert – und nicht die Seele des Universums geschaut. Ich konnte kaum sprechen.

«Socrates», brachte ich hervor, «ich schulde dir großen Dank, den ich nie werde abtragen können. Ich verstehe jetzt alles, und ich weiß, was ich zu tun habe. Ich glaube, ich brauche dich nicht wieder aufzusuchen.» Ich war traurig, daß ich meine Abschlußprüfung schon bestanden hatte. Ich würde ihn vermissen.

Er sah mich entgeistert an, dann fing er an zu lachen. Er lachte, wie ich ihn nie hatte lachen hören. Er schüttelte sich, und Tränen flossen ihm über die Wangen. Endlich beruhigte er sich. «Du hast noch längst nicht bestanden, mein Kleiner. Deine Arbeit hat eben erst angefangen. Sieh dich doch an. Du bist im Grunde derselbe, der du warst, als du vor ein paar Monaten hier hereingestolpert kamst. Was du geschaut hast, war doch nur eine Vision, keine endgültige Erfahrung. Mit der Zeit wird diese Vision in deiner Erinnerung zwar verblassen, trotzdem wird sie dir immer als Leitfaden dienen. Komm sei entspannt und tu nicht so feierlich!»

Er lehnte sich zurück, schalkhaft und weise lächelnd. «Siehst du», sagte er in beiläufigem Ton, «solche kleine Reisen ersparen mir komplizierte Erklärungen, die ich dir geben müßte, um dich zu ‹erleuchten›.» In diesem Moment ging plötzlich das Licht wieder an. Wir mußten beide lachen.

Aus einer kleinen Kühlbox neben dem Wasserbehälter holte er ein paar Orangen, die er auszupressen begann, während er weitersprach: «Übrigens erweist auch du mir einen Gefallen. Ich bin selber irgendwo *steckengeblieben* in Raum und Zeit und habe eine Art Dankesschuld abzutragen. Für mich hängt viel davon ab, daß du Fortschritte machst. Um dich zu unterweisen», sagte er und warf die ausgepreßten Orangenschalen über die Schulter in den Papierkorb, natürlich mit jedem Wurf einen Treffer erzielend, «mußte ich buchstäblich ein Teil von mir in dich investieren. Eine ziemlich riskante Investition, kann ich dir sagen. Nun kommt's auf unsere Leistung als Team an.»

Er hatte den Saft fertig und reichte mir ein Gläschen. «Na, dann wollen wir anstoßen», sagte ich, «auf gute Partnerschaft.»

«Gemacht», lächelte er.

«Erzähl mir mehr von dieser Schuld, die du abtragen mußt. Wem schuldest du Dank?»

«Ach, sagen wir, das ist Teil der Geschäftsbedingungen.»

«Das ist albern, das ist doch keine Antwort!»

«Albern – vielleicht, aber ich muß gewisse Bedingungen einhalten bei meinem Geschäft.» Er holte eine Visitenkarte hervor. Sie sah ganz normal aus, das einzig Besondere war ein schwaches Leuchten. In geprägten Lettern stand dort:

Krieger AG
Geschäftsführer: Socrates
Spezialisiert auf:
Humor, Paradoxes
und Veränderung

«Verwahre sie gut. Vielleicht kann sie dir einmal nützen. Wenn du mich brauchst – wenn du mich wirklich brauchst –, nimm die Karte in beide Hände und rufe mich. Ich werde kommen, auf die eine oder die andere Weise.»

Ich schob die Karte in meine Brieftasche. «Ich werde sie gut aufbewahren, Socrates. Kannst dich darauf verlassen. Ach, hast du nicht noch solch ein Kärtchen mit Joys Adresse?»

Er überhörte es.

Und dann saßen wir schweigend, während Soc begann, einen seiner frischen, knackigen Salate vorzubereiten. Endlich fiel mir eine Frage ein:

«Socrates, wie soll ich es machen? Wie soll ich mich diesem Licht der Bewußtheit öffnen?»

«Nun ja», beantwortete er eine Frage mit einer Gegenfrage. «Was machst du, wenn du sehen willst?»

Ich mußte lachen. «Ich schaue! Oh, du meinst die Meditation, nicht wahr?»

«Ja», sagte er. «Und der Kern der Sache ist», fuhr er fort und schnitt dabei das Gemüse in feine Streifen, «es gibt zwei gleichzeitig ablaufende Prozesse. Der eine ist die *Einsicht* – die Bereitschaft, die Aufmerksamkeit zu konzentrieren und das Bewußtsein auszurichten auf das, was du sehen willst. Der andere ist die *Hingabe* – das Loslassen aller Gedanken, die aufsteigen mögen. Das ist die wahre Meditation; und das ist der Sprung in die Freiheit des Geistes.»

Und nun folgte wieder eine seiner treffenden Geschichten:

Ein Schüler der Meditation saß in tiefem Schweigen mit einer Gruppe von Übenden zusammen. Erschreckt durch eine Vision von Blut, Tod und Dämonen, stand er auf, ging zum Lehrer und flüsterte: «Roshi, ich hatte eben eine furchtbare Vision.»

«Laß sie los», sagte der Lehrer.

Ein paar Tage später beglückten ihn phantastische erotische Phantasien, Einsichten in den Sinn des Lebens, mit Engeln und kosmischer Pracht – die Wunder der Welt.

«Laß sie los», sagte der Lehrer, der mit seinem Stock hinter ihn getreten war und ihm einen Schlag versetzte.

Ich mußte lachen über die Geschichte und sagte: «Weißt du, Soc, ich dachte gerade ...» Socrates gab mir mit einer Karotte einen Schlag auf den Kopf und sagte: «Laß los!»

Wir aßen. Ich spießte meinen Rohkostsalat mit der Gabel auf; er aß mit Stäbchen und atmete gleichmäßig beim Kauen. Nie nahm er einen neuen Bissen, bevor er den letzten nicht vollkommen fertiggekaut hatte, als sei jeder Happen eine kleine Mahlzeit für sich. Ich bewunderte seine Art zu essen, aber mampfte selbst fröhlich drauflos. Ich wurde als erster fertig, lehnte mich zurück und verkündete: «Ich schätze, ich bin nun bereit, es mit der wahren Meditation zu versuchen.»

«Aha?» Er legte seine Stäbchen beiseite. »*Kampf dem müßigen Denken*. Wenn du doch wirklich interessiert wärst!»

«Ich bin interessiert! Ich möchte Bewußtsein haben. Das ist der Grund, warum ich hier bin.»

«Was du möchtest, ist ein anderes Selbstbild, und nicht Bewußtsein. Du bist hier, weil du keine bessere Alternative hast.»

«Aber ich möchte doch meine lärmenden Gedanken loswerden», protestierte ich.

«Das ist deine allergrößte Illusion, Dan. Du kommst mir vor wie ein Mensch, der sich weigert, eine Brille zu tragen, und darüber jammert, daß heutzutage die Zeitungen nicht mehr sauber gedruckt werden.»

«Falsch», sagte ich und schüttelte energisch den Kopf.

«Ich kann nicht erwarten, daß du die Wahrheit selbst erkennst, aber anhören mußt du sie dir.»

«Worauf willst du hinaus?» fragte ich ungeduldig, und meine Aufmerksamkeit schweifte ab.

«Laß mich jetzt ausreden!» sagte er mit fester Stimme, die meine Aufmerksamkeit förmlich erzwang. «Du identifizierst dich mit deinen langweiligen, armseligen und im Grunde quälenden Gedanken und Überzeugungen. Du glaubst, du *bist* dein denkender Kopf.»

«Unsinn.»

«Deine hartnäckigen Illusionen sind ein sinkendes Schiff, junger Mann. Ich kann dir nur raten, gib sie auf, solange noch Zeit ist.»

Ich versuchte meinen wachsenden Ärger zu unterdrücken: «Woher willst du wissen, daß ich mich mit meinem Kopf identifiziere?»

«Schön», seufzte er. «Ich werde es dir beweisen. Was meinst du damit, wenn du sagst: 'Ich gehe nach Hause'? Nimmst du nicht ganz einfach an, du seist getrennt von dem Haus, zu dem du gehst?»

«Natürlich! Für wie dumm hältst du mich?»

Ohne auf mich einzugehen, fragte er weiter: «Was meinst du damit, wenn du sagst: ‹Heute schmerzt mein Körper›? Wer ist denn dieses *Ich*, das sich von seinem Körper getrennt fühlt und über ihn redet wie über einen Besitz?»

Ich mußte lachen. «Semantische Spitzfindigkeiten, Socrates. Du mußt mir mehr beweisen!»

«Richtig, kommt ja noch. Aber in unseren Redewendungen zeigt sich die Art und Weise, wie wir die Welt betrachten. Du tust tatsächlich so, als wärst du ein Kopf, eine Seele oder irgendein unfaßbares Etwas innerhalb deines Körpers, und unabhängig von ihm.»

«Warum sollte ich so etwas Verrücktes tun?»

«Weil du nichts so sehr fürchtest wie den Tod, weil du an nichts so hängst wie am Leben. Du wünscht dir das *Immer und Ewig*. Deine törichte Einbildung, du seist dieser *Kopf*, dieser *Geist* oder was immer, ist für dich eine Rücktrittsklausel im Vertrag mit der Sterblichkeit des Menschen. Vielleicht kannst du dich als ‹Geist› aus deinem Körper fortstehlen, wenn er gestorben ist, hm?»

«Das wäre ein Gedanke!» grinste ich.

«Genau, das ist es, Dan. Ein Gedanke, nicht wirklicher als der Schatten eines Schattens. Die Wahrheit ist: Das Bewußtsein ist nicht im Körper, vielmehr ist der *Körper im Bewußtsein*. Und *du bist* dieses *Bewußtsein*, nicht dieser Phantom-Geist, der dich plagt. Du bist der Körper, aber du bist auch alles andere. Das ist's, was deine Vision dir offenbart hat. Nur der Geist läßt sich täuschen, weil er sich durch Veränderungen bedroht fühlt. *Sei* einfach in deinem Körper, entspannt, ohne nutzlose Gedanken, dann wirst du glücklich, zufrieden und frei sein und dich nicht mehr getrennt fühlen. Die Unsterblichkeit gehört dir bereits, aber nicht auf die Art und Weise, wie du es dir vorstellst oder erhoffst. Du bist unsterblich, bevor du geboren warst, und wirst es sein, lange nachdem du gestorben bist und dein Körper sich aufgelöst hat. Der Körper selbst ist unsterbliches Bewußtsein. Im Tode verändert er sich lediglich. Dein Denken, deine Überzeugungen, deine Geschichte und deine Identität – dies ist das einzig Vergängliche an dir. Also, wozu brauchst du es noch?»

Socrates lehnte sich in seinem Sessel zurück.

«Ich weiß nicht recht, Socrates, ob ich alles verstanden habe.»

«Natürlich nicht!» meinte er lachend. «Die Wörter bedeuten nichts, solange du nicht ihre Wahrheit in dir erfahren hast. Dann aber wirst du frei sein und ganz von selbst in der Ewigkeit leben.»

«Hört sich spannend an.»

«Freut mich, daß es dir gefällt», lachte er. «Heute wollte ich nur ein Fundament legen für das, was noch kommt.»

«Socrates», fragte ich, «wenn ich nicht mein Denken bin, wer oder was bin ich dann?»

Er schaute mich an, als habe er mir gerade erklärt, daß eins und eins zwei ist, und als hätte ich darauf geantwortet: ‹Ja, aber, wieviel ist nun eins und eins?›

Er langte in den kleinen Kühlschrank und nahm eine Zwiebel. «Hier, schäle sie ab», sagte er, «Schicht um Schicht.» Ich fing an zu schälen.

«Nun, was findest du?»

«Wieder eine Schicht.»

«Mach weiter.»

Ich schälte ein paar weitere Schichten ab. «Noch mehr Schichten, Socrates.»

«Schäle ruhig weiter, bis keine Schichten mehr da sind. Was findest du?»

«Nichts bleibt übrig.»

«Natürlich bleibt etwas übrig.»

«Was?»

«Das Universum. Denk darüber nach auf dem Heimweg!»

Draußen vor dem Fenster graute schon der Tag. Ich ging nach Hause. Am nächsten Abend, nach einer mittelmäßigen Meditation mit meiner Gruppe, wanderte ich wieder zur Tankstelle hinaus, randvoll von müßigen Gedanken, wie immer. Es gab nicht viel zu tun, so früh am Abend, darum saßen wir gemütlich beisammen und tranken Pfefferminztee, und ich erzählte ihm von meiner lustlosen Meditation.

«Ja, deine Aufmerksamkeit ist noch immer zerstreut. Laß dir eine Geschichte erzählen:

Ein Zen-Schüler fragte seinen Roshi: «Was ist das Wichtigste am Zen?»

«Aufmerksamkeit», erwiderte der Roshi.

«Ach, vielen Dank», sagte der Schüler. «Aber kannst du mir das Zweitwichtigste verraten?»

Und der Roshi antwortete: «Aufmerksamkeit.»

Verwirrt starrte ich Socrates an und wartete.

«Das war's, Leute», lachte er.

Ich stand auf und ging an den Wasserhahn. Socrates fragte: «Achtest du aufmerksam auf die Art, wie du gehst?»

«Hm, ja», antwortete ich, nicht allzu überzeugt.

«Achtest du aufmerksam auf die Art, wie du stehst?» fragte er.

«Ja, sicher.» Ich beschloß, das Spiel mitzumachen.

«Achtest du aufmerksam auf die Art, wie du sprichst?»

«Nun, ja doch», erwiderte ich, auf den Klang meiner Stimme lauschend. Ich wurde allmählich nervös.

«Achtest du aufmerksam auf die Art, wie du denkst?» fragte er unerbittlich.

«Hör auf, Socrates – ich tu mein Bestes!»

Er beugte sich vor. «Dein Bestes ist nicht gut genug. Glühend und intensiv muß deine Aufmerksamkeit sein, und zwar bei allem, was du tust. Zielloses Herumrollen auf einer Turnmatte macht noch keinen Weltmeister im Turnen aus dir. Mit geschlossenen Augen herumzusitzen und die Aufmerksamkeit schweifen zu lassen, das ist noch lange kein Bewußtseinstraining. Jeder Fortschritt ist abhängig von der Intensität deiner Bemühung. Hör dir folgende Geschichte an:

In einem Zen-Kloster saß ich Tag für Tag, mühte mich mit einem Koan, *einem Rätsel, das mir der Roshi aufgegeben hatte, um meinen Geist anzuspornen, damit er sein wahres Wesen erkenne. Ich konnte das Rätsel nicht lösen. Jedesmal, wenn ich zum Lehrer ging, konnte ich ihm nichts sagen. Ich war ein langsamer Schüler, und ich verlor den Mut. Der Roshi riet mir, noch einen Monat länger an meinem Koan zu arbeiten. «Bis dahin», ermunterte er mich, «wirst du die Lösung wissen.»*

Ein Monat verging, und ich tat mein Bestes. Das Koan blieb ein Geheimnis.

«Arbeite noch eine Woche länger, mit Feuer im Herzen!» empfahl der Roshi. Das Koan brannte in mir Tag und Nacht, aber ich konnte es noch immer nicht ergründen.

Mein Roshi befahl: «Arbeite noch einen Tag länger, mit ganzer Seele!» Der Tag ging vorbei, und ich war erschöpft. Ich sagte zu ihm: «Meister, es hat keinen Zweck. Einen Monat, eine Woche, einen Tag – ich kann das Geheimnis nicht ergründen.»

Der Meister sah mich lange an. «Meditiere noch eine Stunde länger», sagte er. «Wenn du das Koan bis dahin nicht verstanden hast, mußt du dich umbringen.»

«Schön und gut», erwiderte ich, «aber warum sollte ein Krieger herumsitzen und meditieren? Ich dachte, der Weg des Kriegers sei ein Weg der Tat?»

«Meditation ist die Tat des Nicht-Tuns. Und doch hast du recht, wenn du meinst, der Weg des Kriegers sei ein tätiger Weg. Du wirst schließlich lernen, über jede deiner Handlungen zu meditieren. Am Anfang aber sollte das Sitzen in der Meditation eine Zeremonie sein, eine besondere Frist, dazu bestimmt, die Intensität der Praxis zu steigern. Du mußt zuerst das Ritual beherrschen, bevor du es im täglichen Leben anwenden kannst.

Ich, als dein Lehrer, muß alle Methoden und Tricks einsetzen, um deine Kräfte zu wecken, um deine Ausdauer anzuspornen für die Aufgabe, die vor dir liegt. Hätte ich mich einfach hingestellt, und dir mit knappen Worten das Geheimnis des Glücklichseins verraten – du hättest nicht einmal hingehört. Was du brauchst, ist ein Kerl, der dich fasziniert, der Zauberkunststückchen macht und auf Hausdächer springt – sonst interessierst du dich erst gar nicht.

Schön, ich bin bereit, ein Weilchen mitzuspielen. Aber irgendwann kommt für jeden Krieger die Zeit, da er allein seinen Weg gehen muß. Bis dahin versuche ich dich mit allen Mitteln hier festzuhalten, damit du lernst, was du einmal brauchen wirst.»

Das ist ja Manipulation, dachte ich und wurde ärgerlich. «Ich soll also hier an der Tankstelle herumsitzen, bis ich alt und grau werde wie du, und mich an unschuldige Studenten heranmachen!» Im nächsten Moment tat mir leid, was ich gesagt hatte.

Doch Socrates blieb ungerührt. Lächelnd sagte er: «Hoffentlich irrst du dich nicht – über diese Tankstelle und deinen Lehrer. Manche Dinge, manche Leute sind nicht immer das, was sie zu sein scheinen. Mein Platz ist das Universum, nicht diese Tankstelle. Und wenn du mich fragst, warum du hierbleiben sollst, was du hier gewinnen kannst – schau mich an, bin ich nicht vollkommen glücklich? Und du?»

Draußen war ein Auto vorgefahren. Dampfwolken stiegen aus seiner Kühlerhaube auf. «Komm mit», sagte Soc. «Das arme Auto leidet. Erschießen wir es, damit seine Not ein Ende hat!» Lachend gingen wir hinaus und schauten uns das kranke Vehikel an. Nicht nur der Kühler brodelte, auch der Besitzer kochte vor Wut.

«Was trödelt ihr so lange herum? Soll ich vielleicht die ganze Nacht warten?»

Socrates schenkte ihm einen mitfühlenden, verständnisvollen Blick. «Wollen mal sehen, Sir, ob wir Ihnen helfen können. Ist ja nur eine kleine Panne.» Er hieß den Mann rückwärts in die Werkstatt rollen, leitete Druckluft in den Kühler und die undichte Stelle war schnell gefunden. Mit ein paar Handgriffen war das kleine Leck verlötet. Trotzdem, so meinte Socrates zu dem Mann, würde er bald einen neuen Kühler brauchen. «Alles geht dahin, alles verändert sich, sogar ein Autokühler», blinzelte er mir zu.

Als der eilige Kunde weitergefahren war, dämmerte mir die Wahrheit dessen, was Socrates vorhin gesagt hatte. Ja, er *war* vollkommen glücklich. Nichts konnte seine gute Laune berühren. Er hatte manchmal wütend reagiert, seit ich ihn kannte, manchmal traurig, auch humorvoll, sanft und machmal hart, sogar betroffen – aber immer hatten seine Augen vor innerer Freude geleuchtet, selbst wenn ihm die Tränen kamen.

Ich dachte an meinen Lehrer Socrates, als ich in dieser Nacht nach Hause ging, an Straßenlaternen vorbei, die meinen Schatten wachsen und schrumpfen ließen. Hin und wieder kickte ich einen Stein in die Dunkelheit; ich bog ein in den Hof, wo meine kleine Wohnung, eine umgebaute Garage, im Schatten eines großen Walnußbaums, auf mich wartete. Im Osten dämmerte es bereits.

Ich legte mich ins Bett, fand aber keinen Schlaf. Ob ich sein Geheimnis des Glücks jemals entdecken würde? Es war mir auf einmal wichtiger als sämtliche Sprünge auf Hausdächer ...

Dann fiel mir die Visitenkarte ein, die Socrates mir gegeben hatte. Ich sprang auf, knipste das Licht an und zog rasch die Karte aus meiner Brieftasche. Ich hatte Herzklopfen. Wenn ich ihn brauchte, hatte er gesagt, sollte ich die Karte in beide Hände nehmen und ihn rufen. Nun, ich wollte ihn auf die Probe stellen.

Fröstelnd, mit schlotternden Knien stand ich da. Ich faßte die schwach schimmernde Karte mit beiden Händen und rief: «Socrates, komm, Socrates. Dan ruft dich!» Ich kam mir idiotisch vor, wie ich hier stand, um 4.55 Uhr morgens, eine leuchtende Visitenkarte in den Händen und in die Luft redend. Es geschah nichts. Enttäuscht warf ich die Karte aufs Nachtkästchen. Da – plötzlich ging das Licht aus.

«Was!» schrie ich und fuhr herum. War er etwa da? Ich trat einen Schritt zurück, purzelte über den Hocker und landete mit allen Vieren am Boden.

Das Licht ging wieder an. Sollte mich jemand gehört haben, er mußte glauben, hier ärgere sich ein Student über seine griechischen Klassiker. Wer sonst hätte frühmorgens gebrüllt: «Socrates, o verdammt, Socrates!»

Ich weiß nicht, ob die Panne in der elektrischen Leitung ein Zufall war oder nicht. Socrates hatte gesagt, er würde kommen – auf die eine oder andere Weise. *Wie* – das hatte er nicht gesagt. Leicht verlegen hob ich die Visitenkarte auf und wollte sie in der Brieftasche verstauen – als ich entdeckte, daß sie sich verändert hatte. Unter dem Text: «Humor, Paradoxes und Veränderung», stand jetzt in Fettdruck: NUR IN DRINGENDEN FÄLLEN!

Lachend ließ ich mich ins Bett fallen und war sofort eingeschlafen.

Das Sommertraining hatte wieder angefangen. Es tat gut, die vertrauten Gesichter der Kameraden zu sehen. Herb hatte sich einen Bart wachsen lassen; Rick und Sid waren braungebrannt, schlanker und stärker denn je.

Wie gern hätte ich meinen Freunden berichtet von meinem neuen Leben, von den Lektionen, die ich gelernt hatte, aber ich wußte nicht, wo anfangen. Da fiel mir die Visitenkarte ein. Vor dem Aufwärmen winkte ich Rick heran:

«Ich muß dir was zeigen!» Wenn er erst Socs leuchtende Karte gesehen hatte, mit den «Spezialgebieten», würde er mehr wissen wollen, da war ich mir sicher.

Nach dramatischer Kunstpause zog ich die Karte hervor und hielt sie ihm hin. «Schau mal. Seltsam, nicht? Dieser Typ ist mein Lehrer.»

Rick guckte sich die Karte an, drehte sie um, schüttelte den Kopf, sein Gesicht so leer wie die Karte. «Soll das ein Witz sein? Kapiere ich nicht!»

Ich nahm ihm die Karte aus der Hand und drehte sie hin und her. «Hm», brummte ich verlegen und stopfte den Fetzen Papier in die Tasche. «War ein kleiner Irrtum, Rick. Komm, laß uns laufen.» Ich stieß einen Seufzer aus. Dies war genau das Richtige, um meinen Ruf als Clown der Mannschaft zu festigen.

O Socrates, dachte ich, welch ein billiger Trick! Verblassende Zaubertinte!

Am Abend stürmte ich, die Visitenkarte in der Hand, ins Büro der Tankstelle. Ich knallte ihm die Karte auf den Tisch. «Da hast du sie! Hör lieber auf, Soc, mir solche Streiche zu spielen. Ich will nicht immer wie ein Trottel dastehen.»

Er sah mich bedauernd an. «Ach? Hast du wieder mal den Trottel gespielt?»

«Hör auf, Socrates, ich bitte dich, kannst du's nicht lassen?»

«Was denn – lassen?»

«Solche dummen Gags, zum Beispiel das mit der verblassenden Ti ... –»

Aus dem Augenwinkel sah ich vom Schreibtisch her ein schwaches Leuchten. Tatsächlich:

Krieger AG
Geschäftsführer: Socrates
Spezialisiert auf:
Humor, Paradoxes
und Veränderung
NUR IN DRINGENDEN FÄLLEN

«Ich kann's nicht fassen», stammelte ich. «Verändert sich diese Karte?»

«Alles verändert sich», antwortete er.

«Ich weiß, ich weiß ... Aber, verschwindet die Schrift und kommt dann wieder?»

«Alles verschwindet, alles kommt wieder.»

«Socrates, hör mal, als ich Rick diese Karte zeigen wollte, da stand nichts drauf. Leer.»

«So sind die Geschäftsbedingungen», grinste er schulterzuckend.

«Na, du bist nicht sehr hilfreich. Ich möchte nur wissen, wie...»

«Laß es sein», sagte er, «laß los.»

Dieser Sommer verging rasch, mit eisernem Training in der Halle und langen Nächten mit Socrates in der Tankstelle. Oft meditierten wir zusammen, dann wieder bastelten wir in der Werkstatt an alten Autos, oder wir machten es uns einfach gemütlich bei einer Tasse Tee. Wenn es so zwanglos herging, rückte ich schon mal mit der Frage heraus, wie es Joy ging? Socrates schwieg dann. Ich hatte solche Sehnsucht, sie wiederzusehen.

Und dann waren die Ferien vorbei, und in Gedanken sah ich mich schon wieder in Hörsälen und Bibliotheken sitzen. Vorher aber wollte ich noch für eine Woche meine Eltern in Los Angeles besuchen. Ich hatte daran gedacht, meinen altgedienten Valiant in einer Garage unterzustellen und nach Los Angeles zu fliegen, um mir dort unten ein Motorrad zu kaufen. Ich freute mich schon auf die luftige Fahrt die Küstenstraße entlang.

So schlenderte ich über die Telegraph Avenue, machte letzte Einkäufe vor der Reise, und kam eben mit einer Zahnpasta in der Hand aus dem Drugstore, als ein magerer Halbwüchsiger an mich herantrat – so nah, daß ich seinen Schweiß- und Bierdunst riechen konnte. «Hast Du 'n bißchen Kleingeld für mich übrig?» fragte er, ohne mich anzusehen.

«Tut mir leid», sagte ich, aber es tat mir überhaupt nicht leid! ‹Such dir 'nen Job›, dachte ich im Weitergehen. Trotzdem bekam ich Schuldgefühle. Da hatte ich einem armen Hund, der keinen Pfennig besaß, einfach nein gesagt. Ärgerliche Gedanken stiegen in mir hoch.

‹Zum Teufel, was muß der Kerl sich auf der Straße an Leute heranmachen!›

Auf einmal wurde mir bewußt, wie sehr ich meinen lärmenden Gedanken wieder mal ausgesetzt war und welch innere Anspannung das verursachte. Und nur, weil so ein Kerl mich anschnorren wollte und ich nein gesagt hatte.

In diesem Moment konnte ich loslassen. Erleichtert atmete ich tief durch und schüttelte meine Spannung ab. Erst jetzt merkte ich, was für ein schöner Tag es war!

Abends in der Tankstelle überfiel ich Socrates mit meinen Neuigkeiten: «Soc, ich fliege in ein paar Tagen nach Los Angeles, will meine Eltern besuchen und mir da unten ein Motorrad kaufen. Und heute nachmittag hab ich gehört, daß Sid und ich nach Jugoslawien fliegen werden – fürs Olympische Komitee, als Beobachter bei der Turn-Weltmeisterschaft in Lubljana. Wir zwei, heißt es, wären potentielle Olympiakandidaten, und wir sollten uns schon mal einen Vorgeschmack holen. Na, was sagst du dazu?»

Zu meiner Verwunderung sagte er nur: «Was sein wird, wird sein.»

Ich zuckte die Schultern und wandte mich zur Tür. «Also, mach's gut, Soc. Wir seh'n uns in ein paar Wochen.»

«Wir sehen uns in ein paar Stunden», antwortete er. «Warte auf mich bei Ludwig's Fountain.»

«Okay», rief ich, schon mit einem Fuß draußen, und fragte mich, was das nun wieder zu bedeuten hatte. «Gute Nacht», und weg war ich.

Ludwig's Fountain war ein Brunnen, so getauft nach einem Hund, der diesen Platz als sein Revier verteidigte. Als ich nach ein paar Stunden Schlaf dort ankam, tollten ein paar andere Hunde über den Platz, Kinder planschten im Wasser und suchten Kühlung vor der Mittagshitze.

Der Campanile, Berkeleys berühmter Glockenturm, schlug zwölf Uhr, da fiel mir ein Schatten vor die Füße.

«Hallo, Soc», sagte ich noch etwas schläfrig.

«Komm, wir machen einen Spaziergang», sagte er. So wanderten wir durch den Campus, über die Sproul Plaza, am Optiker-College und am Cowell Hospital vorbei, zum Football-Stadion und weiter in die Hügel des Strawberry Canyon.

Endlich blieb er stehen und sagte:

«Für dich hat eine Transformation angefangen, Dan, ein Prozeß der bewußten Veränderung. Du kannst nicht mehr umkehren – es gibt kein Zurück. Versuch's, und du endest im Wahnsinn. Jetzt kannst du nur noch vorwärtsgehen. Du hast dich verpflichtet.»

«Wie in einer richtigen Institution?» versuchte ich zu witzeln.

Er grinste. «Es gibt gewisse Ähnlichkeiten.»

Schweigend gingen wir weiter, uns im Schatten der Büsche haltend.

«Ab einem gewissen Punkt kann dir niemand mehr helfen, Dan. Ich werde dich noch eine Weile führen, aber dann trete auch ich zurück, und du wirst allein stehen. Du wirst hart auf die Probe gestellt werden, und du wirst große innere Kraft brauchen. Ich hoffe nur, du wirst sie rechtzeitig bekommen.»

Die kühle Seebrise aus der Bucht war verebbt, es war drückend heiß. Trotzdem fröstelte ich. Wie ich so stand und in der Hitze schlotterte, sah ich eine Eidechse unter die Steine huschen. Socrates' Worte hallten in mir nach wie ein Echo. Ich blickte hin zu ihm – er war verschwunden.

Voll Furcht, ohne daß ich wußte, warum, rannte ich den langen Weg zurück. Damals wußte ich es nicht – aber meine Probezeit war zu Ende. Jetzt fing die richtige Ausbildung an. Und sie sollte mit einer Prüfung beginnen, die ich beinah nicht überlebt hätte.

Zweites Buch

Lehrjahre eines Kriegers

4
Das Schwert wird geschärft

Nachdem ich mein Auto in einer Mietgarage untergebracht hatte, bestieg ich fröhlich den Bus nach San Francisco, mit Anschluß zum Flughafen-Transit, der prompt im Verkehrschaos steckenblieb. Alles sah danach aus, als sollte ich mein Flugzeug verpassen. Quälende Gedanken stiegen in mir auf. Ich spürte, wie mein Bauch sich verkrampfte. Als ich mir dessen bewußt wurde, ließ ich alles los, wie ich's bei Socrates gelernt hatte. Jetzt konnte ich die Landschaftskulisse am Freeway genießen und staunte über meine wachsende Fähigkeit, diesen Gedankenstreß zu vertreiben, der mich früher so oft geplagt hatte. Und wie sich zeigte, sollte ich mein Flugzeug noch mit Minuten Vorsprung erwischen.

Daddy, ein älteres Abbild meiner selbst, mit gelichtetem Haar, in blauem Sporthemd über der muskulösen Brust, begrüßte mich am Flughafen mit einem kräftigen Handschlag und warmem Lächeln. Moms Gesicht verzog sich in lieben Fältchen, als sie mich mit Umarmungen und Küssen vor unserer Haustür begrüßte – und mit den letzten Neuigkeiten von meiner Schwester und den kleinen Nichten und Neffen.

An diesem Abend beglückte uns Mutter mit ihrer neuesten Klaviersonate – von Bach, glaube ich. Am nächsten Morgen, kaum dämmerte es, fuhren Dad und ich zum Golfplatz. Die ganze Zeit schon war ich in Versuchung gewesen, den beiden von meinen Abenteuern mit Socrates zu berichten. Aber ich besann mich und schwieg lieber. Vielleicht würde ich eines Tages alles brieflich erklären. Es tat gut, wieder zu Hause zu sein, aber andererseits – Zuhause, das war so weit fort, so lange her.

Als wir nach dem Golf in Jack LaLannes Sportsauna saßen, meinte Daddy: «Gut siehst du aus, Dan. Das Collegeleben scheint dir gut zu tun. Du bist anders – ausgeglichener, angenehmer im Umgang – nein, nicht daß du vorher nicht nett gewesen wärst ...» Er suchte nach Worten, aber ich verstand.

Ich lächelte nur. Wenn er wüßte!

Den größten Teil meiner Zeit in Los Angeles verwandte ich auf die Suche nach einem Motorrad, und endlich fand ich eine gute gebrauchte 500er Triumph. Es dauerte ein paar Tage, mit ihr vertraut zu werden, und zweimal stürzte ich beinah – jedesmal wenn ich glaubte, ich hätte Joy aus einem Geschäft kommen oder um eine Ecke verschwinden sehen.

Mein letzter Tag in Los Angeles war gekommen. Schon am nächsten Morgen würde ich die Küste hinauf nach Berkeley knattern, und abends würde ich Rick treffen, und wir würden nach Jugoslawien starten – zur Weltmeisterschaft der Kunstturner. Diesen letzten Tag vertrödelte ich zu Hause. Nach dem Abendessen angelte ich mir den Helm und zog los, eine Reisetasche kaufen. Schon in der Tür, hörte ich Daddy mir nachrufen: «Aufpassen, Dan. Du weißt, Motorräder sind in der Dämmerung schwer zu sehen.» Immer seine Vorsicht!

«Jaja, Dad, ich paß schon auf», rief ich über die Schulter. Die Maschine röhrte, und ich kurvte scharf auf die Straße hinaus. Sehr männlich kam ich mir vor in meinem Olympia-T-Shirt, den verwaschenen Jeans und den Arbeitsstiefeln. Aufatmend in der frischen Abendluft, donnerte ich südwärts, Richtung Wilshire. Dieser Entschluß sollte meine ganze Zukunft verändern – denn im gleichen Moment, drei Straßen weiter, beschloß George Wilson, mit seinem Straßenkreuzer auf der Western Avenue nach links abzubiegen.

Ich brauste ahnungslos durch die Dämmerung. Straßenlaternen blitzten auf, während ich mich auf der Western Avenue der Kreuzung Seventh Street näherte. Schon wollte ich über die Kreuzung huschen, als ich einen rot-weißen Buick entgegenkommen sah, der Blinkzeichen nach links gab. Ich bremste ab – eine kleine Vorsicht, die mir wahrscheinlich das Leben gerettet hat.

Im selben Moment, da meine Maschine die Kreuzung erreichte, gab der Buick plötzlich Gas und bog direkt vor mir ein. Nur kostbare Sekunden noch war der Körper, mit dem ich zur Welt gekommen war, heil und ganz.

Ich hatte noch Zeit, um zu denken – nicht aber, um zu handeln. ‹Links ausweichen›, schrie mein Verstand. Aber da war der Gegenverkehr. ‹Nach rechts herumreißen!› Aber ich würde nie an der Stoßstange vorbeikommen. ‹Fallenlassen!› Da würde ich unter die Räder rutschen. Meine Möglichkeiten waren verspielt.

Ich trat auf die Bremse und wartete. Es war unwirklich, wie im Traum, bis ich schemenhaft das schreckverzerrte Gesicht des Fahrers aufblitzen sah. Mit schrecklichem Knall und einem melodischen Klingeln von splitterndem Glas, krachte meine Maschine gegen die vordere Stoßstange des Buick – und mein rechtes Bein knackte. Dann wirbelte alles rasend schnell um mich her, und die Welt wurde schwarz.

Ich muß bewußtlos geworden und wieder zu mir gekommen sein, kurz nachdem mein Körper mit einem Salto über das Wagendach schoß und auf den Asphalt krachte. Ein Moment seliger Betäubung, dann setzte der Schmerz ein – wie ein glühender Schraubstock, der mein Bein umspannte und quetschte, bis ich es nicht mehr aushalten konnte und aufschrie. Ich wollte nicht mehr, ich betete um Bewußtlosigkeit. Ferne Stimmen: « ...habe ihn einfach nicht kommen sehen ...» – « ... Telefonnummer der Eltern ...» – «keine Sorge, sie sind gleich da.»

Dann hörte ich wie von weitem eine Sirene, und behutsame Hände nahmen mir den Sturzhelm ab, hoben mich auf eine Bahre. Ich blickte an mir hinunter und sah einen weißen Knochen durch das zerfetzte Leder des Stiefels ragen. Als die Krankenwagentür klappte, erinnerte ich mich plötzlich an Socs Worte: « ... Du wirst hart auf die Probe gestellt werden ...»

Sekunden später, so schien es mir, lag ich auf dem Röntgentisch in der Notaufnahme des Orthopedic Hospital. Der Arzt war gestreßt und schimpfte über den Nachtdienst. Meine Eltern kamen hereingestürzt, sie sahen alt aus und sehr blaß. Jetzt erst holte mich die Wirklichkeit ein. Betäubt und im Schock, fing ich an zu weinen.

Der Doktor arbeitete rasch und gekonnt, er gab mir eine

Spritze, renkte meine ausgekugelten Zehen ein und nähte meinen rechten Fuß. Später, im Operationssaal, ritzte sein Skalpell eine lange rote Linie in meine Haut, durchtrennte die Muskeln, die mir so gut gedient hatten, und nahm aus meiner Hüfte ein Knochenstück, das er in den zersplitterten Oberschenkel einpflanzte. Zum Schluß hämmerte er noch einen flachen Metallstab mitten durch den Knochen, von der Hüfte abwärts – so etwas wie ein innerer Gips.

Drei Tage lag ich halb-bewußtlos, ein pillenbetäubter Schlaf, der mich kaum von den grausamen Schmerzen trennte. Irgendwann, wohl am Abend des dritten Tages, erwachte ich in der Dunkelheit; ich spürte jemanden, still wie ein Schatten, neben mir sitzen.

Joy stand auf und kniete sich neben mein Bett. Sie strich mir über die Stirn, und ich wandte mich beschämt ab. Ich wollte sie an meinen Triumphen teilnehmen lassen – sie sah mich immer in meiner Niederlage. Ich biß mir auf die Lippen und schmeckte salzige Tränen. Joy zog meinen Kopf zu sich und schaute mir in die Augen. «Socrates schickt dir eine Botschaft, Danny; ich soll dir eine Geschichte erzählen.»

Ich schloß die Augen und hörte:

Ein alter Mann und sein Sohn bestellten gemeinsam ihren kleinen Hof. Sie hatten nur ein Pferd, das den Pflug zog. Eines Tages lief das Pferd fort.

«Wie schrecklich», sagten die Nachbarn, «welch ein Unglück.»

«Wer weiß», erwiderte der alte Bauer, «ob Glück oder Unglück?»

Eine Woche später kehrte das Pferd aus den Bergen zurück, es brachte fünf wilde Pferde mit in den Stall.

«Wie wunderbar», sagten die Nachbarn, «welch ein Glück.»

«Glück oder Unglück? Wer weiß», sagte der Alte.

Am nächsten Morgen wollte der Sohn eines der wilden Pferde zähmen. Er stürzte und brach sich ein Bein.

«Wie schrecklich. Welch ein Unglück!»

«Glück? Unglück?»

Die Soldaten kamen ins Dorf und holten alle jungen Männer in den Krieg. Den Sohn des Bauern konnten sie nicht brauchen, darum blieb er als einziger verschont.

«Glück? Unglück?»

Ich lächelte traurig und mußte mir auf die Lippen beißen, weil der Schmerz von neuem einsetzte.

Joys Stimme wollte mich trösten: «Alles hat einen Sinn, Danny. Auf dich kommt es jetzt an, wie du den besten Nutzen daraus ziehst.»

«Wie sollte ich aus diesem Unfall einen Nutzen ziehen?»

«Es gibt keine Unfälle oder Zufälle, Dan. Alles, was du erlebst, ist eine Lektion. Alles hat einen Sinn, einen Sinn, einen *Sinn* ...» flüsterte sie mir ins Ohr.

«Aber mein Sport, mein Training ... das alles ist vorbei!»

«Dies hier ist jetzt dein Training. Der Schmerz kann den Geist und den Körper reinigen; er brennt alle Blockierungen aus.»

Sie sah meinen fragenden Blick. «Ein Krieger», fuhr sie fort, «sucht nicht den Schmerz, aber wenn der Schmerz kommt, nutzt er ihn. Ruhe jetzt, Danny, ruh dich aus.» Sie schlüpfte hinter der eintretenden Krankenschwester hinaus.

«Geh nicht weg, Joy», murmelte ich. Dann fiel ich in einen tiefen Schlaf – ohne Erinnerung.

Freunde besuchten mich, und meine Eltern kamen jeden Tag. Die meiste Zeit dieser endlosen einundzwanzig Tage lag ich allein, flach auf dem Rücken. Ich starrte die weiße Zimmerdecke an und meditierte stundenlang, gepeinigt von Gedanken voll Trübsinn, Selbstmitleid und vergeblicher Hoffnung.

Ein Dienstagmorgen war es, als ich, auf die neuen Krücken gestützt, in die strahlende Septembersonne hinaushumpelte, zum wartenden Auto meiner Eltern. Fast dreißig Pfund hatte ich abgenommen, die Hose schlotterte um meine Hüften. Mein rechtes Bein sah aus wie ein Stecken, mit einem langen purpurroten Streifen an der Seite.

Ein frischer Windhauch fuhr mir ins lange nicht mehr geschnittene Haar. Es war ein selten schöner Tag – einmal kein Smog in Los Angeles. Blumendüfte, lang hatte ich sie vergessen, wehten mich an. Das Gezwitscher der Vögel in den Bäumen, vermischt mit dem Brausen des Straßenverkehrs, war Musik für meine zu neuem Leben erwachenden Sinne.

Ich blieb noch einige Tage bei meinen Eltern und erholte mich in der Sonne, vorsichtig auch am flachen Rand des Schwimmbekkens planschend, um die genähten Muskeln zu bewegen. Ich aß nur wenig – Joghurt, Nüsse, Käse und rohes Gemüse. Allmählich kehrte Leben in meinen Körper zurück.

Freunde luden mich in ihr Haus in Santa Monica ein, nur drei Straßen weit vom Pazifikstrand. Ich sagte begeistert zu – glücklich über die Chance, noch eine Zeit in Wind und Sonne zu sein.

So humpelte ich jeden Morgen über den warmen Sand und hockte mich, die Krücken griffbereit, vor die Brandung. Ich hörte den Schrei der Möven, ich hörte das Rauschen der Wellen, ich meditierte und vergaß die Welt um mich her. Berkeley und Socrates und meine Vergangenheit – all das war für mich verloren, es war eine andere Dimension.

Bald aber fing ich an zu trainieren, ganz langsam und vorsichtig zuerst, dann intensiver, bis ich stundenlang, in der Sonne schwitzend, meine Liegestütze und andere Kraftübungen machte. Unsicher drückte ich mich zum Handstand hoch, dann pumpte ich auf und nieder – immer wieder, keuchend vor Anstrengung. Jeder Muskel wurde bis an die Grenze belastet, ehe ich mich erschöpft in den Sand fallen ließ. Dann hüpfte ich einbeinig in die Brandung hinaus und setzte mich in die seichten Wellen – dabei von perfekten Saltos träumend, bis das Meer Schweiß und Träume zugleich abgewaschen hatte.

Ja, ich trainierte verbissen, bis meine Muskeln hart wurden und sich wie bei einer Marmorstatue abzeichneten. Bald war ich bekannt als einer der «Beach Boys», die Meer und Sand als ihre Lebensform gewählt hatten. Malcolm, der Masseur, besuchte mich oft auf meiner Decke und erzählte seine Witzchen. Doc, das Denkwunder von der Rand Corporation, schaute jeden Tag vorbei und redete über Politik und über Frauen; hauptsächlich über Frauen.

Ich hatte Zeit – viel Zeit zum Nachdenken über alles, was mit mir passiert war, seit ich Socrates kennengelernt hatte. Ich sinnierte über den Sinn des Lebens, über das Geheimnis des Todes. Und ich dachte an meinen rätselhaften Lehrer – an seine Worte, seinen lebendigen Ausdruck, hauptsächlich aber sein Lachen.

Die heitere Oktobersonne verblaßte hinter Novemberwolken. Immer weniger Leute kamen zum Strand, und in dieser Einsamkeit erlebte ich eine Ruhe, die ich seit Jahren nicht mehr gekannt hatte. Ich hätte nichts dagegen gehabt, auch den Rest meines

Lebens hier am Strand zu verbringen – aber ich wußte, nach Weihnachten fing das Studium wieder an.

Mein Arzt zeigte mir die Röntgenbilder. «Ihr Bein heilt wunderbar, Mister Millman – ganz außerordentlich, möchte ich sagen. Aber ich warne Sie. Machen Sie sich keine allzu großen Hoffnungen. Nach der Art Ihrer Verletzung ist es unwahrscheinlich, daß Sie je wieder aktiv turnen werden.» Ich sagte nichts.

Bald winkte ich meinen Eltern am Flughafen Lebewohl. Es ging zurück nach Berkeley, ins Studentenleben.

Rick holte mich am Flughafen ab; ein paar Tage blieb ich bei ihm und Sid, bis ich ein eigenes Apartment in einem alten Wohnblock fand, nicht weit vom Unigelände entfernt.

Jeden Morgen, die Krücken fest umklammert, humpelte ich in die Sporthalle und trainierte an den Kraftmaschinen, bis ich mich ausgepumpt ins Schwimmbecken fallen ließ. Schwerelos im Wasser treibend, belastete ich nun das kranke Bein, bis es schmerzte, und versuchte ein paar Schritte zu gehen – und immer, immer bis an den Punkt, wo der Schmerz mir Einhalt gebot.

Danach lag ich auf dem Rasen hinter der Halle und machte Dehnübungen, um meine Muskeln wieder in die geschmeidige Form zu bringen, die ich für mein zukünftiges Training brauchen würde. Zuletzt rastete ich ein Weilchen und arbeitete dann über meinen Büchern im Lesesaal, bis ich abends erschöpft ins Bett fiel.

Ich hatte Socrates angerufen und ihm gesagt, daß ich wieder da sei, aber er unterhielt sich nicht gern am Telefon und sagte, ich solle kommen, wenn ich wieder ohne Krücken laufen könnte. Das paßte ganz gut; ich war noch nicht bereit, ihn wiederzusehen.

Weihnachten war für mich ein trauriger, einsamer Tag, bis Pat und Dennis, zwei aus unserem Team, an die Tür klopften und mich aus der Bude zerrten und ins wartende Auto schleppten. Wir fuhren in Richtung Reno, dem Schnee entgegen, und machten am Donner Summit halt. Während Pat und Dennis – raufend und sich mit Schneebällen bewerfend – durch die Winterpracht tollten, hinkte ich vorsichtig an meinen Krücken über Schnee und Eis und setzte mich auf einen Baumstumpf.

Ich dachte an mein Leben am College, an das kommende Semester und an das Training. Ob mein Bein jemals wieder heil werden würde? Stark genug und gerade? Ein Schneeklumpen rutschte vom Ast und plumpste geräuschvoll auf die gefrorene Erde. Ich schrak aus meinen Gedanken auf.

Unterwegs auf der Rückfahrt grölten Pat und Dennis freche Lieder. Ich starrte hinaus in den weißen Flockenwirbel, auf die Kristalle, die vor unseren Scheinwerfern tanzten. Ich dachte an meine verpfuschte Zukunft und wünschte mir nur, ich könnte auch meine wirbelnden Gedanken hier zurücklassen – beerdigt in einem weißen Grab am Straßenrand, mitten in den verschneiten Bergen.

Kurz nach Weihnachten flog ich nach Los Angeles, meinen Arzt aufsuchen. Er erlaubte mir, die zwei Krücken gegen einen schwarzen glänzenden Spazierstock zu vertauschen. Danach kehrte ich ans College zurück – und zu Socrates.

Mittwoch abend, kurz vor Mitternacht, hinkte ich ins Büro der Tankstelle und schaute in Socrates' strahlendes Gesicht. ‹Wieder daheim!› dachte ich. Fast hatte ich vergessen, wie es war, mit Soc zusammenzusitzen und Tee zu trinken – in der Stille der Nacht. In gewisser Weise machte es mich glücklicher als alle meine sportlichen Triumphe. Ich sah mir diesen Mann an, der mein Lehrer geworden war, und ich sah Dinge, die ich vorher nie gesehen hatte.

Früher hatte ich ihn manchmal von Licht umhüllt gesehen, aber ich hatte es auf meine übermüdeten Augen geschoben. Diesmal war ich alles andere als müde, und diesmal gab es keinen Zweifel – ja, da war dieser kaum merkliche Schimmer. «Socrates», sagte ich, «du leuchtest! Ein Licht strahlt von deinem Körper aus. Woher kommt das?»

«Von sauberer Lebensführung», grinste er. Dann bimmelte die Tankstellenglocke, und er ging hinaus, um wieder jemand das Lachen zu lehren, unter dem Vorwand, ein Auto aufzutanken. Socrates gab den Leuten mehr als Benzin. Vielleicht war es dieses Licht, diese Energie, diese Herzlichkeit. Jedenfalls fuhren die meisten glücklicher weg, als sie gekommen waren.

Was mich aber am meisten beeindruckte, war nicht dieses Leuchten. Es war seine Einfachheit, die sparsame Anmut in seinen Bewegungen, in allem, was er tat. All das war mir früher nicht so aufgefallen. Es war, als ob ich mit jeder neuen Lektion, die ich lernte, auch Socrates besser kennenlernte. Je mehr ich meine eigenen Probleme verstand, desto mehr bewunderte ich, wie weit er die seinen überwunden und transformiert hatte.

Socrates kam ins Büro zurück, und ich bestürmte ihn: «Wo ist Joy? Wann werde ich sie wiedersehen?»

Er lächelte nachsichtig. Fast schien es, als freute er sich, meine ewigen Fragen wiederzuhören. «Keine Ahnung, Dan, wo sie steckt. Dies Mädchen ist mir ein Rätsel, immer gewesen.»

Ich erzählte Soc von dem Motorradunfall und seinen bösen Folgen. Er hörte mich ruhig und aufmerksam an und nickte mit dem Kopf. «Dan», sagte er, «du bist nicht mehr der junge Narr, der vor einem Jahr hier hereinspaziert kam.»

«Vor einem Jahr? Mir kommt's vor, als wären es zehn!» scherzte ich. «Und du behauptest, ich bin kein Narr mehr?»

«Nein, nein, nur daß du nicht mehr jung bist.»

«Sehr ermutigend, Soc.»

«Aber immerhin bist du jetzt ein Narr, der Mut hat. Und das ist schon eine Menge. Du hast immer noch eine Chance, die Pforte zu finden und einzutreten.»

«Die Pforte?»

«Das Reich der Krieger, Dan, ist von einer Pforte bewacht. Sie ist gut verborgen – wie ein Kloster in den Bergen. Viele klopfen an, aber nur wenige können eintreten.»

«Gut, zeig mir die Pforte, Socrates. Ich bin bereit. Ich werde schon einen Weg hinein finden.»

«Das ist nicht so einfach, Dummkopf. Die Pforte ist in dir selbst, du mußt sie allein finden. Ich kann dich nur hinführen. Aber du bist noch nicht soweit – noch lange nicht. Versuchtest du jetzt schon, dort einzutreten, es wäre dein sicherer Tod. Es gibt noch viel Arbeit zu tun, bevor du bereit bist, an diese Pforte zu klopfen.»

Es hörte sich an wie eine Verheißung, was Socrates mir da sagte: «Wir haben viel miteinander gesprochen, mein junger Freund. Du hast Visionen geschaut, du hast Lektionen gelernt. Was ich dich lehren will, ist eine bestimmte Art, zu leben; eine bestimmte Art, zu handeln. Es wird Zeit, daß du selbst die volle Verantwortung übernimmst für dein Tun. Um die Pforte zu finden, mußt du erst lernen ...»

«Die Geschäftsregeln einzuhalten, wie?» warf ich ein.

«Genau.» Er lachte. Draußen bimmelte die Glocke, und ein Wagen kam durch den Regen in die Tankstelle gerollt. Durchs beschlagene Fenster konnte ich sehen, wie Socrates in seinem Poncho hinausging und den Zapfhahn in den Tankstutzen schob und wie er zur Fahrerseite ging und mit einem bärtigen blonden Mann sprach.

Ich fuhr mit dem Ärmel über die dunstige Scheibe und sah noch, wie die beiden lachten und herzlich zum Abschied winkten. Als Socrates wieder hereinkam, fuhr mir ein kühler Luftzug unangenehm ins Gesicht. Auf einmal fühlte ich mich gar nicht wohl. Ob ich Fieber hatte?

Soc wollte Tee kochen, aber ich bat ihn: «Nein, Socrates, laß mich.» Er nickte beifällig und setzte sich an seinen Schreibtisch. Mir war so schwindlig, daß ich mich auf die Tischkante stützen mußte. Auch noch Halsschmerzen! Vielleicht würde der Tee helfen.

Während ich Wasser in den Kessel laufen ließ, fragte ich: «Also, wenn ich dich recht verstanden habe, muß man so etwas wie eine Straße zu dieser Pforte bauen?»

«Ja, in gewisser Weise muß das jeder. Und du mußt die Straße mit deinen eigenen Anstrengungen pflastern!»

Ohne meine nächste Frage abzuwarten, fuhr er fort: «Jeder Mensch, ob Mann oder Frau, hat die Fähigkeit, diese Pforte zu finden und einzutreten. Aber nur die wenigsten sind motiviert, nur die wenigsten haben Interesse. Dies aber ist das Entscheidende! Nicht weil du irgendwelche besonderen Fähigkeiten hättest, bin ich bereit, dich zu lehren und zu führen – neben deinen Vorzügen hast du eine Menge himmelschreiender Schwächen – sondern weil du den *Willen* hast, diesen Weg zu beschreiten.»

Eine verwandte Saite klang in mir an. «Ich verstehe, Soc. Ich glaube, man kann's mit dem Turnen vergleichen. Auch jemand, der dick oder schwach oder unbeweglich ist, kann schließlich ein guter Turner werden. Nur ist die Vorbereitungszeit schwieriger und länger.»

«Genau, so ist es. Und ein's kann ich dir verraten, dein Weg wird sehr steil sein.»

Tatsächlich, ich hatte ein flaues Fiebergefühl im Kopf, und mir tat alles weh. Ich mußte mich wieder auf die Tischkante stützen, und aus dem Augenwinkel sah ich, daß Socrates zu mir kam, die Hand nach meiner Stirn ausgestreckt. ‹Oh nein!› dachte ich. ‹Das halte ich jetzt nicht aus!› Aber er wollte nur mein Fieber fühlen. Dann betastete er meine Lymphdrüsen am Hals, schaute mir in die Augen und fühlte mir lange den Puls.

«Deine Kräfte sind aus dem Gleichgewicht, Dan. Wahrscheinlich ist es die Milz. Geh zum Arzt, am besten gleich heute abend.»

Ich fühlte mich wirklich miserabel, als ich an meinem Krückstock zum Cowell Hospital hinkte. Meine Kehle brannte, mein ganzer Körper schmerzte. Der Arzt bestätigte Socs Diagnose. Ich hatte eine böse geschwollene Milz, eine Infektion, und wurde sofort ins Bett gesteckt.

In dieser ersten, qualvollen Nacht träumte mir, ich hätte ein riesenlanges Bein und ein verhutzelt kurzes. Wenn ich mich am Barren hochstemmte oder den Absprung vom Reck versuchte, hing ich schief in der Luft – und dann stürzte ich, stürzte in unermeßliche Tiefen – endlos, bis in den nächsten Nachmittag, als Socrates mit einem Strauß getrockneter Blumen ins Zimmer trat.

«Soc», hauchte ich schwach und freute mich über den unerwarteten Besuch, «die Blumen wären aber nicht nötig gewesen.»

«Doch», sagte er.

«Die Schwester kann sie in die Vase stellen. Ich werd' sie anschauen und an dich denken», grinste ich matt.

«Sie sind nicht zum Anschauen, sie sind zum Essen», sagte er und ging hinaus. Gleich darauf kam er mit einem Glas heißem Wasser wieder. Er zerbröselte ein paar Blüten, wickelte sie in ein Stückchen Mull, das er mitgebracht hatte, und tauchte den so entstandenen Teebeutel ins Wasser. «Dieser Tee wird dich kräftigen und dein Blut reinigen», sagte er. «Hier, trink!» Es schmeckte bitter – starke Arznei.

Dann brachte er ein Fläschchen mit gelber Flüssigkeit zum Vorschein, darin zerriebene Kräuter schwammen, und massierte sie in mein rechtes Bein, direkt über der Narbe. Was würde die Krankenschwester denken? fragte ich mich. Falls sie hereinkäme und diesen Kurpfuscher sähe!

«Was ist dies gelbe Zeug in der Flasche, Soc?»

«Urin, mit Heilkräutern.»

«Urin?!» Ich zog angewidert mein Bein zurück.

«Sei nicht albern», sagte er und zog das Bein wieder heran. «Urin ist ein altangesehenes Elixier in den Heilkünsten.»

Ich schloß meine schmerzenden Augen. Mein Kopf dröhnte wie eine Urwaldtrommel. Ich spürte, das Fieber stieg wieder. Socrates strich mir über die Stirn, dann fühlte er meinen Puls.

«Sehr gut. Die Kräuter beginnen zu wirken. Heute nacht kommt die Krisis. Morgen wirst du dich besser fühlen.»

«Danke, Doktor Soc», murmelte ich beinah lautlos.

Er beugte sich über mich und legte mir die Hand auf die Brust, genau über dem Solarplexus. Sofort verstärkten sich alle Empfindungen in meinem Körper. Mein Kopf schien zu explodieren, das Fieber brannte wie Feuer, in den Lymphknoten pochte es. Am schlimmsten aber war der Schmerz in meinem verletzten Bein.

«Hör auf, Soc. Hör auf!» schrie ich.

Er zog die Hand zurück, und ich sank in die Kissen. «Ich habe etwas Energie in deinen Körper geleitet, mehr als du's gewohnt bist», erklärte er. «Das beschleunigt den Heilungsprozeß. Es brennt nur dort, wo Blockierungen sitzen. Wenn du frei wärst von Knoten und Spannungen, wenn dein Geist klar und dein Herz offen wäre, dann würdest du diese Energie als unglaublich lustvoll empfinden – viel besser als Sex. Du würdest meinen, du wärst im Himmel, und in gewissem Sinn hättest du recht.»

«Du machst mir Angst, Socrates.»

«Überlegene Menschen verbreiten immer Angst und Respekt», grinste er. «Auch du bist irgendwie überlegen, zumindest äußerlich. Du siehst aus wie ein Krieger – schlank, geschmeidig und stark. Das kommt von deinem bißchen Herumgeturne. Aber bevor du eine Gesundheit erleben wirst, wie *ich* sie genieße, gibt es für dich noch viel Arbeit zu tun.» Ich war zu schwach, um Einwände zu machen.

Die Krankenschwester kam ins Zimmer. «Zeit zum Fiebermessen, Mister Millman.» Bei ihrem Eintreten war Socrates höflich aufgestanden. Ich lag blaß und elend im Bett. Niemals war der Unterschied zwischen uns beiden deutlicher gewesen!

«Ihrem Sohn wird's bald besser gehen, glaube ich», sagte sie. «Was er jetzt braucht, ist ein bißchen Ruhe.»

«Genau, wie ich ihm gesagt habe», erklärte Socrates mit leuchtenden Augen. Sie lächelte ihn offen an – war das ein flirtender Blick? In einer raschelnd weißen Wolke schwebte sie aus dem Zimmer. Einfach Zucker! dachte ich trotz meiner Schwäche.

Socrates seufzte. «Frauen in Uniform, die haben's in sich.» Er legte mir die Hand auf die Stirn, und ich versank in tiefen, traumlosen Schlaf.

Am nächsten Morgen war ich wie neugeboren. Der Arzt schüttelte nur den Kopf, als er meine Milz abtastete, die Drüsen befühlte, dabei immer wieder ungläubig auf mein Krankenblatt schielend. «Ich kann nichts feststellen, Mister Millman. Ihnen fehlt nichts.» Es klang beinah entschuldigend. «Heute nachmittag können Sie heimgehen. Sie brauchen aber noch viel Ruhe.» Stirnrunzelnd mein Krankenblatt anstarrend, ging er hinaus.

Die zuckersüße Krankenschwester raschelte draußen vorbei.

«Hilfe!» schrie ich.

«Ja, bitte?» sagte sie eintretend.

«Ich kann's nicht fassen, Schwester. Jedesmal, wenn Sie vorbeigehen, setzt mein Herz aus. Mir scheint, mein Puls wird erotisch.»

«Sie meinen doch wohl – erratisch!»

«Na, wie auch immer.»

Sie strahlte. «Klingt so, als dürften Sie bald nach Hause.»

«Das behauptet hier jeder. Aber ihr irrt euch, Leute. Was ich brauche, ist liebevolle private Pflege.»

Sie lächelte einladend, wippte herum und ging. «Schwester! Verlaß mich nicht!» schrie ich ihr nach.

Am Nachmittag, auf dem Heimweg, staunte ich nicht wenig über die Besserung in meinem rechten Bein. Ich hinkte zwar wie ein Monster, bei jedem Schritt das Bein zur Seite schlenkernd, aber ich konnte jetzt ohne Stock laufen. Ob es an Socs magischer Urinbehandlung lag oder vielleicht doch an der Energie, mit der er meine Batterie aufgeladen hatte?

Das Studium fing wieder an für mich, und ich verlor mich in Studentenmassen und Büchern. Aber das war jetzt alles Nebensache. Ich konnte das Spiel lässig mitspielen. Ich hatte Wichtigeres zu tun – zum Beispiel in einer kleinen Tankstelle am hinteren Rande des Campus.

Nach einem ausgiebigen Schlaf trottete ich zur Tankstelle hinaus. Kaum hatte ich Platz genommen, rief Socrates: «An die Arbeit! Es gibt viel zu tun!»

«Was denn?» fragte ich gähnend.

«Eine komplette Generalüberholung!»

«Hm, große Sache.»

«Ganz besonders groß – wir werden nämlich *dich* überholen.»

«Ach, ja?» sagte ich. O verdammt! dachte ich.

«Du wirst verbrennen wie ein Phönix und aus der Asche wieder auferstehen.»

«Ich bin bereit», rief ich. «Als Neujahrsvorsatz will ich mir die Zuckerpfannkuchen abgewöhnen.»

Socrates grinste. «Ich wünschte, es wäre so einfach. Im Moment bist du nichts als ein Haufen verschmorter Kurzschlußschaltungen und überflüssiger Gewohnheiten. Du wirst dein gewohntes Handeln, Denken und Träumen ändern müssen, und auch deine Art, die Welt zu betrachten. Was du *bist*, ist vor allem eine Folge schlechter Gewohnheiten.»

Er fing schon wieder an, mir auf die Nerven zu gehen. «Soc, ich habe mit großen Schwierigkeiten gekämpft in letzter Zeit. Und ich tu immer noch mein Bestes. Kannst du mich nicht respektieren, wie ich bin?»

Socrates lachte nur, kam herüber und zupfte mir das Hemd aus der Hose. Während ich es wütend in den Gürtel stopfte, zauste er mich an den Haaren und brachte meine Frisur in Unordnung.

«Ja, du ehrenwerter Esel. Alle wollen respektiert sein. Aber es genügt nicht zu sagen: Bitte, respektiere mich! Man muß sich Respekt verdienen. Und der Respekt eines Kriegers ist nicht so leicht verdient.»

Ich zählte im Geiste bis zehn, um nicht zu explodieren. «Wie soll ich mir deinen Respekt verdienen, du großer, erhabener Krieger?»

«Indem du aufhörst mit deinem Getue.»

«Was für ein Getue?»

«Dein *Ich-armer-Kerl-Getue*, was sonst! Hör endlich auf, stolz auf deine Mittelmäßigkeit zu sein. Beweise Mut!»

Grinsend tätschelte Soc mir die Wange und knuffte mich in die Rippen.

«Hör auf!» schrie ich, jetzt wirklich sauer. Ich wollte seinen

Arm packen – aber er wich aus und sprang behende auf den Schreibtisch. Bevor ich ihn fangen konnte, sprang er mit einem Satz über meinen Kopf hinweg und gab mir einen Stoß, der mich rücklings aufs Sofa kippte. Ich rappelte mich wütend hoch und wollte mich auf ihn stürzen, da sprang er – *rückwärts* – über den Schreibtisch, und meine Hände griffen ins Leere. Ich stolperte lang auf den Teppich. O verflucht! tobte ich. Ich sah rot. Er aber war längst aus dem Büro geschlüpft, in die Werkstatt. Fluchend humpelte ich hinterher.

Socrates saß friedlich auf der Stoßstange eines Lieferwagens und griente: «Ah, du bist wütend, Dan?»

«Sehr gut beobachtet», schäumte ich.

«Wunderbar», strahlte er. «Ich an deiner Stelle wäre auch wütend. Paß aber auf, daß du den richtigen Nutzen aus deiner Wut ziehst.» Inzwischen hatte Soc sich seelenruhig unter der Motorhaube des Lieferwagens zu schaffen gemacht. «Die Wut ist das beste Werkzeug, um alte Gewohnheiten abzustellen», er drehte mit dem Schlüssel eine Zündkerze heraus, «und sie durch neue zu ersetzen.» Geschickt schraubte er eine neue Kerze ein und zog sie mit dem Schlüssel fest.

«Wut kann alte Gewohnheiten ausbrennen. Angst und Kummer hemmen unsere Aktivität. Wut dagegen beschleunigt sie. Wenn du lernst, richtigen Nutzen aus deiner Wut zu ziehen, dann kannst du Angst und Kummer in Wut umsetzen – und die Wut in Aktion. Das ist das ganze Geheimnis der inneren Körper-Alchimie.»

Soc wischte sich die Hände am Overall ab, und wir gingen zurück ins Büro. Er machte Tee, Hagebuttentee, die Spezialität des Abends. «Du hast viele alte Gewohnheiten», fuhr er fort, «die dich schwächen und die du ändern mußt. Aber wie? Nicht indem du deine Energie auf die Kontrolle der alten Gewohnheiten konzentrierst, sondern indem du sie einsetzt, um *neue* Gewohnheiten zu entwickeln.»

«Aber wie soll ich meine Gewohnheiten kontrollieren, wenn ich nicht mal meine Gedanken und Gefühle kontrollieren kann?»

Er lehnte sich auf dem Stuhl zurück. «Das ist ganz einfach: Wenn dein Denken sich selbst ein Problem konstruiert, wenn es sich dem Gang des Lebens widersetzt, dann entstehen Spannungen in deinem Körper, und diese Spannungen bezeichnen wir als Gefühle. Wir haben *Angst, Wut, Kummer*, sagen wir. Aber *echtes* Gefühl, Dan, ist reine Energie, frei durch den Körper strömend!»

«Ein Krieger hat also nie die normalen menschlichen Gefühle, die ihn aus der Fassung bringen könnten?»

«In gewisser Hinsicht, nein. Doch Gefühle gehören zur Natur des Menschen; sie sind eine Art, sich auszudrücken. Manchmal ist es durchaus angebracht, seine Angst oder Wut oder Sorgen auszudrücken – aber die Energie sollte dabei ganz nach außen gerichtet werden, nicht im Innern verschmoren. Das Gefühl soll kraftvoll und vollständig ausgedrückt werden und danach verschwunden sein, ohne eine Spur zu hinterlassen. Gefühlsbeherrschung heißt, die Emotionen einfach fließen zu lassen, um sie dann restlos zu vergessen.»

Ich stand auf, holte den Teekessel von der Kochplatte und schenkte uns ein. «Gib mir doch mal ein Beispiel, Soc.»

«Also gut. Schau dir ein Baby an.»

Ich lächelte überheblich und pustete in meine dampfende Teetasse. «Komisch, ich hätte nicht gedacht, daß ausgerechnet Babys Meister in der Kontrolle ihrer Gefühle wären.»

«Und ob. Wenn ein Baby unglücklich ist, bringt es dies augenblicklich durch markerschütterndes Geschrei zum Ausdruck. Es fragt sich nicht, warum es schreit. Schaukle es in den Armen, gib ihm sein Fläschchen, und schon versiegen die Tränen. Auch wenn das Baby zornig wird, tut es das sofort und klar kund. Aber ebenso schnell ist seine Wut verraucht. Kannst du dir ein Baby vorstellen, daß hinterher wegen seines Ärgers Schuldgefühle hat? Kleine Kinder sind gute Lehrmeister, was den Umgang mit Gefühlen und Energie betrifft. Versuche von ihnen zu lernen, und du kannst jede deiner alten Gewohnheiten verändern.»

Draußen war ein Ford Ranchero vorgefahren. Socrates ging nach vorn, um die Scheiben zu waschen, während ich, in mich hineinkichernd, den Tankdeckel aufschraubte. Gute Sache, dachte ich, das mit dem hemmungslosen Rauslassen der Gefühle. Also brüllte ich ungeniert über das Wagendach hinweg: «Sag mir, was ich tun soll, und ich werde diese häßlichen Gewohnheiten in Fetzen reißen ...!» Erst jetzt sah ich mir die Insassen des Wagens näher an: drei schockierte Nonnen. Ich biß mir auf die Lippen und beschäftigte mich, puterrot geworden, eifrig mit dem Zapfventil. Socrates versteckte sich hinter der Säule und verbarg sein Gesicht in den Händen.

Nachdem der Ranchero, sehr zu meiner Erleichterung, weitergefahren war, kam ein neuer Kunde an die Tankstelle. Es war wieder der blonde junge Mann mit dem lockigen Bart. Er sprang aus dem Wagen und umarmte Socrates herzlich. «Schön, dich zu sehen, Joseph, wie immer», lachte Socrates.

«Ganz meinerseits ... *Socrates,* nicht wahr?» Er zwinkerte mir komplizenhaft zu.

«Joseph, das hier ist Dan – ein kleiner Fragenroboter. Du drückst aufs Knöpfchen, und schon sprudelt er eine Frage hervor. Eine nette Abwechslung in einsamen Nachtschichten, wenn man sonst mit niemand reden kann.»

Joseph schüttelte mir die Hand. «Na, ist der alte Guru mit den Jahren friedlicher geworden?» fragte er mit breitem Grinsen.

Bevor ich beteuern konnte, was Soc für ein harter Lehrmeister sei, sagte dieser: «Ja, ich bin wirklich träge geworden auf die alten Tage. Dan hat es heute viel leichter als du damals.»

«Verstehe», sagte Joseph und versuchte, ein ernstes Gesicht zu wahren. «Du hast ihn noch nicht auf 100-Meilen-Läufe mitgeschleppt oder mit glühenden Kohlen bearbeitet, oder?»

«Nein, nein, nichts dergleichen! Wir sind eben erst bei den Grundübungen angelangt: richtiges Gehen, Atmen und Essen.»

Joseph lachte. Sein Lachen war ansteckend. «Ach, weil wir vom Essen sprechen – wollt ihr mich heute morgen in meinem Café besuchen? Ihr seid meine Privatgäste, und ich zaubere euch was Gutes zum Frühstück.»

Ich wollte gerade ablehnen: ‹Wie gern, leider geht es nicht ...›, als Soc mir das Wort abschnitt: «Wir freuen uns. In einer halben Stunde ist mein Dienst vorbei. Wir kommen zu Fuß hinüber.»

«Wunderbar, also bis gleich.» Er drückte Soc einen Fünfdollarschein fürs Benzin in die Hand und startete los.

«Was für ein Mensch, dieser Joseph», sinnierte ich. «Ist er ein Krieger – wie du?»

«Ein Krieger wie ich?» lachte er. «Das wird niemand sein wollen; das ist auch ganz unmöglich. Jeder Mensch hat von Natur aus seine besonderen Eigenschaften. Du, zum Beispiel, bist ein guter Turner, während Joseph ein Meister in der Kunst der Nahrungszubereitung ist.»

«Er kocht? Meinst du das?»

«Hm, nicht eigentlich. Joseph erhitzt die Speisen kaum. Das würde nämlich die Enzyme zerstören, die wir für die Verdauung brauchen. Er bereitet die Nahrung auf natürliche Weise zu. Wie, das wirst du bald selber sehen. Hast du erst mal Josephs kulinarische Zauberei gekostet, dann wird dir das Zeug aus den Grillbuden nie mehr schmecken!»

«Was ist denn so besonders an seiner Art zu kochen?»

«Eigentlich nur zwei Dinge – und beide sehr subtil. Zum einen die volle Aufmerksamkeit, mit der er alles tut. Und zweitens – Liebe. Ja wirklich, Liebe ist die wichtigste Zutat in seiner Küche. Das wirst du schmecken – und noch lange hinterher.»

Socs Ablösung für die Tagschicht kam, ein schlacksiger Junge mit Motorradjacke, seinen üblichen mürrischen Gruß brummelnd. Wir verließen die Tankstelle und machten uns auf den Weg, durch den Park und durch stille Seitenstraßen, um dem morgendlichen Verkehrslärm auszuweichen.

Dürres Laub raschelte um unsere Füße, während wir die für Berkeley so typischen Wohnviertel durchquerten, mit ihrem unglaublichen Mischmasch von Baustilen: spanischer Kolonialstil, viktorianische Herrenhäuser, alpine Chalets und dazwischen die Hochhäuser voller Schuhschachtel-Apartments, zeitweilige Herbergen für viele der 30 000 Studenten.

Unterwegs eröffnete mir Socrates: «Du wirst ungeheuer viel Energie brauchen, Dan, um die Nebel deines Denkens zu durchbrechen und die Pforte zu finden. Du wirst reinigende Übungen brauchen.»

«Könntest du dich vielleicht deutlicher ausdrücken?»

«Na, wir werden dich vollständig auseinandernehmen wie einen Motor, gründlich reinigen und wieder zusammenbauen.»

«Ach, warum hast du das nicht gleich gesagt?» versuchte ich zu witzeln.

«Alle deine Lebensfunktionen mußt du erneuern – Gehen, Schlafen, Atmen, Denken und Essen. Das Essen ist die wichtigste der menschlichen Aktivitäten, die wir als erstes ins Gleichgewicht bringen müssen.»

«Halt, Socrates, mit dem Essen hab ich keine Probleme. Ich bin schlank, ich fühle mich meistens gut, und meine sportlichen Erfolge beweisen, daß es mir nicht an Energie fehlt. Welche Veränderung willst du mit neuen Eßgewohnheiten bewirken?»

«Deine jetzige Ernährung», sagte er, nachdenklich zum Himmel schauend, «kann dir nicht die Energie geben, die du brauchst auf deinem Weg. Manches, was du ißt, macht dich sogar krank, schlaff, und drückt deine Stimmung. Darunter leidet deine Aufmerksamkeit und die Lebenskraft deines Körpers. Dein normales Essen hinterläßt giftige Rückstände, die sich langfristig schädlich auswirken können. Und deine seelischen Probleme lassen sich auf ein Minimum verringern, indem du einfach die richtigen Ernährungsregeln einhältst.»

«Laß mal», protestierte ich. «Ich nehme eine bestimmte Anzahl Kalorien zu mir und meine Vitamine, das ist für mich Energie genug.»

«Sicher, das ist die übliche, enge Auffassung. Aber ein Krieger muß sich subtilere Kräfte der Natur erschließen. Unsere wichtigste Energiequelle», mit einer ausholenden Bewegung umfaßte er das ganze Universum, «ist die Sonne. Jeder Mensch, also auch du ... »

«Besten Dank für die Anerkennung.»

«... lebt von der Energie der Sonne. Nur kann, im gegenwärtigen Entwicklungsstadium der Menschheit, unser Körper diese Energie noch nicht unmittelbar verwerten. Sonnenlicht kann man nicht essen. Darum brauchen wir vorläufig noch natürliche Nahrung als eine Form von gespeicherter Sonnenenergie. Der Energievorrat, der in natürlichen Lebensmitteln gespeichert ist, erweitert unser Bewußtsein und schärft unsere Konzentration.»

«Ha, und all das, indem ich nur ein paar Süßigkeiten von meiner Speisekarte streiche?»

«Ja, indem du auf Süßigkeiten verzichtest – und noch auf ein paar andere Kleinigkeiten.»

«Ein japanischer Sportler, Olympia-Teilnehmer, hat mir einmal gesagt, daß es nicht auf unsere schlechten Gewohnheiten ankommt, sondern auf die guten.»

«Das bedeutet aber, daß deine guten Gewohnheiten so stark werden müssen, daß sie die schlechten verdrängen.»

Socrates deutete hinüber zu einem kleinen Café, fast versteckt zwischen Kaufhäusern und Geschäften. Oft war ich dort vorbeigelaufen, ohne es zu bemerken.

«Also, du glaubst an Naturkost?» hänselte ich ihn, während wir über die Straße gingen.

«Nicht aufs Glauben kommt es an, sondern auf das Tun. Ich kann dir verraten, ich esse nur Sachen, die bekömmlich sind. Und ich esse nur so viel, wie ich brauche. Die Naturkost, wie du's nennst, schärft den Geschmack und die Instinkte. Um sie schätzen zu lernen, mußt du ein Natur-Mensch werden.»

«Klingt ja reichlich asketisch. Gönnst du dir wenigstens mal ein Eis?»

«Gut, meine Ernährung mag dir spartanisch vorkommen, verglichen mit den Völlereien, die du als ‹Mäßigkeit› bezeichnest. Aber mein Essen ist reich an Genüssen. Ich habe gelernt, mir auch die einfachste Nahrung schmecken zu lassen. Das wirst auch du erleben!»

Wir klopften von außen an die Scheibe, und Joseph machte uns auf. «Kommt herein», sagte er freudig, als bitte er uns in seine eigene Wohnung. Tatsächlich, dies Café sah aus wie eine Wohnung! Dicke Teppiche am Boden, die Tische aus massivem poliertem Holz, lederbezogene Polsterstühle, wie Antiquitäten, an den Wänden Stofftapeten – eine Wand war durch ein riesiges Aquarium verdeckt, in dem sich tropische Zierfische tummelten. Durch ein Oberlicht strahlte die Morgensonne herein und machte den Raum freundlich und hell.

Wir setzten uns an einen Tisch in der Mitte. Joseph balancierte zwei Teller herein, die er mit Schwung vor uns hinstellte, zuerst Socrates, dann mich bedienend. «Sieht köstlich aus», murmelte Socrates und steckte sich die Serviette in den Kragen. Ich schaute genauer hin: auf dem Porzellanteller vor mir lagen, feinsäuberlich dekoriert, eine Karotte in Scheiben und ein Salatblatt. Entgeistert riß ich die Augen auf.

Socrates kippte beinah vom Stuhl vor Lachen, als er mein dummes Gesicht sah. Joseph wandte sich feixend ab. «Aha», seufzte ich erleichtert, «das war wohl ein Scherz?»

Wortlos trug Joseph die Teller ab und kam mit zwei wunderschönen Holzschalen wieder – darin in Miniaturform die perfekte

Nachbildung eines Berges. Der Berg selbst bestand aus kunstvoll aufgeschichteten Scheiben von Honig- und Kantalupenmelonen. Kleine Walnußsplitter und Mandeln stellten die Felsbrocken dar. Apfel- und Käsestückchen formten zerklüftete Klippen. Bäume waren aus vielen zurechtgezupften Petersiliebüscheln nachgebildet, wie kleine Bonsai-Bäumchen. Ein Gletscher aus Joghurt umrahmte den Gipfel. Und um den Fuß des Berges war ein Ring aus halbierten Weintrauben und frischen Erdbeeren gelegt.

Ich saß und staunte mit offenem Mund. «Joseph, das ist zu schön zum Aufessen! Das muß ich fotografieren.» Aber Socrates hatte schon angefangen, bedächtig und bewußt essend, wie es seine Art war. Ich machte mich heißhungrig über mein Gebirge her. Plötzlich fing Socrates an, das Essen in sich hineinzuschaufeln, als bräche morgen eine Hungersnot aus. Ich begriff, er machte mich nach.

Ich gab mir wirklich Mühe, nur kleine Bissen zu nehmen, und zwischendurch tief durchzuatmen. Aber es ging frustrierend langsam.

«Dein Spaß am Essen, Dan, bleibt beschränkt auf den Geschmack der Speisen und auf das Gefühl eines vollen Magens. Du mußt lernen, die ganze Sache zu genießen – den Hunger am Anfang, dann die behutsame Zubereitung, den schön gedeckten Tisch, das erste Kosten, das Kauen, das Atmen, das Riechen, das Schmecken, das Schlucken und hinterher dies unbeschreibliche Gefühl von Leichtigkeit und Energie. Das ist's, was du vorurteilsvoll ‹Naturkost› nennst ... ganz zu schweigen von der guten Verdauung, die du auch geniessen sollst.

Der traurige Witz an deinen alten Eßgewohnheiten ist, daß du zwar Angst hast, auch nur eine Mahlzeit zu versäumen, daß du aber gar nicht genießen kannst, was du zu dir nimmst.»

«Unsinn», protestierte ich. «Ich hab gar keine Angst, eine Mahlzeit zu versäumen.»

«Um so besser», lachte er, «denn dies hier ist die letzte, die du für eine Woche bekommen wirst.» Und dann verordnete mir Socrates ein reinigendes Heilfasten, das hiermit beginnen sollte. Nur noch verdünnte Fruchtsäfte und Kräutertee sollten meine Stärkung sein.

«Socrates, wo denkst du hin? Ich brauche Kalorien für den

Sport. Ich brauche Proteine und Eisen, damit mein Bein heilt ...» Es war sinnlos. Was Socrates einmal beschlossen hatte, war beschlossene Sache.

Nachdem wir Joseph beim Abspülen geholfen hatten, plauderten wir noch ein Weilchen, dann sagten wir danke und gingen. Ich hatte schon wieder Hunger. Auf dem Weg über den Uni-Campus erklärte mir Socrates die Regeln, die ich einhalten mußte, bis die natürlichen Instinkte meines Körpers wiedererwacht wären.

«Später wirst du keine solchen Regeln mehr brauchen», sagte er. «Einstweilen aber mußt du auf Dinge wie weißen Zucker, raffiniertes Mehl, Fleisch und Eier verzichten. Kaffee, Alkohol und Tabak sind sowieso verboten. Nur frische, unverfeinerte, naturbelassene Lebensmittel, ohne chemische Zusätze, darfst du zu dir nehmen. Zum Frühstück Obst, soviel du willst, dazu Quark oder Joghurt. Zu Mittag, deiner Hauptmahlzeit, nimmst du frischen Salat und Rohkost, gebackene oder gedämpfte Kartoffeln, vielleicht etwas Käse, dazu Vollkornbrot oder gekochtes Getreide. Abends gibt es dann wieder frischen Salat aus rohem Gemüse oder manchmal gedünstete Gemüse. Zu jeder Mahlzeit kannst du reichlich ungesalzene Samen, wie Sesam und Sonnenblumenkerne, und Nüsse essen.»

«Vielen Dank! Ich fühle mich schon jetzt wie ein Nußknakker!» brummte ich.

Ein paar Straßen weiter kam die erste Versuchung – ein Lebensmittelkiosk. Ich wollte rasch hineinspringen, um mir eine Tüte Biskuits zu kaufen – da fiel mir ein, daß ich für den Rest meines Lebens auf solche Leckereien verzichten mußte. Und für die nächsten sechs Tage und dreiundzwanzig Stunden überhaupt auf alles.

«Socrates, ich hab Hunger.»

«Ich habe dir nie versprochen, die Ausbildung eines Kriegers wäre ein Zuckerschlecken.»

Als wir auf den Campus kamen, war Vorlesungspause, und die Sproul Plaza wimmelte von Studenten. Ich schielte sehnsüchtig nach den hübschen Mädchen, die sorglos ihr Leben genießen durften, während ich einem alten Seelenfänger in die Hände gefallen war.

Socrates zupfte mich am Ärmel. «Noch etwas, Dan. Nicht nur kulinarische Süßigkeiten sind bis auf weiteres tabu für dich.»

«Was?» Ich blieb wie angewurzelt stehen. «Kannst du dich vielleicht deutlicher ausdrücken?»

«Klar – also, hör zu. Du darfst nette, herzliche Beziehungen haben, aber bis du erwachsen geworden bist, mußt du auf Sex verzichten. Wenn du willst, klar und deutlich gesagt: Schwitz es dir durch die Rippen ...»

«Socrates», protestierte ich – flehend, als ging's um mein Leben: «Das ist altmodisch, puritanisch, krank und unvernünftig! Askese beim Essen, das ist eine Sache – aber dies ist etwas anderes.» Und ich fing an, die *Playboy*-Philosophie zu zitieren, Albert Ellis, Robert Rimmer und Jaqueline Susann. Ich führte sogar *Reader's Digest* und ‹Dear Abbey› ins Treffen – aber er blieb unerbittlich.

«Es hat keinen Sinn», meinte er, «dir meine Gründe zu erklären. Finde dich damit ab, dir mit frischer Luft, frischer Nahrung, frischem Wasser und frischem Bewußtsein deine Kicks zu verschaffen. Und natürlich mit viel Sonnenschein!»

«Wie kann ich denn all diese Regeln einhalten?»

«Halte dir immer die letzten Worte des Buddha vor Augen, die er seinen Schülern hinterließ.»

«Na, was sagte er?» Ich machte mich auf die Erleuchtung gefaßt.

«Tu dein Bestes.»

Und dann begann für mich eine Woche der Initiationsriten. Mein Magen knurrte, aber Soc speiste mich nur mit guten Lehren ab, ‹Grundübungen›, wie er sagte. Er lehrte mich, langsam und tief zu atmen, den Mund geschlossen und die Zunge am Gaumendach. Er lehrte mich, mit dem Bauch zu atmen, am nächsten Tag, mit dem Herzen zu atmen. Er tadelte die Art, wie ich ging, wie ich sprach, wie meine Augen durchs Zimmer schweiften – ähnlich wie meine Gedanken durchs Universum schweiften. Nie konnte ich ihn zufriedenstellen. Immer wieder mußte er mich korrigieren, mal sanft, mal streng: «Die richtige Haltung, Dan, besteht darin, den Körper mit der Schwerkraft ins Gleichgewicht zu bringen. Die richtige Haltung ist eine harmonische Verbindung mit dem Leben.» Und so weiter.

Zu Hause und an der Uni tat ich mein Bestes. In der Früh stand ich mit gierigem Kaffeedurst auf – und freute mich auf meinen (puh!) Kräutertee. Mittags träumte ich von Steaks und Hamburgern – und gönnte mir einen verdünnten Orangensaft. Ich war krank vor lauter Heilfasten ...

Der dritte Fastentag war der schlimmste. Ich fühlte mich schwach und ausgelaugt. Kopfschmerzen hatte ich, und schlechten Mundgeruch. «Das ist alles Teil des Reinigungsprozesses. Der Körper scheidet die gespeicherten Gifte aus.»

Beim Training lag ich schlaff auf der Matte und machte nur Streckübungen.

Am siebten Tag aber ging's mir wunderbar, ich wurde direkt übermütig. Meinetwegen, dachte ich, könnte ich noch lange weiterfasten. Der Hunger war weg. Ich spürte nur eine angenehme Mattigkeit und ein Gefühl der Schwerelosigkeit. Das Training ging besser denn je. Nur mein kaputtes Bein hinderte mich, das Letzte zu geben. Ich fühlte mich entspannt und elastisch. Am achten Tag, als ich die erste Nahrung zu mir nehmen durfte, mußte ich aufpassen, nicht alles auf einmal in mich hineinzuschlingen. Ohnehin waren es nur kleinere Mengen Obst als Mahlzeit.

Damit war die Kur noch lange nicht ausgestanden. Socrates war ein strenger Lehrer, er duldete keine Klagen, keine Widerreden. «Kein müßiges Geplapper mehr», sagte er. Ich sollte überhaupt nicht mehr reden, außer wenn es unbedingt nötig war. «Was aus deinem Mund herauskommt, ist genauso wichtig wie das, was hineingeht.» – Und es war ein gutes Erlebnis, ein gutes Gefühl, weniger zu schwatzen und auf die eigenen Worte zu achten. Nicht mehr so häufig machte ich mich zum Clown mit meinen dummen Sprüchen.

Nach ein paar Wochen ging mir das Schweigen doch sehr auf den Geist. «Ich wette mit dir einen Dollar, daß ich dich dazu bringe, mehr als zwei Wörter zu sagen.»

Er hielt mir die Hand hin und lachte: «Du verlierst.»

Auch beim Training in der Halle fruchtete meine neue Disziplin, darum war ich voll Mut und Zuversicht. Aber es war, wie Soc gesagt hatte, kein Zuckerschlecken.

Mit meinen Freunden zum Beispiel ging fast alles schief. Rick, Sid und ich gingen mit ein paar Mädchen Pizzaessen. Die anderen teilten sich alle zusammen eine Riesen-Super-Salami-Pizza. Ich saß allein vor meiner kleinen vegetarischen Vollkorn-Pizza. Sie tranken Bier oder Milch-Shakes, ich meinen Apfelsaft. Anschließend wollten alle in Fentons Eisdiele gehen. Während sie dort ihre Berge von Eiskrem löffelten, lutschte ich an einem Eiswürfel. Neidisch sah ich zu. Etwas unmutig sahen sie zurück. Wahrscheinlich gab ich ihnen irgendwie Schuldgefühle. Ich paßte nicht mehr dazu. Mein geselliges Leben brach zusammen.

Ich machte weite Umwege, um Cafés, Bäckereien, Grillbuden und Kiosken auszuweichen. Ich schämte mich für meine Begierden und Zwänge und kämpfte dagegen an. Wie konnte ich Socrates unter die Augen treten, wenn ich wegen einem Zuckerpfannkuchen zum schlappen Pfannkuchen wurde?

Mit der Zeit wurde ich aufsässig. «Soc, es macht keinen Spaß mehr mit dir. Du bist ein griesgrämiger, mürrischer Alter geworden. Du leuchtest auch gar nicht mehr.»

Er funkelte mich an: «Keine Tricks und magischen Kunststückchen mehr!» Das hatte ich nun davon! Keine Tricks, kein Sex, keine Pommes frites, keine Hamburger, keine Süßigkeiten, kein Spaß und keine Ruhe mehr! Regeln und Vorschriften – in der Tankstelle und außerhalb.

So hatte sich Januar dahingeschleppt, Februar war verflogen, und jetzt war Anfang März. Die Mannschaft feierte das Saisonende ohne mich.

Wieder klagte ich Socrates mein Leid: «Du ruinierst mein Leben, Soc, ich komme mir schon vor wie ein religiöser Pfadfinder. Meine Freunde wollen nichts mehr von mir wissen. Am Ende werde ich noch ein vertrockneter alter ...»

«Ha!» lachte er. «Hast du Angst zu vertrocknen? Ich kann dir versichern, daß meine selige Frau mich ganz schön saftig fand.»

«Deine *Frau*?»

Jetzt lachte er über mein schockiertes Gesicht. Er sah mich prüfend an, und ich dachte, er würde noch etwas sagen, aber er wandte sich wieder seinem Schreibtisch zu.

«Tu dein Bestes», sagte er nur.

«Danke für deine unvergleichlich aufmunternden Worte.» Im Innersten war ich gekränkt, weil ein anderer – und wenn es Socrates war – mein Leben lenkte.

Trotzdem befolgte ich entschlossen, ja verbissen alle meine Regeln. Und eines Tages, beim Training in der Halle, kam jene sinnbetörende Krankenschwester hereinspaziert, die mich im Krankenhaus gepflegt hatte und die seit damals meine erotischen Träume beschäftigte. Sie setzte sich auf die Tribüne und beobachtete uns bei der Arbeit an den Geräten. Sofort war die ganze Mannschaft, auch ich, zu neuen Höchstleistungen beflügelt.

Ich tat so, als sei ich ganz in meine Übungen vertieft, aber ab und zu riskierte ich doch einen Seitenblick zur Tribüne hinauf. Mann o Mann, diese engen Seiden-Jeans, und das knappe Oberteil! In Gedanken schweifte ich ab zu exotischeren Formen der Gymnastik.

Das Training ging zu Ende, und sie war verschwunden. Na ja. Ich duschte mich, zog mich schnell an und rannte die Treppe hinauf. Tatsächlich, da war sie! Sie stand auf dem obersten Treppenabsatz, verführerisch ans Geländer gelehnt. Ich weiß nicht, wie ich die restlichen Stufen hinaufstolperte – oder flog.

«Hallo, Dan Millman. Ich bin Valerie. Du siehst entschieden besser aus als damals, als ich dich pflegte.»

«Kein Wunder, mir geht's auch viel besser, Schwester Valerie. Vielleicht weil du mich so gut gepflegt hast?» Sie lachte und räkelte sich einladend.

«Dan, kann ich dich um einen Gefallen bitten? Es wird bald dunkel, und ein komischer Mann ist mir auf der Straße gefolgt – könntest du mich nach Hause bringen?»

Es war Anfang April und die Sonne würde erst in einer Stunde untergehen. Aber was soll's, dachte ich. Wer wird so kleinlich sein?

Wir gingen zusammen spazieren, wir redeten miteinander, und als ich schließlich beim Abendbrot in ihrem Apartment saß, holte sie aus dem Kühlschrank eine Flasche Wein. «Für besondere Anlässe», lächelte sie. Ich nippte nur leicht, aber es war der Anfang vom Ende. Ich schmorte heißer als das Steak in der Pfanne, und irgendwann flüsterte mir eine kleine Stimme ins Ohr: «He, Dan, bist du ein Mann oder ein Waschlappen?» Eine andere kleine Stimme flüsterte zurück: «Ich bin ein geiler Waschlappen.»

An diesem Abend sündigte ich gegen alle Regeln, die mir befohlen waren. Ich aß genüßlich, was sie mir auf den Teller tat.

Erst Muschelsuppe, dann Salat und Steak. Zum Schluß, als Dessert gab es ein paar Portionen Valerie.

Danach plagte mich das Gewissen. Was würde Socrates sagen, wenn ich ihm meine Sünden beichtete?

Eines Abends marschierte ich, auf das Schlimmste gefaßt, zur Tankstelle und erzählte ihm alles – ohne Ausreden und Entschuldigung. Ich hielt den Atem an, es kam nichts. Nach langem Schweigen sagte er: «Mir fällt auf, daß du noch nicht richtig atmen kannst.» Bevor ich den Mund aufmachen konnte, sagte er leise, mit erhobener Hand: «*Ich* kann verstehen, Dan, daß dir ein Becher Eiskrem oder ein Flirt mit einer flotten Krankenschwester wichtiger ist als der Weg, den ich dir zeigen will. Aber verstehst *du* es auch?» Er hielt inne. «Kein Lob, kein Tadel. Du kennst jetzt den drängenden Hunger in deinem Bauch – und anderswo. Das ist gut so. Aber bedenke, ich habe dich gebeten, dein Bestes zu tun. War das wirklich dein Bestes?»

Socrates sah mich an, und seine Augen strahlten. Mir war, als durchleuchteten sie mich. «Komm in einem Monat wieder. Aber nur, wenn du alle Regeln strikt eingehalten hast. Dieses Mädchen kannst du wiedersehen, wenn du magst. Sei aufmerksam zu ihr, zeige ihr echtes Gefühl. Aber wie stark dein Verlangen auch sein mag, laß dich von einer höheren Disziplin leiten.»

«Ich will's mir vornehmen, Soc, ich schwör's dir. Ich habe verstanden.»

«Verständnis und gute Vorsätze nützen nichts, um dich stark zu machen. Deine Vorsätze sind aufrichtig; dein Verständnis ist vielleicht logisch. Aber keines von beiden gibt dir die Energie, die du brauchen wirst. Halte dich lieber an deine Wut – laß sie dein Vorsatz und deine Logik sein. Also, bis in einem Monat!»

Ich wußte, falls ich noch einmal die Regeln vergaß, dann war's das Ende mit Socrates. Mit wachsender Entschlossenheit sagte ich mir: «Nie wieder will ich auf Abwege geraten! Mag das Steak noch so saftig sein, der Pfannkuchen noch so süß, von den süßen Mädchen ganz zu schweigen. Entweder beherrsche ich meine Triebe oder ich sterbe.»

Am Abend rief Valerie an: «Hallooo, Danny? Sehen wir uns heute abend? Hast du Zeit? Oh, wunderbar! Ich hab um sieben Uhr frei. Soll ich dich abholen? Okay, bis dann, goodbye.»

Ich führte sie zum Essen aus, in Josephs Café, und wir bekamen diesmal einen exquisiten Salat surprise vorgesetzt. Leider versuchte Valerie heftig mit Joseph zu flirten. Er war freundlich wie immer, ließ sich aber nicht weiter auf sie ein.

Später gingen wir zu ihr nach Hause. Wir saßen herum und plauderten ein Weilchen. Sie bot mir Wein an, ich bat um Apfelsaft. Sie strich mir zärtlich übers Haar, gurrte mir ins Ohr und küßte mich. Ich küßte sie wider – mit echtem Gefühl. Dann meldete sich eine innere Stimme, laut und vernehmlich: ‹Reiß dich zusammen, Junge. Was sein muß, muß sein.›

Ich stand auf und holte tief Luft. Auch sie richtete sich auf und strich sich die Haare glatt. «Hör mal, Valerie, ich finde dich wirklich gut. Attraktiv und aufregend. Aber ich hab mich auf eine ... äh, persönliche Disziplin eingeschworen, und die erlaubt mir sowas nicht. Fast wär's ja wieder passiert, und für mich ist's nicht leicht, glaube mir. Ich hab dich gern, ich möchte dich wiedersehen. Aber du mußt mich als guten Freund betrachten – wie einen liebevollen P-P-Priester.» Ich geriet ins Stottern.

Sie straffte die Schultern und strich sich noch einmal durchs Haar. «Wunderbar, Dan, freut mich wirklich, jemand kennenzulernen, der nicht nur auf Sex aus ist.»

«Ach ja», sagte ich hoffnungsvoll. «Ich freu mich, daß du so denkst ... weißt du, wir könnten viel zusammen anfangen – außer im Bett.»

Sie sah auf die Uhr. «Ach, ich habe gar nicht gemerkt, wie spät es ist. Ich muß morgen früh raus, zum Dienst. Es war wunderbar, Danny, und danke fürs Abendessen. Also, gute Nacht!»

Am andern Tag rief ich sie an – aber ihr Telefon war dauernd besetzt. Ich versuchte es am folgenden Tag wieder, und diesmal war sie am Apparat: «Danny, ich hab viel zu tun die nächsten Wochen. Du weißt, mein zweites Schwestern-Examen ...»

Eine Woche später sah ich sie wieder. Sie kam am Ende des Trainings, um Scott abzuholen! Die beiden begegneten mir auf der Treppe, so eng, daß ich ihr Parfüm riechen konnte. Sie nickte mir höflich zu und sagte: «Hallo!»

Scott grinste mich an und zwinkerte vielsagend. Ich hätte nicht gedacht, daß ein Augenzwinkern so weh tun konnte.

Mit verzweifeltem Heißhunger, der mit ‹Naturkost› nicht zu

stillen war, stürzte ich geradewegs in die nächste Grillstube! Ah, wie sie brutzelten, diese mit Barbecue-Soße herrlich gewürzten Hamburgers! Glückliche Zeiten, als ich sie noch guten Gewissens mit Salat und Tomaten – und zusammen mit lachenden Freunden verputzen durfte.

Wie ein Süchtiger auf Entzug stolperte ich an den Tresen und seufzte: «Einen Super-Burger, mit doppelt Käse, bitte.»

Ich setzte mich an einen Tisch, packte das duftende Ding aus, schob es in den Mund und biß herzhaft hinein. Auf einmal wurde mir bewußt, was ich hier tat: Ich entschied mich für mein ganzes Leben, zwischen Socrates und einem Hamburger!

Ich spuckte den Bissen wieder aus und warf den Rest in die Abfalltonne. Aus, vorbei. Ich rannte hinaus – und war nicht länger Sklave meiner Impulse.

Jetzt begann für mich eine wunderbare Zeit neuer Selbstachtung. Ich spürte meine Kraft, meine Überlegenheit. Von jetzt an würde es leichter werden.

Kleine Veränderungen bewirkten ein neues Lebensgefühl. Seit meinen Kindertagen hatte ich allerlei kleine Weh-Wehchen gehabt: eine laufende Nase bei kühlem Wetter, Kopfschmerzen, Bauchweh und Stimmungsschwankungen. Ich hatte mich daran gewöhnt, es schien normal und unvermeidlich – aber plötzlich waren diese Symptome verschwunden!

Ich empfand eine Unbeschwertheit und Energie, die sich auch nach außen bemerkbar machte. Vielleicht war das der Grund, warum Frauen mit mir flirteten, warum kleine Kinder und Hunde mir nachliefen und mit mir spielen wollten, warum manche Teamkameraden anfingen, mich bei ihren Problemen um Rat zu fragen. Ich war nicht mehr das Schiffchen auf stürmischer See, ich kam mir vor wie der Fels von Gibraltar.

Ich berichtete Soc von meinen neuen Erfahrungen. «Deine Energie wächst», meinte er kopfnickend. «Menschen, Tiere und sogar unbelebte Objekte spüren das. Sie fühlen sich von einem Energiefeld angezogen – und manchmal eingeschüchtert. So einfach ist das.»

«Wieder mal die Geschäftsbedingungen?»

«Richtig, die Geschäftsbedingungen», sagte er, und fügte hinzu. «Noch lange kein Grund, dir selbst zu gratulieren. Vergleche dich lieber mit mir, um das richtige Augenmaß zu behalten. Dann wirst du sehen, daß du knapp dem Kindergarten entwachsen bist.»

Das Semester endete, fast ohne daß ich es merkte. Die Prüfungen gingen glatt. Auch in Fächern, die mich stets Kämpfe gekostet hatten, brachte ich jetzt mein Pensum mit Leichtigkeit hinter mich. Das Team verreiste für kurze Zeit und kehrte dann zum Sommertraining zurück. Ich konnte inzwischen ohne Stock gehen, und dreimal die Woche versuchte ich, ganz langsam, einen Dauerlauf. Ich zwang mich weiterhin bis an die Grenzen von Schmerz, Disziplin und Ausdauer, und auch mit richtigem Essen und richtiger Atmung tat ich mein Bestes. Aber mein Bestes war immer noch nicht gut genug.

Socrates steigerte die Anforderungen: «Jetzt, wo deine Energie wächst, kannst du mit dem ernsthaften Training beginnen.»

Ich lernte so langsam zu atmen, daß ich für jeden Atemzug eine Minute brauchte. Diese Übung, kombiniert mit Konzentration und der Kontrolle bestimmter Muskeln, heizte mich so auf, daß ich bei jedem Wetter draußen im Hemd rumlaufen konnte. Es war wie eine ‹innere Atem-Sauna›.

Begeistert stellte ich fest, daß ich Kräfte entwickelte, wie Socrates mir anfangs verheißen hatte. Ob ich doch noch ein Krieger von seiner Statur werden würde? Jetzt fühlte ich mich nicht mehr ausgeschlossen – im Gegenteil, ich fühlte mich manchmal sogar überlegen. Wenn ein Freund über eine Krankheit klagte, wenn jemand mir seine Probleme erzählte, konnte ich guten Rat geben: Durch richtiges Essen, durch Disziplin und Verantwortung für sein eigenes Leben konnte man fast alle Schwierigkeiten meistern!

Gestärkt durch mein neues Selbstvertrauen, wanderte ich wieder einmal zur Tankstelle hinaus. Jetzt wär ich reif, dachte ich, etwas über die alten Geheimnisse Tibets, Indiens und Chinas zu erfahren! Aber kaum war ich eingetreten, drückte Socrates mir einen Schrubber in die Hand. «Geh und putz die Toilette. Und zwar auf Hochglanz, bitte.»

Die nächsten Wochen verrichtete ich so viele niedere Arbeiten an der Tankstelle, daß ich kaum Zeit fand für meine ‹wichtigeren› Übungen. Stundenlang durfte ich Autoreifen schleppen und Abfall hinaustragen. Ich fegte die Werkstatt sauber und ordnete

Werkzeug. Ich hatte es nie für möglich gehalten – aber es konnte langweilig sein bei Socrates!

Und es war unglaublich anstrengend. Er gab mir fünf Minuten, um einen Halbstunden-Job zu erledigen. Dann tadelte er mich erbarmungslos, ich hätte nicht sorgfältig genug gearbeitet. Er war ungerecht, störrisch und sogar beleidigend. Einmal, ich kochte gerade vor Wut über diese Situation, kam er in die Werkstatt und schrie: «Auf der Toilette liegt Dreck am Boden!»

«Aber ich habe sie sauber geputzt. Jemand muß sie benutzt haben!»

«Keine Ausreden», sagte er. Und: «Schaff den Müll hinaus.»

Ich war so sauer, daß ich den Besenstil wie ein Schwert packte. Eine eiskalte Ruhe überkam mich. «Soc, ich habe den Müll vor fünf Minuten hinausgetragen. Erinnerst du dich, Alter? Oder wirst du senil?»

Er grinste. «Ich meine *diesen* Müll», und er tippte mir an den Kopf. Mir fiel der Besen aus der Hand ...

Ein andermal, ich fegte gerade die Werkstatt, rief er mich zu sich ins Büro. Ich setzte mich mürrisch und erwartete seine Befehle. «Noch immer hast du nicht gelernt, Dan, natürlich zu atmen. Du bist faul geworden, du sollst dich besser konzentrieren.»

Das war der Tropfen, der das Faß zum Überlaufen brachte: «Der Faulpelz bist *du*. Ich tu hier die ganze Arbeit für dich!» Er sagte zunächst nichts, und ich sah in seinen Augen eine leise Traurigkeit. «Es ist nicht recht, Dan, den Lehrer anzuschreien.»

Und wieder mußte ich mir bewußt machen, daß er mit diesen ‹Kränkungen› nur den Zweck verfolgte, mir meine geistige Unklarheit, mein emotionales Ungleichgewicht vor Augen zu führen. Er wollte mir helfen, meine Wut in Taten zu verwandeln. Er wollte mir helfen, durchzuhalten auf dem Weg – wie ein Trainer, der den Athleten zusammenstaucht, um ihn zur Höchstleistung anzufeuern.

Bevor ich mich entschuldigen konnte, sagte er: «Geh jetzt lieber, Dan. Komm erst wieder, wenn du Höflichkeit gelernt hast – und wenn du richtig atmen gelernt hast. Vielleicht wird eine kurze Trennung dir guttun.»

Traurig, gesenkten Kopfes, schlich ich hinaus. Unterwegs

dachte ich daran, wieviel Geduld er doch mit mir gehabt hatte, mit all meinen Launen, Klagen und Fragen. Seine Unnachgiebigkeit war nur zu meinem Besten gewesen. Ich schwor mir, ihn nie wieder anzuschreien.

Allein gelassen, mühte ich mich härter denn je, meine verkrampfte Atmung zu korrigieren. Aber anscheinend wurde es nur noch schlimmer. Wenn ich richtig tief atmete, vergaß ich die Zunge ans Gaumendach zu drücken. Wenn ich die Zunge ans Gaumendach drückte, ließ ich die Schultern hängen. Es war zum Wahnsinnigwerden!

Frustriert ging ich noch einmal zur Tankstelle. Ich wollte Soc um Rat fragen. Er werkelte in der Garage. Er blickte nur kurz auf und sagte: «Geh weg.»

Verletzt und wütend hinkte ich in die Nacht hinaus. Hinter mir hörte ich seine Stimme: «Wenn du atmen gelernt hast, tu was für deinen Humor.» Sein Gelächter verfolgte mich noch den halben Weg nach Hause.

Ich war vor meinem Apartmenthaus angelangt und setzte mich auf die Treppe und starrte hinüber zur anderen Straßenseite, ohne etwas zu sehen. Ich geb dies unmögliche Training auf! sagte ich mir. Doch ich glaubte mir selber nicht. Weiterhin aß ich brav meine Salate und mied alle Versuchungen. Redlich plagte ich mich mit meinem Atem.

Der Hochsommer kam, und eines Tages erinnerte ich mich an Josephs Café. Nie hatte ich Zeit gefunden, ihn zu besuchen, immer war etwas los: tags das Training und die Vorlesungen und abends Soc und die Tankstelle. Jetzt, dachte ich traurig, waren meine Abende frei.

Ich ging hin, kurz bevor das Café geschlossen wurde. Kein Mensch war da. Joseph entdeckte ich in der Küche, wo er behutsam sein schönes Porzellan wusch.

Wie verschieden waren wir beide, Joseph und ich. Ich war klein, drahtig, muskulös und sportlich, ich trug das Haar kurz und rasierte mich. Joseph war groß, schlank, eher zart, und er hatte einen blonden, lockigen Bart. Ich sprach und bewegte mich schnell. Er tat alles mit zeitlupenhafter Aufmerksamkeit. Trotz unserer Verschiedenheit, oder gerade deswegen, fühlte ich mich zu ihm hingezogen.

Wir sprachen lange, bis in die Nacht, während ich ihm half, Stühle auf die Tische zu stellen und die Teppiche zu saugen. Sogar beim Reden konzentrierte ich mich, so gut es ging, auf meinen Atem – was schließlich dazu führte, daß ich eine Schüssel fallenließ und über den Teppich stolperte.

«Joseph», sagte ich, «hat Socrates dich tatsächlich auf Hundert-Meilen-Läufe mitgenommen?»

«Nein, nein, Dan», lächelte er leise. «Sportliche Hochleistungen entsprechen nicht meiner Natur. Hat Soc es dir nicht erzählt? Ich war jahrelang sein Koch und sein persönlicher Diener.»

«Nein, hat er mir nie gesagt. Aber was meinst du damit, du seist lange Jahre sein Diener gewesen? Du bist doch höchstens achtundzwanzig, vielleicht neunundzwanzig!»

Joseph strahlte. «Oh, ich bin ein gutes Stück älter. Ich bin zweiundfünfzig.»

«Im Ernst?»

Er nickte. Anscheinend war doch etwas dran an all diesen Vorschriften und Regeln.

«Wenn es bei dir kein körperliches Training war, was war's dann? Was hast du gemacht in deiner Ausbildung?»

«Dan, ich muß dir sagen, ich war ein sehr jähzorniger, eingebildeter junger Mann. Socrates lehrte mich Dienen. Indem er mich unerbittlich forderte, lehrte er mich, mich zu verschenken. Mich zu verschenken mit Glück und mit Liebe.»

«Und wo kann man besser Dienen lernen, als auf einer Tankstelle?» warf ich ein.

Joseph lächelte. «Socrates war nicht immer Tankwart, weißt du. Sein Leben war abwechslungsreich und ungewöhnlich.»

«Ach, erzähle», drängte ich ihn.

«Hat Soc dir nichts von seiner Vergangenheit erzählt?»

«Keine Spur. Er umgibt sich mit Geheimnissen. Ich weiß nicht mal, wo er wohnt.»

«Das wundert mich nicht. Aber wenn er dir nichts sagt, will auch ich das Geheimnis hüten.»

Ich verbarg meine Enttäuschung. «Hast du ihn auch *Socrates* genannt? Das wäre doch ein unwahrscheinlicher Zufall.»

«Nein», lachte er. «Aber sein neuer Name hat Pepp, genau wie sein neuer Schüler.»

«Er hat dich hart gefordert, sagst du?»

«Ja, sehr hart. Nichts, was ich machte, war gut genug. Wenn ich mich innerlich auflehnte, schien er es zu wissen und schickte mich wochenlang fort.»

«Ja, auch ich werde ihn vielleicht nicht wiedersehen.»

«Ah, wieso?»

«Ich soll wegbleiben, sagt er, bis ich richtig atmen gelernt habe – entspannt und natürlich. Ich hab's versucht, glaube mir. Aber ich kann es nicht.»

«Ach, wenn es nur das ist» sagte er. «Komm, stell dich hierher» – er legte mir die Hand auf den Bauch, die andere auf die Brust – «und jetzt atme!»

Ich fing an zu atmen, langsam und tief, wie Socrates es mir gezeigt hatte. «Nein, nicht so angestrengt!» sagte Joseph.

Nach kurzer Zeit spürte ich ein sonderbares Gefühl im Bauch und in der Brust, ganz warm, entspannt und offen. Plötzlich mußte ich losweinen wie ein Baby. Ein wildes Glücksgefühl packte mich ohne erkennbaren Grund. In diesem Augenblick atmete ich wie von selbst – ganz ohne Anstrengung. Es war, als würde *es mich atmen.* Es war so unbeschreiblich wohltuend, und ich dachte: ‹Wieso rennt man ins Kino, wenn man sich so einfach gut fühlen kann?› Und schon merkte ich, wie mein Atem sich wieder verkrampfte.

«Joseph, ich hab's verloren!»

«Macht nichts, Dan. Du mußt dich nur entspannen beim Atmen. Ich hab dir ein bißchen geholfen – jetzt weißt du, wie es geht, wie natürliches Atmen sich anfühlt.Du wirst es immer wiederfinden. Du mußt nur zulassen, daß *es dich atmet,* immer wieder, bis es von ganz alleine kommt. Die richtige Atemkontrolle löst alle inneren Knoten auf. Und wenn dies gelingt, wirst du ein ganz neues, körperliches Glücksgefühl entdecken.»

«Joseph», sagte ich und umarmte ihn. «Ich weiß nicht, was du mit mir gemacht hast – aber ich danke dir, ich danke dir!»

Er strahlte mich an, mit diesem Lächeln, bei dem mir immer ganz warm wurde. Er stellte den Besen weg. «Herzliche Grüße an ... *Socrates.*»

Mit dem Atmen klappte es natürlich nicht sofort. Ich mußte immer noch kämpfen. Eines Tages endlich, auf dem Heimweg vom Training, merkte ich plötzlich, wie ‹ES› mich atmete. Ganz von selbst und natürlich. Es war das gleiche Gefühl, das ich in Josephs Café entdeckt hatte.

Am selben Abend lief ich aufgeregt zur Tankstelle, um Socrates von meinem Erfolg zu berichten. Und um mich zu entschuldigen für mein Benehmen. Als ich ins Büro stürmte, sah er mich an, als hätte er mich erwartet. «Gut, machen wir weiter», sagte er nur. Es war, als sei ich mal eben auf die Toilette gegangen und wieder gekommen. Dabei lagen sechs harte, einsame Wochen hinter mir.

«Sonst hast du mir nichts zu sagen, Soc? Kein *Gut gemacht, Junge*? Kein *Gut siehst du aus*?»

«Kein Lob, kein Tadel zählt auf dem Weg des Kriegers, für den du dich entschieden hast. Lob und Tadel sind Mittel, um Menschen zu manipulieren. Solche Tricks brauchst du nicht mehr.»

Enttäuscht zuckte ich die Schultern und versuchte zu lächeln. Ich wollte mein Bestes tun, um ihm Respekt zu erweisen, doch seine Gleichgültigkeit kränkte mich. Wenigstens war ich wieder da!

Wenn ich nicht Toiletten reinigen durfte, lernte ich neue, noch frustierendere Übungen, zum Beispiel die Meditation über innere Geräusche. Am Schluß konnte ich mehrere gleichzeitig hören.

Eines Abends, während ich diese Übung probte, kam ich in einen Zustand der Ruhe und Entspannung, wie ich ihn noch nie erlebt hatte. Eine Zeitlang, ich weiß nicht wie lange, war mir, als sei ich außerhalb meines Körpers. Es war das erstemal, daß ich aus eigener Kraft eine ‹übersinnliche Erfahrung› erlebte. Und ohne daß Soc seine Hände an meine Schläfen legte.

Begeistert erzählte ich ihm von diesem Erlebnis. Statt mir zu gratulieren, meinte er nur: «Laß dich nicht durch solche Erfahrungen ablenken, Dan. Durchschaue die Vision, und erkenne die Lehren, die sie dir erteilt. Solche Visionen sind Zeichen einer Veränderung, einer Transformation, und wer nicht über sie hinausgeht, der kommt nirgendwo an.

Wenn du durchaus etwas erleben willst, geh ins Kino. Das ist leichter als Yoga. Meditiere meinetwegen den ganzen Tag, höre

Klänge, sieh Lichter oder sieh sogar Klänge und höre Lichter. Du bist und bleibst ein Esel, wenn du dich durch solche Erlebnisse verführen läßt. Laß das alles los! Ich habe dir empfohlen, vegetarisch zu essen, du brauchst deshalb nicht gleich selbst zum Kohlkopf zu werden.»

«Diese Erlebnisse», protestierte ich, «habe ich doch nur, weil du mir gesagt hast, ich soll sie haben.»

Socrates sah mich verblüfft an: «Muß ich dir denn *alles* sagen, was du tun sollst?»

Ich wollte schon explodieren, aber dann lachte ich. Socrates stimmte in mein Lachen ein und zeigte mit dem Finger auf mich. «Da – eben hast du eine echte alchimistische Umwandlung erlebt. Du hast Wut und Lachen umgewandelt. Deine Energie ist viel stärker als früher. Jetzt brechen die Schranken nieder. Vielleicht machst du doch noch Fortschritte ...»

Wir lachten noch immer, als er mir den Schrubber in die Hand drückte.

Seit diesem Abend machte Soc mir keine Vorhaltungen mehr über mein Verhalten. Ich verstand die Botschaft. Von nun an sollte ich selbst die Verantwortung für mich übernehmen und mich bei meinem Tun beobachten. Jetzt erst erkannte ich, wie gut all sein Tadel gemeint gewesen war. Fast vermißte ich seine Kritik.

Damals war es mir nicht bewußt, und auch Monate später hatte ich keine Ahnung – aber an diesem Abend hatte Socrates aufgehört, mein «Vater» zu sein, und war mein Freund geworden.

Ich wollte Joseph besuchen und ihm erzählen, was in der Zwischenzeit mit mir passiert war. So schlenderte ich die Shattuck hinunter, als mit Sirenengeheul und Blaulicht mehrere Feuerwehren vorbeirasten. Ich dachte mir nichts besonderes, bis ich, nicht mehr weit von Josephs Café entfernt, den blutroten Schein am Himmel sah. Ich fing an zu rennen.

Die Menschenmenge verlief sich schon wieder, als ich am Schauplatz eintraf. Auch Joseph war eben angekommen, er stand vor den rauchenden Trümmern seines schönen Cafés. Zwanzig Meter von ihm entfernt, hörte ich seinen qualvollen Schrei, und ich sah, wie er langsam in die Knie brach und weinte. Mit einem

Wutschrei sprang er wieder auf und entspannte sich. Dann entdeckte er mich.

«Dan! Wie schön, daß wir uns wiedersehen.» Sein Gesicht war gelassen und heiter.

Der Feuerwehrhauptmann kam, um mitzuteilen, der Brand sei wahrscheinlich nebenan in der Chemischen Reinigung ausgebrochen. «Danke», sagte Joseph.

«Oh, Joseph, es tut mir so leid für dich.» Aber dann ließ es mir keine Ruhe: «Joseph, ich habe dich vorhin gesehen. Du warst sehr unglücklich.»

«Ja.» Er lächelte. «Ich war unglücklich. Und ich hab's wirklich rausgelassen.»

Unwillkürlich mußte ich an Socs Worte denken: Laß los, laß es fließen ... Es waren für mich nur schöne Worte gewesen, aber hier, vor den rußgeschwärzten, vom Löschwasser durchtränkten Überresten seines schönen Cafés, zeigte mir dieser zarte Krieger, was es tatsächlich hieß, seine Gefühle zu kontrollieren.

«Es war so schön, Joseph», seufzte ich.

«Ja», sagte er wehmütig. «Nicht wahr?»

Irgendwie war mir seine Ruhe unheimlich. «Bist du denn gar nicht mehr unglücklich?»

Er sah mich gelassen an und sagte: «Dazu fällt mir eine Geschichte ein, sie wird dir gefallen. Magst du hören?»

«Gut, von mir aus.»

In Japan, in einem Fischerdorf, lebte ein junges Mädchen. Sie war unverheiratet und bekam ein Kind. Die Eltern, empört über die Schande, wollten wissen, wer der Vater sei. Die junge Frau aber wollte ihn nicht verraten. Der Fischer, den sie liebte, hatte gesagt, er wolle ausziehen und sein Glück versuchen und wiederkommen und sie zur Frau nehmen. Die Eltern aber bedrängten sie unerbittlich. In ihrer Verzweiflung gab sie Hakuin als Vater an – einen Mönch, der in einer Hütte in den Bergen lebte.

Die entehrten Eltern trugen das Kind vor die Hütte des Einsiedlers. Sie klopften an, und als er aufmachte, legten sie ihm das Kind in den Arm: «Dies ist dein Kind», sagten sie. «Du mußt für es sorgen!»

«Ist's wahr?» sagte Hakuin. Er nahm das Kind zu sich und winkte den Eltern Lebewohl.

Ein Jahr verging, und der wirkliche Vater kehrte als wohlhabender Mann zurück und heiratete das Mädchen. Sogleich machten sie sich auf den Weg in die Berge, um ihr Kind von Hakuin zurückzufordern. «Wir wollen unsere Tochter haben», sagten sie.

«Ist's wahr?» sagte Hakuin. Und er gab ihnen das Kind.

Lächelnd wartete Joseph auf meine Reaktion.

«Eine nette Geschichte, Joseph, aber ich weiß nicht, wieso du sie mir ausgerechnet jetzt erzählst? Hör mal, dein Café ist abgebrannt!»

«Ist's wahr?» sagte er. Wir lachten, und ich schüttelte resigniert den Kopf.

«Joseph, du bist genauso verrückt wie Socrates.»

«Vielen Dank, Dan. Und du bist unglücklich für uns zwei. Mach dir keine Sorgen wegen mir. Ich war ohnehin bereit für eine Veränderung. Wahrscheinlich geh ich in den Süden. Oder in den Norden – es macht keinen Unterschied.»

«Geh nicht fort, ohne dich zu verabschieden.»

«Also, dann,auf Wiedersehen», sagte er und umarmte mich. «Ich fahre morgen.»

«Willst du nicht Socrates Lebewohl sagen?»

Lachend wehrte er ab. «Socrates und ich sagen uns selten Hallo oder Lebewohl. Später wirst du auch das verstehen.»

Damit trennten wir uns. Ich sollte Joseph nie wiedersehen.

Es war nachts, Punkt drei Uhr auf der Normaluhr an der Kreuzung von Shattuck und Center Avenue, als mir auf dem Weg zur Tankstelle klarer als je zuvor bewußt wurde, wieviel ich noch zu lernen hatte.

Ich platzte gleich mit der Nachricht zur Tür herein: «Socrates, Josephs Café ist abgebrannt!»

«Komisch», sagte er. «Kaffee brennt meistens *an*.»

Unfaßlich! Er machte darüber Witze!

«Ist jemand verletzt worden?» fragte er ohne besondere Anteilnahme.

«Nicht daß ich wüßte. Aber sag mal, hast du mich nicht verstanden? Bist du kein bißchen traurig?»

«War Joseph traurig, als du mit ihm sprachst?»

«N ... nein.»

«Na also.» Damit war das Thema abgeschlossen.

Und dann zog Socrates zu meinem Erstaunen ein Päckchen Zigaretten hervor und steckte sich eine an. «Übrigens, wenn wir schon von Qualm reden», sagte er paffend, «habe ich eigentlich mal erwähnt, daß es gar keine schlechten Gewohnheiten gibt?»

Ich wollte meinen Augen und Ohren nicht trauen. Das durfte nicht wahr sein!

«Nein, hast du nicht. Und auf *dein* Geheiß habe ich mein Bestes getan, meine schlechten Gewohnheiten zu ändern.»

«Das war nur, um deinen Willen zu stärken und um deine Instinkte aufzufrischen. Sicher, jede Gewohnheit, das heißt, jede unbewußte, zwanghafte, ständig wiederkehrende Handlung ist negativ. Die Handlung als solche aber wie Rauchen, Trinken, Drogennehmen, Süßigkeitenschlecken ist zweierlei; sie ist gut *und* schlecht. Alles hat seinen Preis und sein Vergnügen. Du mußt beide Seiten sehen und abwägen, ob du die Verantwortung für dein Tun übernehmen kannst. Nur dann kannst du dich wie ein Krieger frei entscheiden: Du kannst es tun – oder auch lassen.

Ein chinesisches Sprichwort sagt: ‹Wenn du sitzt, dann sitze. Wenn du stehst, dann steh. Was du auch tust – niemals schwanken!› Also, wenn du deine freie Entscheidung getroffen hast, dann steh dafür ein und schwanke nicht. Mach's nicht wie der Prediger, der ans Gebet dachte, wenn er Liebe machte mit seiner Frau, und beim Beten ans Liebemachen dachte.»

Ich mußte lachen über diesen Vergleich. Socrates blies perfekte runde Rauchkringel in die Luft.

«Besser, du machst mit der vollen Kraft deines Seins einen Fehler, als daß du mit verzagendem Mut jeden Fehler vermeiden willst. Verantwortung heißt, das Vergnügen zu erkennen und auch seinen Preis. Verantwortung heißt, aufgrund dieser Einsicht eine Entscheidung treffen, und mit dieser Entscheidung leben – ohne Reue.

«Typische Entweder-Oder-Philosophie», warf ich ein. «Und wie steht es mit der Mäßigkeit?»

«Mäßigkeit?» Er sprang auf den Schreibtisch und warf sich in eine Predigerpose: «Mäßigkeit? Ich aber sage euch, Mäßigkeit ist Mittelmäßigkeit, im Gewande von Klugheit und Vernunft. Sie ist der vernünftige Kompromiß des Teufels, der niemanden glücklich macht. Mäßigkeit ist etwas für die Lauen, für die Schuldbewußten, für die Zaungäste dieser Welt, die keinen Mut zum eigenen Standpunkt haben. Sie ist etwas für Leute, die nicht den Mut haben zu lachen oder zu weinen, die nicht den Mut haben zu leben oder zu sterben. *Mäßigkeit*» – er richtet sich auf und holte zum letzten Vernichtungsschlag aus – «ist wie *lauwarmer Tee*, des Teufels eigenes Gebräu!»

«Deine Predigten, Soc», lachte ich, «kommen daher wie ein Löwe und enden kläglich wie ein Lämmchen. Du solltest mehr üben.»

Schulterzuckend stieg er von seinem Schreibtisch herab. «Das haben sie mir auch im Seminar gesagt.»

Im Seminar? Bei ihm konnte man nie wissen, ob er Spaß machte oder nicht. «Trotzdem», sagte ich, «finde ich Rauchen ekelhaft.»

«Hast du es noch immer nicht begriffen? Das Rauchen an sich ist nicht ekelhaft. Nur die Gewohnheit ist ekelhaft. Ich kann täglich eine Zigarette rauchen, und dann sechs Monate lang keine einzige. Oder ich kann ab und zu eine Zigarette geniessen, ohne daß mich ein überwältigendes Verlangen dazu zwingt. Und wenn ich rauche, bin ich mir im klaren über den Preis, den meine Lunge dafür bezahlen muß. Hinterher tu ich etwas, um die schädlichen Folgen auszugleichen.»

«Ich hätte nie geglaubt, daß ein Krieger raucht.»

Er blies mir Rauchkringel ins Gesicht. «Ich habe nie behauptet, ein Krieger müßte das sein, was *du* dir unter Vollkommenheit vorstellst. Und nicht alle Krieger sind so wie ich. Aber wir alle halten uns an die Geschäftsbedingungen, siehst du.

Mir ist egal, ob ich deinen neuen Idealmaßstäben entspreche, oder nicht – jedenfalls sollst du wissen, daß ich mich voll und ganz in der Hand habe. Ich kenne keine Zwänge. Ich habe keine Gewohnheiten. Alle meine Handlungen sind bewußt, zielgerichtet und in sich vollkommen.»

Die Zigarette ausdrückend, grinste Socrates mich an. «Du bist spießig geworden, mein Freund, mit deiner großartigen Disziplin. Es wird mal Zeit für ein bißchen Feiern und Ausgehen!»

Damit zog Socrates eine Flasche Gin aus der Schreibtischlade.

Ich konnte nur ungläubig den Kopf schütteln. Er mixte mir einen Drink mit Soda.

«Soda ... Pop?» fragte ich.

«Hier gibt's nur Fruchtsaft ... und nenn mich nicht Pop!» lachte er – die Worte, die er vor so langer Zeit zu mir gesagt hatte. Und ausgerechnet *er* kredenzte mir jetzt einen Gin mit Limonade, währen er seinen pur trank.

«Also dann», sagte er, sein Glas hinunterkippend, «Ring frei – alle Griffe sind erlaubt.»

«Du machst mir Spaß, Socrates, ich habe am Montag ein hartes Training.»

«Hol deinen Mantel, Junge. Komm.»

Das tat ich. Und dann weiß ich von diesem Abend nur noch, daß es Samstagabend war und in San Francisco. Wir stürzten uns frühzeitig in den Trubel und ließen keine Minute locker. Der ganze Abend war ein einziger Wirbel von Lichtern, klingenden Gläsern und Gelächter.

Woran ich mich allerdings gut erinnere, das ist Sonntagmorgen. Es waren gegen fünf Uhr früh. Wir schlenderten die Mission Street entlang und überquerten gerade die Fourth. In meinem Kopf dröhnte ein Dampfhammer. Kaum daß ich die Straßenschilder entziffern konnte, so dicke Nebelsuppe waberte zwischen den Gebäuden.

Kichernd stolperte ich gegen Soc, der unverhofft stehengeblieben war. Irgend etwas stimmte nicht! Da – eine dunkle Gestalt tauchte aus dem Nebel auf. Mein halbvergessener Traum vom Schnitter Tod vermischte sich mit der gespenstigen Szene – aber dann war ich mit einem Schlag hellwach: eine zweite Gestalt tauchte auf, eine dritte. Drei Männer, die uns den Weg verstellten; kräftige, aggressive Burschen. Der eine kam näher und zog ein Stilett aus seiner abgeschabten Lederjacke. In meinen Schläfen pochte das Blut.

«Geld her», befahl er.

Ohne zu überlegen, trat ich vor und langte nach meinem Geldbeutel. Da stolperte ich.

Alarmiert durch meine plötzliche Bewegung, stürzte sich der Kerl mit dem Messer auf mich. Aber Socrates – schneller als ich schauen konnte – hatte den Mann am Arm gepackt und schleuderte ihn mit einem Drehwurf auf die Straße. Im gleichen

Moment aber flog auch der andere Gangster, der auf mich losgehen wollte, wie ein Sack auf den Asphalt – die Beine weggeschlagen durch Socs blitzschnellen Fußtritt. Und noch bevor der dritte Angreifer eine Bewegung machen konnte, war Socrates über ihm und zwang ihn mit einem Doppelnelson zu Boden. Auf ihm sitzend, murmelte er: «Vielleicht denkt ihr Burschen mal nach über Gewaltlosigkeit!»

Einer der Kerle war schon wieder hochgekommen – da stieß Socrates einen Schrei aus, und der Mann sackte auf den Rücken. Auch der Anführer hatte sich wieder berappelt, fluchend hatte er sein Messer aufgesammelt und stürzte mit irrem Blick auf Socrates los. Soc sprang auf, riß den unter ihm liegenden Mann in die Höhe und schleuderte ihn gegen den Messerhelden. «Da, fang!» rief er. Die beiden Gestalten rollten über den Asphalt. Dann plötzlich aber standen uns alle drei wieder gegenüber, wild schreiend, zu einem letzten, blindwütigen Angriff.

Die nächsten Sekunden nahm ich nur noch verschwommen wahr. Ich bekam einen Stoß in den Rücken, fiel hin – und dann war es still bis auf ein Stöhnen. Socrates stand ganz friedlich da, schüttelte die Arme aus und holte tief Luft. Er bückte sich und warf drei Messer in ein Kanalgulli.

«Bist du in Ordnung?» fragte er.

«Ja – bis auf den Kopf.»

«Hast du was abgekriegt?»

«Nur zuviel Alkohol. Was war das eben?»

Er schaute sich nach den drei Männern um, die lang hingestreckt am Rinnstein lagen. Er kniete hin und fühlte ihnen den Puls. Dann drehte er sie behutsam herum und untersuchte einen nach dem anderen auf Verletzungen. Die Bewegungen seiner Hände waren sanft und belebend zugleich. Erst jetzt merkte ich, daß er sein Bestes tat, um die Kerle zu heilen.

«Ruf einen Krankenwagen!» sagte er über die Schulter zu mir. Ich lief zur nächsten Telefonzelle und wählte den Polizei-Notruf. Dann verließen wir den Schauplatz und gingen langsam zur Bushaltestelle.

Als ich zu Socrates hinüberblickte, sah ich Tränenspuren um seine Augen. Zum erstenmal, seit ich ihn kannte, sah er blaß aus und müde.

Auf der langen Fahrt nach Hause sprachen wir nichts. Mir war es recht, der Kopf tat zu weh. Als der Bus an der Kreuzung University Avenue/Shattuck hielt, stieg Soc aus und sagte: «Du bist herzlich eingeladen, nächsten Mittwoch in meinem Büro, auf ein paar Drinks ...» – er sah meinen gequälten Gesichtsausdruck – «Kräutertee! »

Ein paar Stationen weiter stieg ich aus. Mein Kopf brummte, als wolle er jeden Moment explodieren. Oder als hätten wir den Kampf verloren und die Gangster prügelten mir noch immer auf die Birne. Die paar Schritt nach Hause bemühte ich mich, die Augen möglichst geschlossen zu halten. So ähnlich müssen sich Vampire fühlen! dachte ich. Sonnenlicht kann tödlich sein.

Unser von Alkohol umnebelter Streifzug hatte mich zwei Dinge gelehrt: Erstens war es für mich nötig gewesen, einmal ganz loszulassen und mich gehenzulassen. Und zweitens traf ich eine bewußte Entscheidung – nie wieder Trinken! Der Preis war zu hoch. Außerdem war der Spaß gleich Null, verglichen mit dem freudigen Lebensgefühl, das sich mir nun auftat.

Das Training am Montag, das beste seit Monaten, bestärkte mich in der Überzeugung, daß ich körperlich und geistig ganz werden würde. Mein Bein heilte besser, als ich je zu hoffen gewagt hatte. Ob es damit zu tun hatte, daß dieser wunderbare Mann mein Leben in die Hand genommen hatte?

Auf dem Heimweg war ich so überwältigt von Dankbarkeit, daß ich mich hinknien mußte – und die Erde streicheln. Ich hob eine Handvoll Staub auf und richtete den Blick empor zum smaragdgrün leuchtenden Laub der Alleebäume. Einen wunderbaren Moment lang schien ich wie mit der Erde verwachsen. Und dann spürte ich – zum erstenmal seit Kindertagen – die Anwesenheit jener lebenspendenden Macht ohne Namen.

Sofort funkte mein analytischer Verstand dazwischen: Aha, das ist jetzt eine spontane naturmystische Erfahrung! Und schon war der Bann gebrochen. Schon kehrte ich ins allgemeine Erdenlos zurück, war wieder ein normaler Alltagsmensch, mit einer Handvoll Straßenstaub unter einer Ulme stehend. Verwirrt und leicht schläfrig ging ich in meine Wohnung hinauf und war bald eingeschlafen.

Dienstag war für mich ein Tag der Stille – der Stille vor dem Sturm, wie sich zeigen sollte.

Am Mittwoch stürzte ich mich mit gewohntem Eifer in den Schulbetrieb. Die Heiterkeit und Gelassenheit, von der ich geglaubt hatte, sie sei nun beständig bei mir, wich alsbald alten Ängsten und Begierden. Und dies nach all der Disziplin, der ich mich unterworfen hatte. Ich war enttäuscht.

Dann aber kam etwas Neues über mich. In mir erwachte ein Gefühl, eine Erkenntnis, die sich in Worte kleiden ließ: ‹Alte Begierden werden dich immer plagen, vielleicht noch jahrelang. Doch die Begierden selber zählen nicht. Nur Taten zählen! Drum bleib beharrlich auf dem Wege, wie ein Krieger.›

Ob meine wanderfreudigen Gedanken mir wieder etwas vorgaukelten? Doch nein, es war ja kein Gedanke – es war Intuition, es war gefühlsmäßige Gewißheit. Es war, als wäre Socrates in mir, als spräche ein Krieger in meinem Inneren.

Am gleichen Abend lief ich zur Tankstelle, um Soc von meiner phantastischen Erkenntnis zu erzählen, und von jenem Gefühl der Gewißheit. Ich fand ihn in der Werkstatt, damit beschäftigt, einem zerbeulten Mercury eine neue Lichtmaschine einzusetzen. Er sah kurz auf, nickte und sagte: «Joseph ist heute gestorben.»

Ich mußte mich gegen die Tür lehnen. Mir wurde schwindlig bei der Nachricht von Josephs Tod – und bei Socs Gleichgültigkeit.

Endlich fand ich die Sprache wieder: «Wie ist er gestorben?»

«Oh, gut, nehme ich an», sagte Socrates lächelnd. «Er hatte Leukämie, weißt du? Joseph war schon lange krank. Hat ziemlich lange durchgehalten; ein guter Krieger, das war er.» Wohl sprach er liebevoll über den toten Freund, aber es klang beiläufig, ohne eine Spur von Trauer.

«Socrates, bist du nicht unglücklich? Ein bißchen wenigstens?»

Er legte den Schraubenschlüssel weg.

«Ach, das erinnert mich an eine Geschichte. Ich habe sie vor langer Zeit einmal gehört, über eine Mutter, die vom Schmerz über den Tod ihres Kindes überwältigt war.»

«Ich halte es nicht aus. Dieser Schmerz!» sagte die Frau zu ihrer Schwester.

«Schwester, hast du um deinen Sohn getrauert, bevor er geboren war?»

«Nein, natürlich nicht», sagte die unglückliche Frau.

«Also, dann brauchst du auch jetzt nicht um ihn zu trauern. Er ist nur dorthin zurückgekehrt, wo sein Ursprung liegt, wo er zu Hause war, bevor er zur Welt kam.»

«Socrates, ist diese Geschichte ein Trost für dich?»

«Hm, es ist eine gute Geschichte. Vielleicht erkennst du es mit der Zeit», erwiderte er, und seine Augen strahlten.

«Ich glaubte dich zu kennen, Socrates, aber ich hätte nicht gedacht, daß du so herzlos sein kannst.»

«Es gibt keinen Grund, unglücklich zu sein.»

«Aber Socrates, er ist fort.»

Soc lachte leise. «Vielleicht ist er fort, vielleicht nicht. Vielleicht war er nie hier.» Sein unbeschwertes Lachen erschreckte mich.

«Ich möchte dich verstehen, aber ich kann nicht. Wie kann man so gleichgültig sein, wenn ein Freund stirbt? Wirst du genauso empfinden, wenn ich einmal sterben muß?»

«Natürlich», sagte er. «Dan, es gibt Dinge, die du heute noch nicht verstehst. Nur eins will ich dir sagen: Der Tod ist ein Übergang, eine Umwandlung, eine Transformation ... vielleicht etwas einschneidender als die Pubertät. Aber er ist kein Anlaß zur Traurigkeit. Er ist nur eine der vielen Verwandlungen unseres Körpers. Kommt der Tod, dann kommt er eben. Ein Krieger sucht den Tod nicht, aber er flieht ihn auch nicht.»

Sein Gesicht wurde ernst: «Der Tod an sich ist nicht traurig. Das einzig Traurige ist, daß die meisten Menschen nie richtig gelebt haben.» Tränen stiegen Socrates in die Augen bei diesen Worten. Wir saßen stumm beieinander den Rest des Abends – zwei Freunde, in Schweigen vereint.

Und plötzlich war das GEFÜHL wieder da: Auf dem Heimweg, in einer stillen Seitenstraße, meldete sich jene intuitive innere Stimme und sprach: «Tragik ist für den Krieger etwas anderes als für den Narren.» Und nun wußte ich, Socrates war nicht traurig gewesen, denn für ihn hatte Josephs Sterben nichts Tragisches. Warum das so war, sollte ich erst Jahre später erkennen – in einer Höhle irgendwo tief in den Bergen.

Und doch konnte ich die Überzeugung nicht loswerden, daß ich – und auch Socrates – eines Tages, wenn der Tod nahte, jämmerlich vor dem Unvorstellbaren zittern würden. Mit diesem quälenden Gedanken fiel ich in einen bleischweren Schlaf.

Am andern Morgen aber hatte ich für mich eine Antwort gefunden. Socrates hatte einfach meine Erwartung nicht erfüllt. Statt dessen hatte er mir etwas anderes gezeigt, die Überlegenheit des Glücklichseins. Wie oft hatte ich vergeblich versucht, meinen Erwartungen oder denen anderer gerecht zu werden. Seine Gelassenheit gab auch mir neue Kraft. Als Krieger wollte ich künftig handeln und denken, und wie ein Krieger das Leben verstehen.

Am Abend kam ich frohgemut ins Büro der Tankstelle und verkündete: «Socrates, ich bin bereit. Nichts kann mich mehr zurückhalten.»

Ein wütender Blick von ihm ließ mein in hartem Training aufgebautes Selbstgefühl zusammenschrumpfen wie einen Luftballon. Socrates flüsterte nur, aber seine Stimme klang tief zu mir durch: «Sei nicht so leichtfertig! Vielleicht bist du bereit, vielleicht nicht. Sicher ist nur eines – du hast nur noch wenig Zeit. Jeder Tag, der verstreicht, bringt dich um einen Tag näher an deinen Tod. Wir treiben hier keine Spielchen, hast du verstanden?»

War es der Wind, der dort draußen heulte? Socrates legte mir unverhofft die Hände an die Schläfen.

Ich kauerte im Gebüsch. Vor meinem Versteck, keine drei Meter entfernt, stand ein riesiger Schwertkämpfer. Er war über zwei Meter groß, und sein massiger, muskulöser Körper stank nach Schwefel. Sein Kopf, sogar die Stirn, war mit verfilztem Haar bedeckt; seine Augenbrauen tiefschwarze, riesige Striche in einem haßverzerrten Gesicht.

Feindselig musterte er einen jungen Schwertkämpfer, der ihm gegenüberstand. Und jetzt tauchten aus dem Nichts fünf genau identische Abbilder des Riesen auf, die den jungen Kämpfer umringten. Alle sechs lachten gleichzeitig los – ein dröhnendes, polterndes Lachen, tief aus dem Bauch. Mir wurde übel.

Der junge Kämpfer wandte den Kopf nach links, nach rechts, wie gehetzt schwang er sein Schwert, wie rasend sprang er vor und zurück, wich gebückt aus, ließ seine Klinge hierhin und dorthin zucken. Er hatte keine Chance.

Dumpf brüllend stürzten sich die Gespenster auf ihn. Hinter ihm sauste das Schwert des Riesen durch die Luft und hieb ihm einen Arm ab. Er schrie auf vor Schmerz, sein Blut spritzte, und mit einem letzten verzweifelten Anlauf stieß er sein Schwert blind in die Luft. Wieder blitzte das riesige Schwert, und des jungen Kämpfers Kopf fiel von den Schultern und rollte über den Sand – einen Ausdruck des Entsetzens auf dem entstellten Gesicht.

«Ohhh», stöhnte ich unwillkürlich. Ich mußte mich übergeben. Der Schwefelgestank betäubte mich. Da schloß sich ein eisenharter Griff um meinen Arm und zerrte mich aus meinem Versteck im Gebüsch und schleuderte mich zu Boden. Ich schlug die Augen auf – und sah, nur Zentimeter von mir entfernt, die toten Augen im abgeschlagenen Haupt des jungen Kriegers. Sie mahnten mich an mein Ende.

Und dann vernahm ich die dröhnende Stimme des Riesen: «Nimm Abschied vom Leben, junger Narr!»

Sein Hohn trieb mich zur Raserei. Ich sprang auf und ergriff das Schwert des gefallenen jungen Kriegers.

«Mich hat ein anderer schon einen Narren genannt – und das war, weiß Gott, ein besserer Mann als du!» Mit einem Kampfschrei stürzte ich auf ihn los.

Die Wucht seines Abwehrschlags riß mich aus dem Stand. Und plötzlich umringten mich ihrer sechs von seiner Sorte. Ich richtete mich auf und versuchte das Original von den Kopien zu unterscheiden, aber ich war mir nicht sicher. Die Gespenster fingen an zu singen, dumpf und dröhnend, tief aus dem Bauch. Ein schauerliches Totengeläut – während sie näher krochen.

Dann war das GEFÜHL wieder da, die Intuition sprach zu mir: «Dieser Riese verkörpert die Ursache all deiner Nöte und Schwierigkeiten. Er ist dein rastloses Denken. Er ist der Dämon, den du niederringen mußt. Laß dich nicht täuschen, wie der gefallene Kämpfer. Behalte ihn im Brennpunkt!»

Absurderweise gab mein Verstand seinen Kommentar dazu: ‹Verdammt komischer Zeitpunkt für eine Lektion!› Aber jetzt war ich hellwach für meine bedrohliche Situation, und eine eiskalte Ruhe ergriff mich.

Ich sank zurück, lag auf dem Rücken und schloß die Augen, als schickte ich mich in mein Los. Das Schwert aber hielt ich mit beiden Händen fest, ich hielt es flach auf der Brust, die Klinge an meine Wange geschmiegt. Diese Gespenster mochten meine Augen täuschen, nicht aber mein Ohr. Nur der echte Riese würde Geräusche machen beim Gehen. Und prompt hörte ich ihn hinter mir. Es gab für ihn nur zwei Möglichkeiten: fortgehen oder töten. Er entschied sich fürs Töten. Ich horchte gebannt. Im selben Moment, als ich sein Schwert durch die Luft sausen hörte, stieß ich mit aller Wucht meine Klinge nach oben. Ich spürte, sie traf und fuhr schneidend durch Stoff, Fleisch und Muskeln. Ein schauerlicher Schrei, und dann hörte ich einen Körper aufschlagen. Da lag der riesige Dämon hingestreckt, das Gesicht zum Boden gekehrt, meine Klinge ragte ihm aus dem Rücken.

«Diesmal wärst du beinah nicht zurückgekehrt», meinte Soc stirnrunzelnd.

Ich lief zur Toilette, wo ich mich gründlich übergab. Bis ich wiederkam, hatte Socrates Kamillentee mit Süßholz zubereitet: «Gut für Magen und Nerven», sagte er.

Ich wollte Soc mein Abenteuer von Anfang bis Ende erzählen, aber er fiel mir ins Wort: «Ich war hinter dir im Gebüsch versteckt und habe alles beobachtet. Einmal mußte ich beinah niesen. Zum Glück konnte ich's unterdrücken. Ich hätte wenig Lust gehabt, Bekanntschaft mit diesem Grobian zu machen. Einen Moment fürchtete ich zwar, ich müßte eingreifen – aber du hast dich tapfer geschlagen, Dan.»

«Hm, vielen Dank, Socrates», strahlte ich. «Ich ...»

«Andererseits hast du anscheinend den wichtigsten Punkt übersehen, was dich fast das Leben gekostet hätte.»

«Der wichtigste Punkt», unterbrach ich ihn, «war für mich die Schwertspitze des Riesen. Und diesen Punkt habe ich nicht übersehen!»

«Ist das wahr?»

«Socrates, ich habe mein ganzes Leben lang mit Gespenstern gekämpft, mit traurigen, quälenden, angstmachenden Gedanken.

Irgendwann hab ich mich entschlossen, ein Ziel zu suchen und nach Vervollkommnung zu streben. Aber das eine Problem, das mich überhaupt auf die Suche geschickt hat, habe ich nie verstanden: Während ich versuchte, alle Dinge zum Guten für mich zu wenden, war ich immer nur der Sklave meines eignen Denkens. Immer kreisten meine Gedanken um mich, um mich, um mich ... Der Riese war mein einziges echtes Problem. Er verkörpert mein Denken. Und, Socrates» – ich steigerte mich in Erregung, da mir die Tragweite meiner Tat erst jetzt bewußt wurde – «ich habe ihn niedergeschlagen!»

«Zweifellos», sagte er.

«Was wäre passiert, wenn der Riese gesiegt hätte? Was dann?»

«Sprich nicht davon», sagte er düster.

«Ich will es wissen. Wäre ich tatsächlich gestorben?»

«Wahrscheinlich», sagte er. «Zumindest wärst du verrückt geworden.»

Der Teekessel fing an zu pfeifen.

5
Der Weg in die Berge

Socrates goß dampfenden Tee in unsere beiden Becher. Dann hörte ich von ihm die ersten aufmunternden Worte seit Monaten: «Daß du im Duell mit den Schatten überlebt hast, ist der Beweis dafür, daß du weiterschreiten darfst zu dem einen Großen Ziel.»

«Was für ein Ziel?»

«Das wirst du erst wissen, wenn du dort bist. Inzwischen kannst du dein Training auf ein neues Gebiet verlagern.»

Etwas Neues, ein Zeichen des Fortschritts! Ich wurde ganz aufgeregt. Endlich kam Schwung in das Ganze. «Socrates», fragte ich, «welches neue Gebiet meinst du?»

«Ganz einfach, ab heute bin ich nicht mehr dein Antwortenroboter. Du wirst die Antwort auf deine Fragen selbst finden müssen.

Am besten fang gleich damit an. Geh hinaus, hinter die Tankstelle. An der Mauer am Ende des Hofes liegt ein großer flacher Stein. Setz dich dorthin und bleib sitzen, bis du mir etwas Wesentliches zu sagen weißt.»

Ich wartete. «Ist das alles?»

«Das war's. Setz dich nur hin, öffne dein Herz für dein eigenes, inneres Wissen.»

Ich ging hinaus, fand auch prompt den Steinbrocken und saß dann in der Dunkelheit da. Anfangs gingen mir allerlei krause Gedanken durch den Kopf. Dann versuchte ich mich an alle wichtigen Ideen und Konzepte, die ich in den Jahren meines

Studiums gelernt hatte, zu erinnern. So verging eine Stunde, zwei Stunden, drei. Es war noch lang hin bis Sonnenaufgang, und ich fing an zu frieren. Mir fiel meine ‹innere Sauna› ein – ich atmete langsam und tief, und konzentrierte mich. Bald spürte ich ein warmes Gefühl im Magen, und schon ging es mir besser.

Im Osten dämmerte es. Das einzig Wesentliche, was ich Socrates nach meiner Nachtwache zu erzählen wußte, war eine Erkenntnis, die mir mal während einer Psychologie-Vorlesung gekommen war. Steif und mit schmerzenden Knochen stand ich auf und humpelte ins Büro, wo Soc friedlich – und im Warmen – an seinem Schreibtisch saß.

«Ah, so bald schon? Na, was ist es?»

Fast war es mir peinlich, es auszusprechen, aber ich hoffte, er würde damit zufrieden sein. «Also gut, Socrates. Über alle scheinbaren Unterschiede hinweg, haben wir Menschen alle die gleichen Wünsche und Nöte. Wir befinden uns alle auf dem gleichen Weg – und wir sollen einander führen. Diese Einsicht kann helfen, Sympathie für die anderen zu empfinden.»

«Gar nicht schlecht. Zurück auf den Stein.»

«Aber es wird schon hell. Gleich ist deine Schicht zu Ende.»

«Kein Problem», grinste er. «Ich bin sicher, bis heute abend ist dir etwas eingefallen.»

«Heute abend, ich ...» Er deutete stumm zur Tür.

Auf meinem Stein der Weisen hockend, Schmerzen am ganzen Körper, dachte ich zurück an meine Kindheit. Ich durchforschte meine Vergangenheit, suchte nach irgendwelchen bedeutenden Einsichten. Und ich versuchte all das, was mir in den letzten Monaten mit Socrates klargeworden war, in einem einzigen, treffenden Sinnspruch zusammenzufassen.

Aber ich mußte auch an die Vorlesungen denken, die ich versäumte, an das verpaßte Training und an die Ausrede, die ich meinem Trainer würde erzählen müssen. Na, vielleicht sollte ich ihm erklären, ich hätte den ganzen Tag hinter 'ner Tankstelle auf einem Stein gehockt. Das klang verrückt genug, um ihn zum Lachen zu bringen.

Mit quälender Langsamkeit kroch die Sonne über den Himmel. Die Abenddämmerung brach herein, und ich saß immer noch dort, hungrig, sauer, und zuletzt deprimiert. Mir war nichts eingefallen, was ich Socrates sagen könnte. Dann endlich, kurz bevor seine Schicht anfing, hatte ich die Erleuchtung: Was er von mir verlangte, war etwas Tieferes, eine Einsicht von kosmischer Bedeutung! Ich zerbrach mir den Kopf mit doppeltem Eifer.

Irgendwann sah ich ihn zur Tankstelle kommen. Er winkte mir zu. Ich zog den Kopf zwischen die Knie und grübelte, grübelte ... Gegen Mitternacht hatte ich's endlich.

Steifbeinig schlurfte ich ins Büro hinüber und verkündete: «Also, ich habe die sozialen Masken der Menschen durchschaut, ich habe ihre Ängste und Schwierigkeiten gesehen – und das hat mich zynisch gemacht. Denn es gelang mir nicht, die Kleinlichkeit der Menschen zu verzeihen und das Licht in ihnen zu erkennen.» War das nicht eine Erkenntnis, die sich sehen lassen konnte?

«Hervorragend!» rief Socrates. «Aber nicht genau das, was ich mir vorgestellt hatte. Weißt du nichts Welterschütternderes zu sagen?»

Ich heulte auf vor Wut – Wut auf niemand Bestimmten – und stapfte wieder hinaus zu meinem Schicksalsstein.

Etwas Welterschütterndes! hatte er gesagt. War das ein Fingerzeig? Wieder begann ich, meine Erinnerungen zu durchforschen:

Im Training hatte ich unlängst einen neuen Abgang aus der Riesenwelle am Hochreck einstudiert, dabei den Griffwechsel verpatzt und – beinah – eine böse Bruchlandung gemacht. Beinah, denn bevor ich am Boden aufschlug, fingen mich Sid und Herb, die neuerdings wie Glucken über mich wachten, aus der Luft und setzten mich sacht auf die Füße. «Vorsichtig, Dan», mahnte Sid. «Willst du dir nochmal das Bein brechen, bevor es ganz ausgeheilt ist?»

Doch was konnten mir solche Erlebnisse für meine jetzige Situation nützen? Ich gab's auf und hoffte, daß das GEFÜHL mich vielleicht leiten würde. Aber, nichts. Inzwischen war ich vom langen Sitzen so verkrampft, daß ich mich nicht mehr konzentrieren konnte. Ob es gegen die Spielregeln verstieß, wenn ich mich auf meinen Stein stellte und ein paar Tai Chi-Übungen machte – jene langsame chinesische Form der Meditation in Bewegung, die ich von Soc gelernt hatte?

Wie ich die Knie beugte und mich anmutig vor- und zurückbewegte, jede Drehung aus den Hüften heraus, die Arme durch die

Luft fließend, ließ ich mich einfach von meinem Atem führen und ließ ihn die Gewichtsverlagerungen machen. Mein Kopf wurde leer, und plötzlich stand eine Szene vor meinem inneren Auge.

Vor ein paar Tagen war ich langsam, mein Bein schonend, zum Provo Square gejoggt, einem Platz im Zentrum von Berkeley, zwischen City Hall und Berkeley High School. Zur Lockerung der Muskeln machte ich dort Tai Chi-Übungen, ich wiegte mich hin und her, ich konzentrierte mich auf die weichen Bewegungen und das Gleichgewicht und fühlte mich wie ein Stück Seetang in der Dünung.

Ein paar junge Leute von der High School blieben stehen und schauten neugierig zu, aber ich beachtete sie nicht und ließ konzentriert meine Bewegungen fließen. Als ich weiterlaufen wollte und mich bückte, um meine Trainingshose wieder über die Shorts zu streifen, meldete sich selbstbewußt mein Alltagsbewußtsein: Möchte mal wissen, ob ich eine gute Figur gemacht habe? Zwei hübsche Mädchen, die mich kichernd beobachteten, fesselten meine Aufmerksamkeit. Schätze, die sind beeindruckt! dachte ich – und fuhr mit beiden Beinen in ein Hosenbein. Ich strauchelte und plumpste auf den Hintern.

Die Schülerinnen lachten schallend, und andere fielen in das Gelächter ein. Ich war verlegen, aber nicht lange. Ich ließ mich auf den Rücken fallen und konnte herzlich mitlachen.

Welche Bedeutung, so fragte ich mich, immer noch auf meinem Stein balancierend, mochte dieser kleine Zwischenfall haben? Und auf einmal wußte ich, daß ich Socrates etwas Wesentliches zu sagen hatte.

Ich lief ins Büro hinüber, beugte mich vor Eifer über den Schreibtisch und platzte heraus: «Es gibt keine alltäglichen Momente.»

Socrates lächelte: «Willkommen, wieder zu Hause!» Ich ließ mich auf das Sofa fallen, und er machte Tee.

Von nun an war jeder Moment beim Training etwas Besonderes für mich. Ob auf der Bodenmatte oder an den Geräten in der Luft schwebend – immer war ich mit vollster Aufmerksamkeit dabei. Die Bewußtheit des JETZT-Moments, das war es, was ich gelernt hatte. Doch ich würde noch weitere Lektionen lernen müssen. Denn wie Soc mir mehr als einmal erklärt hatte, verlangte die Fähigkeit, alle Momente des Alltags mit gleicher, rasiermesserscharfer Aufmerksamkeit wahrzunehmen, eine ständige Übung in dieser Lebenskunst.

Gleich am nächsten Tag, vor dem Nachmittagstraining, wollte ich den strahlenden Sonnenschein ausnutzen und setzte mich mit nacktem Oberkörper unter die Red Wood-Bäume am Rande des Campus, um eine halbe Stunde zu meditieren. Noch keine zehn Minuten saß ich in tiefer Betrachtung versunken, da packte mich jemand am Genick und rüttelte mich. Reflexhaft ließ ich mich zur Seite rollen und sprang auf.

«Socrates! Manchmal hast du wirklich keine Manieren!»

«Aufwachen!» rief er. «Genug geträumt. Es gibt viel zu tun, und die Arbeit ruft.»

«Mittagspause – versuchen Sie's bei 'nem andern Kollegen», witzelte ich.

«Auf, beweg dich, alter Häuptling Sitting Bull. Geh, hol deine Rennschuhe und sei in zehn Minuten wieder da!»

Ich lief schnell nach Hause, zog mich um und joggte zurück zu dem Wäldchen. Socrates war nirgends zu sehen ...

Und dann entdeckte ich sie.

«Joy!»

Sie war angetan mit satinblauen Sprinter-Shorts, einem am Bauch verknoteten T-Shirt und den superschnellen Tiger-Schuhen. Ich sprang auf sie zu und umarmte sie. Ich lachte, ich versuchte sie zu packen und in die Luft zu werfen – aber sie war nicht so leicht aus dem Stand zu heben. Ach, ich wollte mit ihr reden, endlich mein Herz ausschütten und ihr von meinen Gefühlen erzählen, von meinen Zukunftsplänen ... «Zum Reden ist später noch Zeit genug, Danny», sagte sie. «Jetzt komm.»

Sie brachte mir eine trickreiche Aufwärm-Übung bei, eine Mischung von Tai Chi, Visualisierung, Gymnastik und Bewegungsrhythmus. «Um Geist und Körper zu lockern», lachte sie. Nach ein paar Minuten fühlte ich mich federleicht und voll Energie.

«Auf die Plätze, fertig – los!» rief Joy ohne Vorankündigung, und weg war sie, auf und davon über den Campus, in Richtung der Hügel am Strawberry Canyon. Ich hinterher, keuchend und schnaufend. Nach meiner langen Schonzeit war ich noch nicht in Form fürs Laufen. Ich fiel immer weiter zurück. Ärgerlich versuchte ich einen Sprint, meine Lungen brannten. Weit vorn, auf einer Anhöhe, war Joy stehengeblieben und schaute mir aufmunternd entgegen. Ich bekam kaum noch Luft, als ich bei ihr anlangte.

«Was trödelst du so lang, Alter?» lachte sie, die Fäuste in die Hüften gestemmt. Und weg war sie wieder, den Canyon hinauf, in Richtung der Feuerwehrschneisen, schmalen Wegen, die sich durchs Hügelgelände schlängeln. Schwer stampfend folgte ich ihr, verbissen quälte ich mich, ich gab nicht auf, ich war entschlossen, sie schließlich doch noch abzuhängen.

Droben bei den Feuerschneisen verlangsamte sie ihr Tempo und hielt nun eine etwas menschlichere Gangart ein. Aber am Ende der unteren Schneise – o Gott! – kehrte sie nicht um, nein, mit einem Zwischenspurt schoß sie quer übers Feld, weiter die Hügel hinauf ...

Ich schickte einen Stoßseufzer zum Himmel, als sie vor dem «Konnex» halt machte – einer tödlich steilen Strecke, die das untere Schneisensystem mit dem oberen verband. Lässig trabten wir jetzt nebeneinander eine abschüssige Wegstrecke hinab. «Danny», fing sie an zu sprechen, «Socrates will, daß ich dich in einen neuen Abschnitt deines Trainings einführe. Meditation ist eine gute Sache. Aber schließlich muß man die Augen aufmachen und die Welt sehen. Das Leben des Kriegers», fuhr sie fort, «ist kein geduldiges Dasitzen. Es ist Bewegung und Erfahrung. Es ist – so sagt Socrates – ein Weg der Aktion. Und *Aktion*», lachte sie, «das sollst du haben, mein Lieber!»

«Ja, ich weiß», sagte ich, den Blick nachdenklich in die Ferne gerichtet, «das ist auch der Grund, warum ich im Sport so intensiv trainiere ...»

Als ich mich – Zustimmung heischend – nach Joy umschaute, sah ich gerade noch ihre zierliche Gestalt in der Ferne verschwinden.

Am Nachmittag, in der Halle, fühlte ich mich völlig ausgepumpt. Mit schmerzenden Knochen lag ich auf der Matte und machte Streckübungen – und nochmals Streckübungen, als Hal, unser Trainer, zu mir herüberkam und frozzelte: «Sag mal, Danny, willst du dich den ganzen Nachmittag faul auf der Matte strecken? Es gibt nämlich noch einen gewissen Sport, genannt ‹Kunstturnen›, und da drüben steh'n zufällig ein paar Geräte frei!»

«Okay, Hal», grinste ich. Zum Anfang versuchte ich ein paar ganz leichte Sprünge, um mein Bein zu testen. Joggen ist eine Sache, Springen eine andere. Wenn die Füße aufs Sprungbrett knallen und den Körper zum gehechteten Flug über den Bock schnellen, kann es Belastungen bis zu sechshundert Pfund auf die Fußgelenke geben. Aber ich staunte, es ging. Von diesem neuen Erfolg beflügelt, probierte ich am gleichen Tag auch zum erstenmal meine ‹Trampolinbeine› wieder aus – federnd in die Luft schießend, Salto schlagend, Schrauben und Rollen ... «Jipppiiiie!» schrie ich vor Begeisterung.

Pat und Dennis, die Kameraden am Trampolin, riefen: «He, Dan, willst du die Sache nicht langsam anlaufen lassen? Du weißt, dein Bein ist noch nicht ganz verheilt!» Was würden sie erst sagen, lachte ich innerlich, wenn sie von meinem 5-Meilen-Geländelauf am Nachmittag wüßten!

Abends, auf dem Weg zur Tankstelle, war ich so müde, daß ich kaum die Augen offenhalten konnte. Aus der kühlen Oktobernacht rettete ich mich in das gemütlich warme Büro – auf ein Täßchen Tee hoffend, und ein anregendes Gespräch. Ich hätte es besser wissen sollen!

«Komm, sieh mir zu», sagte Socrates. «Stell dich so hin wie ich, Knie halb gebeugt, Hüften nach vorn, die Schultern zurück, die Hände vorgestreckt.» Er stand in einer Haltung als hielte er einen unsichtbaren Medizinball in den Händen. «Und jetzt bleibst du so stehen, während ich dir ein paar Kleinigkeiten über richtiges Training erzählen will.»

Er setzte sich an seinen Schreibtisch und beobachtete mich. Nach kürzester Zeit in dieser unbequemen Haltung taten mir die Beine weh. Meine Knie fingen an zu zittern. «Wie lange noch soll ich so stehenbleiben?» stöhnte ich.

«Du bewegst dich recht gewandt», sagte er, meine Frage überhörend, «verglichen mit dem Durchschnitt der Menschen. Trotzdem ist dein Körper voller Blockierungen und Knoten. Du hast zuviel Spannung in deinen Muskeln, und verspannte Muskeln verbrauchen mehr Energie. Du mußt also vor allem lernen, deine aufgestauten inneren Spannungen freizusetzen.»

«Es tut weh!» jammerte ich, mit den Knien schlotternd.

«Es tut nur weh, weil deine Muskeln hart sind wie Stein.»

«Okay, du hast es mir jetzt gesagt!»

Socrates nickte mir zu und ging hinaus. Mich ließ er einfach stehen – die Knie gebeugt, die Arme ausgestreckt, zitternd vor Anstrengung und schwitzend. Als er wieder hereinkam, trug er einen verwilderten grauen Kater im Arm, der ganz danach aussah, als hätte er schon allerhand Kämpfe in vorderster Front bestanden.

«Sieh mal, du brauchst Muskeln wie diese Katze», sagte er, «damit du dich bewegen kannst wie *wir*!» Er kraulte das schnurrende Katzentier hinter den Ohren.

Mir standen Schweißperlen auf der Stirn. Der ziehende Schmerz in Schultern und Oberschenkeln war unerträglich. «Rührt euch!» kommandierte Socrates endlich lachend. Erleichtert richtete ich mich auf, wischte mir mit dem Ärmel die Stirn und schlenkerte meine Gelenke aus.

«Komm rüber», sagte Soc, «und stell dich mal dieser Katze vor.» Sie schnurrte genüßlich unter Socrates' kraulenden Fingern.

«Wir beide werden jetzt deine Trainer sein, nicht wahr, Pussy-Cat?» Die Katze miaute, und ich streckte die Hand aus, um sie zu streicheln.

«Drück mal in ihre Muskeln, langsam, bis auf den Knochen.»

«Vielleicht tut's ihr weh?» zögerte ich.

«Drück fest!»

Ich drückte und drückte immer tiefer ins Muskelfleisch, bis ich den feinen Knochen spürte. Die Katze beäugte mich neugierig und schnurrte friedlich weiter.

«So, und jetzt drück mal meine Wadenmuskeln», sagte Soc.

«Oh nein, das könnte ich nie», witzelte ich. «So gut kennen wir uns auch wieder nicht.»

«Los, mach schon, du Quatschkopf.» Ich drückte und spürte zu meinem Erstaunen, daß seine Muskeln sich genauso anfühlten wie die der Katze – wie festes Gelee.

«Und jetzt du», sagte er und bückte sich, um meine Wadenmuskeln zu drücken.

«Autsch!» winselte ich. «Hab immer geglaubt, harte Muskeln wären was Gutes – und ganz normal.»

«Sie sind normal, Dan, aber du mußt schon mehr bringen als das Normale, Alltägliche oder Vernünftige. Das Reich der Krieger liegt jenseits des Durchschnitts. Und das wolltest du doch – über den Durchschnitt hinauswachsen, oder? Du wolltest überdurchschnittlich sein im Reich des Durchschnitts – jetzt hast du die Chance, guter Durchschnitt zu werden im Reich des Überdurchschnittlichen.»

Ein letztesmal streichelte Soc die Katze und setzte sie dann vor die Tür. Sie strich noch ein Weilchen umher, dann verschwand sie lautlos und selbstbewußt – neuen Katzenkämpfen entgegen!

Socrates fing an, mich in weitere Feinheiten des Körpertrainings einzuweihen. «Du weißt inzwischen, wie sich Spannungen aus dem Denken in den Körper fortpflanzen», sagte er. «Jahrelang hast du Kummer und Ängste, lauter Gedanken-Müll, in dir angesammelt. Weg damit! Jetzt wird es Zeit, daß du die alten Spannungen loswirst, die sich in deinen Muskeln festgesetzt haben.»

Soc warf ein Paar Sprinter-Shorts über den Tisch und befahl mir, hineinzuschlüpfen. Als ich umgezogen wieder hereinkam, trug auch er Shorts und hatte ein weißes Laken auf den Teppich gebreitet. «Was machst du aber», fragte ich besorgt, «falls ein Kunde zum Tanken kommt?» – Er zeigte mit dem Kopf zu seinem Overall, der neben der Tür hing.

«So, jetzt paß auf, was ich mache, und mach's mir genau nach.» Und er fing an, seinen linken Fuß mit einem wohlriechenden Öl einzureiben, sorgfältig massierend, den Rist, den Spann, die Seiten und dann die Sohle und zwischen den Zehen – den ganzen Fuß drückend, quetschend, pressend, auseinanderziehend.

«Du mußt die Knochen massieren, nicht nur das Fleisch und die Muskeln. Grab deine Finger tiefer hinein», sagte er. So brauchten wir eine halbe Stunde, bis wir mit dem linken Fuß fertig waren. Dann kam der rechte dran. Und dann alle anderen Körperteile, einer nach dem andern. Ich lernte Tatsachen über meine Muskeln, die ich – ein Leistungssportler! – noch nicht gewußt hatte. Ich spürte die Sehnen, die Formen der Knochen und die genial konstruierten Gelenke. Der menschliche Körper – das größte Wunder der Welt!

Socrates mußte etliche Male schnell seinen Overall überstreifen, wenn die Tankstellenglocke ihn zur Pflicht rief. Ansonsten blieben wir ungestört bei unserem seltsamen Treiben. Als ich nach fünf Stunden wieder in meine Kleider schlüpfte, da war mir, als sei ich zugleich in einen neuen Körper geschlüpft.

«Dein Körper ist jetzt von vielen alten Ängsten gereinigt», meinte Soc, wieder einmal von draußen hereinkommend. «Nimm dir jede Woche die Zeit und wiederhole diese Massage, mindestens ein halbes Jahr lang. Achte besonders auf deine Beine. Und bearbeite die Stelle deiner Verletzung zwei Wochen lang jeden Tag.»

«Noch mehr Regeln, noch mehr Vorschriften», stöhnte ich innerlich. Draußen war es allmählich hell geworden. Ich gähnte. Es war Zeit für mich. Schon in der Tür, rief Socrates mir hinterher, ich solle ihn nachmittags bei den Feuerwehrschneisen erwarten, um Punkt ein Uhr.

Ich kam zu früh. Kein Socrates in Sicht, also machte ich faul ein bißchen Aufwärmgymnastik. Ich fühlte mich leicht und lokker nach dieser ‹Knochenmassage›, doch der entgangene Schlaf machte sich noch bemerkbar. Inzwischen fing es auch an zu nieseln! Ich hatte keine Lust, bei diesem Wetter durch die Gegend zu rennen – egal mit wem. So blieb ich stehen und schaute mich um. Ich hörte ein Rascheln. Ob vielleicht ein Reh aus dem Dickicht treten würde?

Nein – aus den Büschen kam Joy gesprungen, anzusehen wie eine Elfenprinzessin, mit ihren sattgrünen Shorts, ihrem zitronengelben Sweater, auf dem violett die Worte prangten: «Glücklichsein ist ein voller Tank!» Sicherlich ein Geschenk von Socrates.

«Bevor wir losrennen, Joy, wollen wir uns hinsetzen und miteinander reden», flehte ich. «Es gibt so vieles, was ich dir erzählen muß.» Aber sie lächelte nur und sprintete los.

Als ich ihr mühsam um die erste Biegung folgte – ich spürte den Muskelkater und die Schwäche von gestern in den Beinen –, glitt ich aus und flog beinah längelang in den Matsch. Die Luft ging mir aus, und in meinem rechten Bein pochte verdächtig der

Schmerz. Aber ich klagte nicht. Ich war dankbar, daß Joy heute ein menschlicheres Tempo vorlegte.

Bald waren wir, schweigend nebeneinander laufend, am Ende der unteren Schneise angelangt. Ich schnaufte wie eine Lokomotive und war am Ende meiner Kraft. Ich wollte schon aufgeben und umkehren, da rief sie: «Los, jetzt oder nie!» Und mit kurzen Schritten federte sie den steilen ‹Konnex› hinauf. Nie und nimmer! jammerten meine gequälten Beine. Dann aber sah ich Joy, wie sie lässig, als sei es ganz eben, das Steilstück hinauftrabte.

Mit einem Wutschrei stürzte ich los. Ich muß ausgesehen haben wie ein besoffener Gorilla, wie ich gebückt draufloshumpelte, keuchend und grunzend, immer zwei Schritte vor und einen zurückrutschend – aber ich schaffte die Steigung!

Endlich ging es wieder geradeaus. Und da stand auch Joy, an einem feuchten Tannenzweig schnuppernd, und sie sah friedlich und glücklich aus wie ein Bambi. Luft! flehte meine Lunge.

«Ich hab 'ne Idee», japste ich. «Komm, laß uns den Rest der Strecke langsam gehen – nein, laß uns *kriechen*, damit wir miteinander reden können. Wäre doch gut, meinst du nicht?»

«Auf, weiter», lachte sie.

Jetzt aber hatte es mich gepackt. Das konnte ich nicht auf mir sitzen lassen! Bis ans Ende der Welt würde ich sie hetzen und ihr beweisen, wer Sieger blieb. Ich trampelte blindwütig durch Pfützen, stolperte fluchend über Wurzeln, kugelte fast den Hügel hinunter ... «Gottverdammt-und-zugenäht!» Meine Worte waren ein flüsterndes Krächzen.

Ein kleines Hügelchen quälte ich mich hinauf, als wären's die Rocky Mountains. Und da sah ich – weit vor mir – Joy: Sie hatte sich hingehockt und spielte mit den wilden Kaninchen. Als ich angestolpert kam, hüpften sie erschreckt ins Gebüsch. Joy strahlte mich an und sagte: «Ach, da kommst du ja endlich.»

Mit letzter Kraft sprintete ich los und konnte an ihr vorbeiziehen, dann aber flog sie locker an mir vorbei und verschwand wieder in der Ferne.

Wir hatten dreihundert Höhenmeter geschafft. Tief unter mir sah ich Berkeley. Ich war aber nicht in Stimmung, die Aussicht über die Bucht zu genießen. Ich war einer Ohnmacht nah. Im Geiste sah ich mich schon auf diesem Hügel begraben, unter einer

Tafel mit dem Spruch: «Hier ruht Dan Millman – jung gestorben, nichts verdorben.»

Der Regen pladderte heftiger, ich trabte dahin wie in Trance – gebückt, stolpernd, die Beine mühsam nachschleppend. Meine Jogging-Schuhe kamen mir vor wie Eisenstiefel. Nach einer Wegbiegung sah ich vor mir eine Steigung, die mir geradezu senkrecht vorkam. Nein! lehnte sich mein Kopf wieder auf, und mein Körper streikte. Aber dort, auf der Hügelkuppe, Fäuste herausfordernd in die Hüften gestemmt, wartete Joy.

Irgendwie ließ ich mich nach vorne kippen, irgendwie zog ich rechtzeitig meine Beine nach, irgendwie ging es weiter, hartnäkkig auch die letzten Schritte hinauf, bis ich blind vor brennendem Schweiß in den Augen mit Joy zusammenstieß.

«Wow», lachte sie. «Du bist fertig, Junge. Erledigt, was?»

«Das – kannst – du – laut – sagen», stieß ich fliegenden Atems hervor.

Den Rückweg bergab schlenderten wir langsam dahin, und endlich hatte ich Gelegenheit, mit Joy zu reden: «Solche Anstrengungen scheinen mir unnatürlich. Weißt du, Joy, ich war nicht vorbereitet auf solche Distanzen. Ich glaube, so etwas schadet dem Körper.»

«Du hast recht», sagte sie. «Dies war ja keine Probe für deinen Körper, sondern für deinen Mut. Um zu sehen, ob du weitermachen würdest – nicht nur diesen Berg hinauf, sondern bei deinem Training. Hättest du aufgegeben, dann wär's das Ende gewesen. Aber du hast mit Glanz und Gloria die Prüfung bestanden.»

Der Wind frischte auf, und es goß jetzt in Strömen. Wir waren durchnäßt bis auf die Knochen. Joy blieb stehen und nahm meinen Kopf zwischen ihre Hände. Beiden flossen uns kleine Bächlein aus dem Haar, die Wangen hinunter. Ich legte den Arm um sie – angezogen von ihren leuchtenden Augen –, und wir küßten uns.

Neue Energie erfüllte mich. Ich mußte lachen, wie wir beide aussahen. Wie aus dem Wasser gezogene Katzen.

«Diesmal werd' ich dich abhängen», schwor ich. «Du hast keine Chance!»

Ich legte los und schaffte einen leidlichen Vorsprung beim Start. Aber dann ... Hol mich der Teufel! dachte ich. Natürlich hatte Joy wieder gewonnen.

Am Nachmittag lag ich neben Sid und Gary und Scott in der Halle und machte brav Streckübungen. Die warme Trainingshalle war eine willkommene Zuflucht vor dem Hundewetter draußen. Erstaunlicherweise hatte ich immer noch Kraftreserven – trotz diesem mörderischen Geländelauf!

Als ich allerdings abends ins Büro trat und meine Schuhe auszog, war diese Reserve erschöpft. Am liebsten hätte ich mich aufs Sofa fallen lassen, meine schmerzenden Knochen lang ausgestreckt und zwölf Stunden durchgeschlafen. Doch ich kämpfte dies Verlangen nieder und setzte mich, so gut es ging, Socrates gegenüber auf meinen Platz.

Was war das? dachte ich verblüfft. Socrates hatte das ganze Büro neu dekoriert! Fotos von Golfspielern, Skifahrern, Tennis-Cracks und Kunstturnern hingen an den Wänden. Auf dem Schreibtisch lagen ein Baseball-Handschuh und eine Football-Birne. Socrates trug sogar einen Pullover mit dem Aufdruck «Trainerteam – Ohio State University».

Während Socrates seinen «Hallo Wach»-Spezialtee aufbrühte, erzählte ich ihm von meinen Fortschritten im Turnen. Beifällig nickend hörte er zu. aber was er dann sagte, erstaunte mich:

«Kunstturnen kann mehr sein, als du bisher geglaubt hast. Um es zu verstehen, mußt du erkennen, weshalb akrobatische Leistungen dir Spaß machen.»

«Kannst du mir das genauer erklären?» fragte ich.

Er zog das Schreibtischfach auf und holte drei mörderish aussehende Dolche hervor. «Vergiß es», schnappte ich erschrocken. «Eigentlich brauche ich gar keine Erklärung!»

«Steh auf», sagte er. Und als ich stand, warf er lässig – rückhändig – ein Messer gegen meine Brust.

Ich sprang zur Seite und fiel aufs Sofa, während das Messer lautlos auf dem Teppich landete. Ich blieb geschockt liegen. Mein Herz klopfte Synkopen.

«Ganz gut, für den Anfang», meinte Soc anerkennend. «Nur hast du ein bißchen zu stark reagiert. Steh wieder auf und fang das nächste Messer aus der Luft.»

Der Teekessel fing an zu pfeifen – eine Galgenfrist! «Na», sagte ich, meine schwitzenden Hände reibend, «Tee-Pause.»

«Die läuft uns nicht weg», lachte er. «Schau mal her!» Und

Socrates warf eine blitzende Klinge hoch in die Luft, atemlos sah ich, wie sie sich drehte und senkrecht herabfiel. Soc folgte ihr mit der Hand, indem er seine Bewegung der fallenden Klinge anglich – und schon hatte er sie aufgefangen. Er packte den Griff fest mit Daumen und Zeigefinger, ihn wie in einer Zange haltend.

«So, jetzt versuch du es», sagte er. «Denk daran, wie ich das Messer gefangen habe. Auch wenn ich's an der Klinge erwischt hätte, hätte ich mich nicht geschnitten.» Er warf das zweite Messer nach mir. Etwas gelassener jetzt, machte ich einen Schritt zur Seite und streckte zaghaft die Hand aus. Das Messer landete auf dem Teppich.

«Wenn du das dritte fallenläßt, werde ich aus der Vorhand werfen!» kündigte er finster an.

Diesmal hielt ich den Blick exakt auf den Messergriff fixiert. Als es geflogen kam, packte ich zu. «He, ich hab's geschafft, ich hab es gefangen!»

«Sport ist doch wunderbar, was?» rief Socrates. Und mit Eifer gaben wir uns ein Weilchen ganz dem Fangen und Werfen hin. Dann machte er eine Pause.

«Jetzt will ich dir etwas über *Satori* erzählen, einen Begriff aus dem Zen. Satori ist der Seelenzustand des Kriegers. Man tritt ein ins Satori, sobald man frei von Gedanken und nur noch reine Aufmerksamkeit ist. Der Körper ist in Aktion, und doch entspannt und sensibel. Das Fühlen ist offen und frei. Satori ist das, was du vorhin erlebt hast, als das Messer geflogen kam.»

«Dies Gefühl kenne ich, Socrates», warf ich eifrig ein. «Besonders bei spannenden Wettkämpfen, wenn ich etwas riskiere. Dann bin ich so konzentriert, daß ich nicht mal den Beifall der Zuschauer höre.»

«Ja, genau. Das ist das Satori-Erlebnis», bestätigte er. «Und wenn du mich richtig verstehst, hast du nicht nur den wahren Sinn des Sports begriffen, sondern auch den wahren Sinn allen aktiven und schöpferischen Tuns, sei es Malen, Musik machen, Handwerk oder etwas anderes – alles sind Pforten zum Satori.

Du zum Beispiel bist fürs Turnen begeistert. Aber es ist nur die Verpackung für das Geschenk, das darinsteckt: das Satori. Der wahre Sinn des Turnens besteht darin, die Aufmerksamkeit und das Fühlen ganz auf das Tun zu konzentrieren. Wenn dir dies gelingt, kannst du Satori erreichen. Das ist der Augenblick der Wahrheit, wo dein ganzes Leben auf ein einziges Ziel ausgerichtet ist – wie der Samurai beim Zweikampf. Da heißt es: Aufmerksamkeit oder Sterben!»

«Wie auf dem Höhepunkt eines zweifachen Saltos.»

«Ja. Und aus diesem Grund ist auch das Turnen eine Kriegerkunst. Es ist ein Mittel, um Geist, Gefühl und Körper zu trainieren. Es ist eine Pforte zum Satori. Als letzten Schritt aber muß der Krieger die dabei erreichte Klarheit auf sein alltägliches Leben übertragen. Dann kann Satori zur Wirklichkeit werden für dich – zum wahren Schlüssel der Pforte. Erst dann werden wir beide ebenbürtig sein.»

Ich seufzte. «Die Möglichkeit scheint so fern, Socrates!»

«Wie du mit Joy diesen Berg hinaufgelaufen bist», sagte er, «hast du nicht wehleidig zum Gipfel hinaufgeschaut. Du hast direkt auf den Boden vor dir geschaut und einen Schritt nach dem andern gemacht. So funktioniert die Sache!»

«Wieder mal die Geschäftsbedingungen?»

Sein Lächeln war die ganze Antwort.

Ich gähnte. Socrates empfahl mir: «Sieh besser zu, daß du ein paar Stunden Schlaf erwischst. Dein Spezialtraining beginnt morgen früh, Punkt sieben Uhr, auf dem Sportplatz der Berkeley High School.»

Der Wecker rasselte um viertel nach sechs. Ich mußte mich mühsam aus dem Bett schleppen, den Kopf unters kalte Wasser halten und eine Weile am offenen Fenster tief durchatmen, bevor ich halbwegs erwachte.

Auf der Straße draußen war ich dann ganz munter. Langsam trabte ich die Shattuck hinunter, den Allston Way entlang und am YMCA-Haus vorbei, auf der Milvia-Street zum Sportplatz der High School, wo Socrates schon auf mich wartete.

Ich merkte gleich, daß er ein regelrechtes Trainingsprogramm für mich aufgestellt hatte. Es begann mit einer halben Stunde Stehen – in jener unerträglichen, knieschlotternden Haltung, die er mir in der Tankstelle gezeigt hatte. Dann nahmen wir ein paar Grundbewegungen der fernöstlichen Kampfkünste durch. «Die Budo-Künste lehren Harmonie – das Prinzip der Widerstandslosigkeit vor dem Angriff. Sieh dir die Bäume an, die sich dem

Wind beugen und dennoch stehen bleiben. Solch eine innere Haltung ist wichtiger als jede physische Technik.»

Mit seinen Aikido-Griffen warf Soc mich jedesmal auf den Rasen, und zwar mühelos – ganz gleich, wie sehr ich mich anstrengte, ihn aus dem Stand zu hebeln, ihn umzustoßen oder sogar ihm ein Bein zu stellen. «Nie sollst du gegen etwas ankämpfen», sagte er. «Wenn du gestoßen wirst, dann zieh. Wenn du gezogen wirst, dann stoße. Du sollst die natürliche Richtung des Angriffs erkennen und dich ihr beugen. Auf diese Weise vereinigst du dich mit der Kraft der Natur.» Seine Wendigkeit im Kampf war Beweis genug für seine Worte.

Die Zeit war schnell vergangen. «Wir sehen uns morgen wieder, gleicher Ort, gleiche Uhrzeit», sagte Socrates. «Bleib heute abend zu Hause und mach deine Übungen. Denke daran, deine Atemzüge so zu verlangsamen, daß eine Feder vor deiner Nase sich nicht bewegen würde.» Damit zog er ab, leicht dahinfliegend wie auf Rollschuhen. Ich lief heimwärts und fühlte mich so schwerelos, daß ich meinte, der Wind wehte mich vorwärts.

Beim Trainingspensum in der Halle versuchte ich anzuwenden, was ich gelernt hatte: ‹Die Bewegung von selber geschehen lassen›, hatte Soc gesagt, ‹nicht sie erzwingen!› Meine Riesenwelle am Hochreck rotierte wie von selbst. Am Barren schwang ich mich, weich über die Schultern abrollend, in einen Handstand nach dem andern. Bei den Scheren und Grätschen am Bock und am Pferd hatte ich ein Gefühl, als schwebte ich, von unsichtbaren Seilen an der Decke getragen. Und schließlich mein Lieblingsgerät – ich fand meine ‹Trampolin-Beine› wieder!

Soc und ich trafen uns jeden Morgen. Auf der Aschenbahn lief ich mit weitausgreifenden Schritten; er flog wie eine Gazelle neben mir dahin. Bei den Kampfübungen wurde ich jeden Tag lockerer, entspannter, und meine Reflexe wurden mit der Zeit blitzschnell.

Eines Tages, beim Warmlaufen, blieb Socrates plötzlich stehen. Er war so blaß, wie ich ihn nie gesehen hatte.

«Ich muß mich mal setzen», sagte er.

«Socrates – kann ich etwas für dich tun?» fragte ich besorgt.

«Ja,» preßte Soc hervor. «Lauf einfach weiter. Laß mich hier ruhig sitzen.» – Ich tat, was er mich geheißen, aber ich mußte mich immer wieder umschauen nach seiner reglosen Gestalt, wie er dort saß – aufrecht, stolz, mit geschlossenen Augen, aber irgendwie älter wirkend als sonst.

Seit Wochen war ausgemacht zwischen uns, daß ich für die Zeit des ‹Spezialtrainings› abends nicht zur Tankstelle kommen sollte. Doch ich rief an, um mich zu erkundigen, wie es ihm ging. Erleichtert vernahm ich Socs Stimme am Apparat.

«Na, wie geht's, Trainer?» fragte ich.

«Alles in Butter», lachte er. «Aber ich habe einen Assistenten engagiert. Er wird mich die nächsten Wochen vertreten.»

«Okay, Soc, paß gut auf dich auf!»

Am nächsten Tag sah ich meinen Assistenz-Trainer über den Sportplatz gelaufen kommen – und war mit einen Luftsprung bei ihm. «Joy!» rief ich und umschlang sie zärtlich und flüsterte ihr ins Ohr. Genauso zärtlich warf sie mich Hals über Kopf auf den Rasen. Damit nicht genug der Demütigung, schlug sie mich beim Toreschießen mit dem Fußball und knallte die Baseball-Bälle, die ich warf, fünfzig Meter über meinen Kopf hinweg. Egal, was wir machten – bei jedem Spiel siegte sie mühelos und ließ mich, den Sportweltmeister, vor Scham und Wut erröten.

Ich verdoppelte mein tägliches Übungspensum, ich trainierte konzentrierter denn je. Um vier Uhr morgens stand ich auf, übte Tai Chi, bis es dämmerte. Dann machte ich meinen Geländelauf durch die Hügel, bis ich Joy auf dem Sportplatz traf. Von meinem zusätzlichen Extra-Training ließ ich kein Wort verlauten.

Ihr Bild trug ich in mir, ob im Hörsaal oder beim Hallentraining. Ich wollte bei ihr sein, sie halten – aber zuerst mußte ich sie einfangen. Das höchste, worauf ich im Moment hoffen konnte, war, sie mit ihren eigenen Waffen zu schlagen und im Training zu besiegen.

Ein paar Wochen später tauchte Soc wieder auf dem Sportplatz auf. Wie früher liefen wir um die Wette, übten miteinander den harmonischen Bewegungsfluß des Tai Chi, führten mein ‹Spezialtraining› mit jedem Tag weiter.

«Socrates», rief ich einmal, Kopf an Kopf neben ihm laufend, «du bist ziemlich verschwiegen, was dein Privatleben anbelangt. Was machst du eigentlich, wenn wir nicht zusammen sind?»

Einen grinsenden Seitenblick in meine Richtung, schoß er drei

Meter vor und zog davon im Sprint um die Aschenbahn. Ich spurtete hinterher, bis ich wieder auf Hörweite herangekommen war.

«Willst du mir nicht antworten?»

«Nein», sagte er. Damit war das Thema abgeschlossen.

Als wir diesen Morgen mit Streckübungen und Meditation beendet hatten, kam Soc zu mir, legte mir den Arm um die Schulter und sagte: «Du warst ein williger und fähiger Schüler, Dan. Von nun an kannst du nach eigenem Plan und in eigener Verantwortung arbeiten. Übe soviel, wie du es für nötig hältst. Ich will dir ein kleines Geschenk machen, weil du es verdient hast. Ich werde dich im Kunstturnen trainieren.»

Ich mußte lachen. «*Du* willst *mich* trainieren? Im Turnen? Diesmal glaube ich, Soc, übernimmst du dich.»

Ich nahm auf dem Rasen kurz Anlauf, schnellte ab und schoß mit einem Flic-Flac rückwärts in den Handstand; drückte mich ab und kam mit einem hohen, abgezirkelten Schraubensalto in den Stand zurück.

Socrates trat heran und sagte: «Du weißt, das kann ich nicht.»

«Donnerwetter!» rief ich begeistert: «Endlich etwas, das ich besser kann als du!»

«Trotzdem habe ich gesehen», fuhr er ungerührt fort, «daß du die Arme mehr durchdrücken müßtest, wenn du zum Salto abhebst. O ja, und du nimmst beim Absprung den Kopf viel zu weit zurück.»

«Soc, alter Pokerspieler ... du hast recht», mußte ich zugeben. Denn ich wußte, ich *hatte* den Kopf zu weit zurückgebogen und auch meine Arme sollten besser durchgestreckt sein!

«Erst müssen wir an deiner Technik feilen, dann können wir an deiner inneren Einstellung arbeiten», sagte er und legte selbst einen Schraubensalto auf den Rasen. «Wir sehen uns nachher – in der Halle!»

«Socrates, wo denkst du hin? Ich hab doch schon einen Trainer. Und was werden Hal und die Kameraden sagen, wenn du in der Turnhalle aufkreuzt?»

«Na, du wirst dir schon etwas einfallen lassen.»

Allerdings, schwor ich mir, das würde ich tun!

Bei der Team-Versammlung, vor dem Nachmittagstraining,

erzählte ich Hal und den Jungs, daß mein exzentrischer Opa aus Chicago zu Besuch gekommen sei. Früher selbst Vereinsturner, wolle er mal seinem Enkel beim Turnen zuschauen. «Er ist ein netter alter Knabe», tönte ich, «wirklich noch ganz auf Draht. Leider bildet er sich ein, er sei ein erfahrener Trainer. Wenn ihr nichts dagegen habt ... ihr braucht nur ein bißchen nett zu ihm zu sein. Er blickt sowieso nicht ganz durch ... ihr wißt schon, was ich meine. Ansonsten wird er uns kaum beim Training stören.»

Die Gruppenstimmung war positiv. «Ach, übrigens», fügte ich noch hämisch hinzu: «Er hat es gern, wenn man ihn Marilyn nennt.» Nur mit Mühe konnte ich ein ernstes Gesicht wahren.

«Marilyn?» kam das ungläubige Echo der anderen.

«Jaja. Ich weiß, es klingt sonderbar, aber ihr werdet's verstehen, wenn ihr ihn erst mal kennengelernt habt.»

«Gut möglich, daß wir *dich* endlich verstehen werden, Dan. Sowas soll nämlich erblich sein.» Lachend gingen wir auseinander und fingen mit dem Aufwärmen an. Diesmal wagte sich Socrates auf mein Territorium vor, und ich würde es ihm beweisen! Ob ihm sein neuer Spitzname gefallen würde?

Ich plante eine kleine Überraschung für die Mannschaft. In letzter Zeit hatte ich mich beim Hallentraining zurückgehalten, und sie ahnten nicht, daß ich wieder so gut in Form war. Heute war ich sehr früh gekommen und schnurstracks ins Büro des Trainers gegangen. Er saß am Schreibtisch und kramte in seinen Papieren.

«Hal», sagte ich, «laß mich an den Universitäts-Meisterschaften teilnehmen.»

Mitleidig guckte er über den Brillenrand und meinte: «Du weißt doch, Dan, daß du noch nicht ganz in Ordnung bist. Ich habe mit dem Mannschaftsarzt gesprochen, und er sagt, dein Bein braucht noch mindestens drei Monate.»

«Hal», bat ich aufgeregt, ihn am Ärmel fassend, «ich schaffe es, und zwar jetzt! Ich habe zusätzlich trainiert, außerhalb der Halle. Gib mir eine Chance!»

Er zögerte. «Na gut, aber immer eine Disziplin nach der anderen. Wir werden ja sehen, wie's geht.»

Wir absolvierten das Aufwärmtraining an den Geräten: Aufschwung, Kippe, gehockter Absprung, Handstand ... Allmählich ging ich zu Bewegungsfolgen über, die ich seit einem Jahr nicht mehr geübt hatte. Aber die eigentliche Überraschung sparte ich mir für später auf.

Dann kam die erste Disziplin – Bodenturnen. Alle starrten erwartungsvoll zu mir herüber, während ich Aufstellung nahm und mich konzentrierte. Ob mein Bein es aushalten würde, fragten sich die Kameraden wohl.

Es klappte wie am Schnürchen. Zwei Flic-Flacs rückwärts, glattes Hochdrücken in den Handstand, Sprung auf die Füße und rhythmisches Ausfedern, dann die Tanzelemente und Pirouetten, die ich mir ausgedacht hatte, jetzt noch ein letzter himmelwärts fliegender Sprung und die weiche Landung nach doppeltem Salto. Ich stand auf der Matte, im Gleichgewicht, völlig beherrscht. Pfiffe und Applaus wurden laut. Sid und Josh tauschten verwunderte Blicke. «Wer ist denn bloß dieser Neue?» – «He, der sollte in unsere Mannschaft eintreten.»

Die nächste Disziplin – die Ringe. Josh kam als erster, dann Sid, Chuck und Gary. Und endlich war ich an der Reihe. Ich zog meine Handschützer straff, überzeugte mich noch einmal, ob die Bandagen fest an den Gelenken saßen, und sprang an die Ringe. Josh stoppte mein Pendeln und trat zurück. Meine Muskeln bebten vor Erwartung. Ich zog mich hoch und drückte und schob meinen Körper ins eiserne Kreuz.

Wie von fern drang erstauntes Raunen an mein Ohr, während ich weich auspendelte und wieder zu einem Aufschwung ansetzte. Dann drückte ich mich – Körper und Arme durchgestreckt – in den Handstand. «Gottverdammt!» entfuhr es Hal – der härteste Kraftausdruck, den ich je aus seinem Mund gehört hatte. Aus dem Handstand abschwingend, machte ich einen raschen Riesenumschwung und stoppte ihn ab, ohne zu zittern. Nach einem Abgang mit doppeltem Salto landete ich mit nur einem kleinen Seitenschritt. Keine schlechte Leistung!

Und so ging es weiter. Als ich auch die letzte Übung, wieder von Pfiffen und Beifallsgemurmel begleitet, absolviert hatte, entdeckte ich Socrates. Er saß ruhig in einer Ecke und lächelte mir zu. Anscheinend hatte er alles beobachtet. Ich winkte ihn heran.

«Jungs, ich stelle euch meinen Großvater vor», sagte ich. «Sid, Tom, Herb, Gary, Joel, Josh – Freunde, das ist ...»

«Freut uns, dich kennenzulernen, Marilyn», tönte es im Chor. Einen Sekundenbruchteil schaute Socrates verdutzt drein, dann sagte er: «Hallo, freut mich auch, euch kennenzulernen. Wollte mich mal überzeugen, mit was für Kerlen sich unser Danny rumtreibt.»

Die anderen grinsten. Anscheinend gefiel mein ‹Opa› ihnen.

«Hoffe nur, ihr findet's nicht komisch, daß ich Marilyn heiße», sagte er lässig. «Eigentlich heiße ich Merrill, aber der Spitzname ist aus der Schulzeit hängengeblieben. Hat Danny euch auch erzählt, wie wir *ihn* zu Hause nannten?»

«Nein», riefen sie neugierig kichernd. «Wie denn, sag?»

«Na, wenn er's euch nicht verraten hat, ich will ihn nicht in Verlegenheit bringen. Soll er's euch selbst sagen – falls er will.» Und zu mir sagte Socrates, der alte Fuchs, in vollem Ernst: «Du brauchst dich deshalb nicht zu schämen, Dan.»

Lachend und plaudernd zogen die anderen ab. «Good bye, Suzette!» «Mach's gut, Josephine!» «Bis später, Geraldine!» riefen sie mir nach.

«O verdammt, hör nur, was du angezettelt hast – Marilyn!» Wütend stapfte ich in den Duschraum.

Den Rest der Woche ließ Soc mich beim Training nicht aus den Augen. Ab und zu wandte er sich jemand anderem zu und gab ihm einen ausgezeichneten Rat, der sich immer bewährte. Ich staunte nur über seine Kenntnisse. So überaus geduldig er auf die anderen einging, so streng beurteilte er mich. Einmal – ich hatte eben die beste Übung am Pferd gezeigt, die mir jemals gelungen war – ging ich ganz glücklich weg und wickelte meine Bandagen ab. Socrates winkte mich heran. «Deine Übung war befriedigend», meinte er, «aber beim Abnehmen der Bandagen hast du eine schlappe Figur gemacht. Vergiß nicht, *jeden Moment* Satori!»

Nach der Übung am Hochreck sagte er: «Dan, du mußt noch lernen, dein Tun zu meditieren.»

«Was meinst du damit, mein Tun meditieren?»

«Wenn man sein Tun meditiert, so ist es was andres, als wenn man es tut», sagte er. «Um etwas zu tun, braucht es *jemanden*, der die Tat ausführt. Wenn du hingegen dein Tun meditierst, hast du schon jeden Gedanken losgelassen – sogar den Gedanken an ein *Ich*. Es bleibt kein *Ich* mehr, das die Tat ausführen könnte. Sie tut sich selbst – und indem du dich vergißt, wirst du selber zur Tat, die sich tut. Und so wird dein Handeln frei, spontan, ohne Ehrgeiz, Angst oder Hemmungen.»

So ging es tagein – tagaus. Er beobachtete jeden Ausdruck meines Mienenspiels, er belauschte jedes meiner Worte; er ermahnte mich ständig, nicht nur auf meine körperliche, sondern auch auf meine seelisch-geistige Form zu achten.

Die Nachricht hatte die Runde gemacht, daß Dan Millman wieder fit und voll im Einsatz sei. Susie kam in die Halle zum Zuschauen. Sie brachte zwei neue Freundinnen mit, Michelle und Linda. Linda stach mir sofort ins Auge – schlank, rothaarig, ein hübsches Gesicht hinter einer horngefaßten Brille. Ihr schlichtes Kleid ließ verheißungsvolle Formen erahnen. Ich hoffte, sie einmal wiederzusehen.

Am nächsten Tag, nach einem enttäuschenden Training, als alles schief ging und gar nichts klappte, rief Socrates mich zu sich: «Du hast ein Höchstmaß an Können erreicht. Du bist ein Profi-Turner», sagte er.

«Vielen Dank, Socrates.»

«Es war nicht unbedingt als Kompliment gemeint.» Er beugte sich vor und sah mich aufmerksam an. «Ein Profi trainiert den physischen Körper mit dem Ziel, Wettkämpfe zu gewinnen. Du wirst vielleicht eines Tages ein Meister-Turner sein. Ein Meister widmet sein Training dem Leben. Darum legt er besonderen Wert auf ständiges Trainieren seines Geistes und seiner Gefühle.»

«Ich versteh, Socrates», sagte ich. «Das hast du mir schon oft gesagt ...»

«Ich weiß, daß du's verstehst», sagte er. «Aber du hast es noch nicht verwirklicht. Du lebst nicht danach. Du starrst nur auf jede neu erworbene Fähigkeit und bist dann deprimiert, wenn das rein körperliche Training eines Tages nicht so gut läuft. An solchen Tagen solltest du deine seelische und geistige Form trainieren. Wenn du das Training des Kriegers als Ziel erkannt hast, zählen die körperlichen Hochs und Tiefs überhaupt nicht mehr. Sag mal, was machst du eigentlich, wenn du dir den Fuß verstaucht hast?»

«Na, ich trainiere auf einem andern Gebiet», sagte ich.

«Genauso ist es mit den drei Schwerpunkten in der Ausbildung des Kriegers. Wenn es auf einem Gebiet nicht so läuft, kannst du dich auf den zwei anderen Gebieten bemühen. Gerade an körperlich besonders schwachen Tagen kannst du am meisten über Geist und Seele erfahren.»

Und nach kurzer Pause fuhr er fort: «Von nun an werde ich nicht mehr in die Halle kommen. Du hast genug gehört. Du sollst nun *fühlen*, daß ich immer bei dir bin als dein *innerer* Trainer und jeden noch so kleinen Fehler sehe und berichtige.»

Die nächsten Wochen lebte ich sehr intensiv. Aufstehen um sechs Uhr morgens, dann Dehnübungen und Meditation. Vormittags ging ich meist ins College und machte anschließend – rasch und mühelos – meine Hausarbeiten. Bis zum Nachmittagstraining hatte ich dann noch eine halbe Stunde Zeit, in der ich nichts tat und nur ruhig dasaß.

In dieser Zeit traf ich Susies Freundin Linda ein paarmal. Ich fand sie sehr attraktiv, aber ich hatte weder Zeit noch Energie für mehr als ein kurzes Gespräch vor oder nach dem Training. Trotzdem dachte ich tagsüber viel an sie, dann an Joy, dann wieder an Linda.

Mit jeder sportlichen Leistung wuchsen meine Zuversicht und das Vertrauen der Mannschaft. Alle sahen, daß ich mich mehr als nur erholt hatte. Obschon der Sport nicht mehr den Mittelpunkt meines Lebens bildete, war er mir wichtig, und ich tat mein Bestes.

Linda und ich gingen ein paarmal aus, und wir verstanden uns glänzend. Eines Abends kam sie, um ein persönliches Problem mit mir zu besprechen – und aus dem Abend wurde eine Nacht voll Vertrautheit und Zärtlichkeit, wenn auch in den Grenzen, die meine Trainingsdisziplin mir gebot. Ich gewöhnte mich so schnell an sie, daß es mir selber unheimlich war. Sie war in meinen Zukunftsplänen nicht vorgesehen. Trotzdem wuchs meine Zuneigung weiter.

Ob ich Joy ‹untreu› war? Andererseits wußte ich nie, ob und wann dieses rätselhafte Mädchen wieder auftauchen würde. Joy war das Ideal, das durch mein Leben flatterte. Linda war wirklich, warmherzig, liebevoll – und greifbar.

Hal, unser Trainer, wurde immer gespannter und aufgeregter, je näher der Zeitpunkt der Nationalen College-Meisterschaften 1968 in Tucson, Arizona heranrückte. Sollten wir dieses Jahr siegreich sein, so wäre damit für Hal ein Ziel erreicht, für das er sich zwanzig Jahre lang abgeplagt hatte.

Bald traten wir zum ersten, drei Tage dauernden Wettkampf gegen die Southern Illinois University an. Am letzten Abend der Ausscheidung lagen ‹California› und ‹Southern› in einem Kopf-an-Kopf-Rennen, bei dem es um Bruchteile von Punkten ging. Drei Disziplinen standen noch offen, und ‹Southern‹ lag gut in Führung.

Dies war der kritische Punkt. Realistisch betrachtet, mußten wir uns mit einem respektablen zweiten Platz begnügen. Oder aber, wir griffen nach den Sternen.

Ich war jedenfalls fürs Unmögliche! Meine Energie war auf dem Höhepunkt. Ich sprach mit Hal und der Mannschaft. «Wir werden gewinnen», sagte ich zu meinen Freunden. «Diesmal kann niemand uns aufhalten. Wir werden es schaffen!»

Meine Worte waren die übliche Ermunterung vor dem Kampf – aber in meinem Innern fieberte eine Elektrizität, die auf die anderen übersprang. Meine Entschlossenheit steckte jeden in der Mannschaft an.

Wie eine Flutwelle gewannen wir an Wucht – schneller, sicherer und kraftvoller mit jedem Auftritt. Die Zuschauermenge, bis dahin ziemlich teilnahmslos, geriet in Erregung. Die Leute beugten sich gespannt auf ihren Sitzen nach vorne. Etwas bereitete sich vor – das konnte jeder fühlen.

Anscheinend spürte auch ‹Southern› unsere Kraft, denn die Gegner begannen beim Handstand zu wackeln und verpatzten den Absprung. Doch als die letzte Disziplin dieses Treffens begann, lag ‹Southern› noch immer einen vollen Punkt in Führung. Und das Hochreck war immer schon ihre Stärke gewesen!

Für ‹California› waren noch zwei Turner am Start – Sid und ich. Die Menge war jetzt mäuschenstill. Sid trat ans Reck, sprang hoch an die Stange und legte dann eine Übung vor, bei der wir alle den Atem anhielten. Er krönte das ganze mit dem höchsten Flyaway, den man in dieser Halle je gesehen hatte. Die Menge raste. Das Trampeln und Pfeifen verebbte, und jetzt war nur noch ich am Start: der letzte Mann, der Eckpfeiler der Mannschaft.

Zuerst aber trat ‹Southerns› letzter Mann vor – und machte seine Sache hervorragend. Der Gegner war beinah nicht mehr einzuholen. Aber dies ‹Beinah› war alles, was ich brauchte! Ich würde eine Übung von 9.8 Punkten hinlegen – eine Wertung, der ich noch nie im Wettkampf auch nur nahe gekommen wäre.

Hier war sie nun, meine letzte Prüfung. Erinnerungen stürmten auf mich ein. Jene qualvolle Nacht des Schreckens, als mein Bein splitterte; das lange, langweilige Warten auf Heilung – und mein Schwur, daß ich wieder die alte Form erreichen würde; der Rat meines Arztes, den Sport für immer zu vergessen; mein unermüdliches Training mit Socrates; jener endlose Dauerlauf im Regen, hinter Joy die steilen Hügel hinauf.

In mir brannte die Wut auf alle, die mir prophezeit hatten, daß ich es nie mehr schaffen würde. Dann aber wich dies Feuer einer eiskalten Ruhe. In diesem Moment waren mein Schicksal, mein Jetzt und mein Morgen im Gleichgewicht. Meine Gedanken verstummten, mein Geist wurde klar und ein Gefühl stieg machtvoll in mir auf: schaff's – oder stirb!

Mit dem Mut und der Entschlossenheit, die ich in all den Monaten in jener nächtlichen Tankstelle gesammelt hatte, trat ich unter das Hochreck. Kein Geräusch wurde in der Halle laut. Es war der Moment des Schweigens – der Augenblick der Wahrheit.

Bedächtig kreidete ich meine Hände mit Magnesia ein, ich zog die Handschützer nach und kontrollierte die Gelenkbandagen. Ich trat einen Schritt vor und grüßte die Kampfrichter. Dem Chef-Richter funkten meine Augen die Botschaft entgegen: «Hier kommt die verdammt beste Recknummer, die Sie in Ihrem ganzen Leben je gesehen haben, Sir!»

Ich sprang an die Stange und kippte die Beine hoch. Ich ließ mich aus dem Handstand in die Riesenwelle fallen. Nur das Rotieren meiner Hände um den Stahl – loslassen, zupacken, umgreifen – war als einziger Laut in der Halle zu hören.

Ich war nur noch Bewegung, nichts sonst. Es gab keine Welt mehr, keine Meere, keine Sterne. Da gab es nur noch das Hochreck und einen selbstvergessenen, gedankenfreien Turner – und bald verschmolzen auch sie zu *einer* Bewegungseinheit.

Mit einer Figur, die ich noch nie im Wettkampf gewagt hatte, steigerte ich mich über meine Grenzen. Immer schneller kreiste mein Körper um die Stange, herum und noch einmal herum, dem Abschluß der Übung entgegen – einem gehechteten doppelten Flyaway.

Jetzt mußte ich loslassen und ins Leere abheben, schwerelos schwebend in der Hand eines Schicksals, das ich mir selbst gewählt hatte. Ich kippte ab, hing mit Knieschluß an der Stange, wirbelte noch einmal, noch zweimal herum, riß mich hoch und streckte den Körper zur Landung. Der Augenblick der Wahrheit war gekommen.

Ich schaffte eine makellose Landung, die Halle hielt den Atem an. Dann brach die Hölle los. Note 9.85 – wir waren Meister!

Wie aus dem Nichts tauchte der Trainer auf, er packte meine Hand und schüttelte sie und wollte sie gar nicht mehr loslassen. Die Mannschaftskameraden umringten mich, machten Luftsprünge, johlten vor Freude und umarmten mich. Manche hatten Tränen in den Augen.

Jetzt erst hörte ich – wie aus der Ferne – den Beifall donnern. Bei der Preisverleihung konnten wir unsere Aufregung kaum bezähmen. Und dann feierten wir fast die ganze Nacht und erzählten uns immer wieder den Hergang des Treffens.

Dann war's vorbei. Ein lang ersehntes Ziel war erreicht. Doch ich spürte, daß der Applaus, die Noten der Kampfrichter nicht mehr dasselbe waren wie früher. Ich hatte mich zu sehr verändert. Mein Ringen um den Sieg war ans Ziel gelangt – und vorbei.

Es war Frühling 1968. Auch mein Studium ging zu Ende. Was folgen würde – ich wußte es nicht.

Wie betäubt nahm ich in Arizona von den Kameraden Abschied und setzte mich ins Flugzeug, zurück nach Berkeley, zu Socrates – und zu Linda. Müde betrachtete ich die Wolken unter mir. Aller Ehrgeiz war ausgelöscht. Jahrelang hatte ich eine Illusion genährt: glücklich werden durch den Sieg. Und jetzt war diese Illusion zu Asche verraucht. Ich war nicht glücklicher geworden, nicht erfüllter; trotz all meiner Leistungen!

Unter mir riß die Wolkendecke auf. In mir aber war es düster. Nie hatte ich es gelernt, mich des Lebens zu freuen. Immer nur Streben und Leistung! Mein ganzes Leben lang hatte ich emsig nach dem Glück gesucht – und es doch nie finden oder festhalten können.

Ich lehnte den Kopf gegen die Nackenstütze, die Maschine

setzte zur Landung an. Meine Augen füllten sich mit Tränen. Ich war in eine Sackgasse geraten. Und ich wußte nicht, wie umkehren.

6
Freude jenseits des Denkens

Den Koffer in der Hand, sprang ich – immer drei Stufen gleichzeitig – in Lindas Wohnung hinauf. Zwischen Umarmungen und Küssen berichtete ich ihr von der Meisterschaft, verriet aber kein Wort über meine neuesten, deprimierenden Einsichten.

Linda erzählte mir von einer wichtigen Entscheidung, die sie getroffen hatte, was mich momentan von meinen schweren Gedanken ablenkte. «Danny, ich werde mein Studium aufgeben. Ich habe lange darüber nachgedacht. Ich will mir Arbeit suchen – aber ich möchte nicht nach Hause zurück, nicht mehr bei meinen Eltern leben. Hast du vielleicht eine Idee?»

Sofort fielen mir die Freunde ein, bei denen ich nach meinem Unfall gewohnt hatte. «Linda», sagte ich, «ich könnte Charlotte und Lou in Santa Monica anrufen. Die beiden sind Klasse – ich hab dir von ihnen erzählt, erinnerst du dich? Ich wette, sie sind begeistert, wenn du bei ihnen wohnst.»

«Ah, wunderbar! Ich könnte im Haus mithelfen und mir einen Job suchen, als Verkäuferin.»

Ein Telefongespräch von fünf Minuten, und Linda hatte wieder eine Zukunft. Ich wünschte, es wäre bei mir auch so einfach.

Ich dachte an Socrates, und ich erzählte einer verdutzten Linda, daß ich noch jemand besuchen müsse.

«Jetzt, mitten in der Nacht?»

«Ja. Ich habe ... seltsame Freunde. Sie bleiben die ganze Nacht auf. Glaub mir, ich muß gehen!» Noch ein Kuß, und ich war draußen.

Den Koffer in der Hand, trat ich bedrückt ins Büro der Tankstelle.

«Was, willst du hier einziehen?» witzelte Soc.

«Ich weiß nicht mehr, was ich will, Socrates.»

«Na, bei den Universitäts-Meisterschaften wußtest du sehr genau, was du wolltest. Ich hab's in der Zeitung gelesen. Meinen Glückwunsch. Jetzt bist du wohl sehr glücklich?»

«Du weißt sehr gut, wie mir ist, Socrates.»

«Allerdings», sagte er unbekümmert und ging in die Werkstatt, um einem alten VW-Getriebe neues Leben einzuhauchen. «Du machst Fortschritte – ganz nach Fahrplan!»

«Das höre ich gern», meinte ich lustlos. «Aber Fahrplan wohin?»

«Zur Pforte! Zu wahrer Freude, zu Freiheit, zu Lust, zu grundlosem Glück! Zu dem einen, einzigen Ziel, das du immer schon hattest. Und um gleich anzufangen damit – es wird Zeit, deine Sinne wieder aufzufrischen!»

«Wieder?» fragte ich verwirrt.

«Oh, ja», sagte er. «Früher einmal, da bist du in strahlendem Glück geschwommen. Du konntest dich an den einfachsten Dingen erfreuen.»

«In letzter Zeit nicht mehr», warf ich mürrisch ein.

«Nein, in letzter Zeit nicht mehr», betonte er. Dann nahm er meinen Kopf zwischen beide Hände – und sandte mich zurück in meine Kindheit:

Mit weit offenen Augen bestaune ich Farben und Formen der Dinge, während ich über die Fliesen des Fußbodens krabbele. Ich streichele einen Teppich, und er streichelt mich wider. Alles leuchtet, alles lebt.

Mit meinem winzigen Händchen packe ich einen Löffel und klopfe damit auf eine Tasse. Das Klingeln entzückt meine Ohren. Ich jauchze laut. Ich schaue auf und sehe einen Rock vorbeiwehen. Ich werde emporgehoben, ich lasse ein zärtliches Glucksen hören. Der Duft meiner Mutter umfängt mich, ich laß mich voller Wonne an ihre Brust fallen, mein Körper verschmilzt mit dem ihren, ich schlafe selig ein.

Etwas später. Ein frischer Lufthauch streicht mir übers Gesicht.

Ich krieche im Garten umher. Überall ragen bunte Blumen auf. Unbekannte Gerüche hüllen mich ein. Ich reiße eine Blüte ab und stecke sie in den Mund. Eine bittere Botschaft! Ich spucke sie aus.

Meine Mutter kommt. Ich strecke die Hand hoch und zeige ihr ein zappeliges schwarzes Ding, das meine Hand kitzelt. Sie bückt sich und wischt es weg. «Pfui, böse Spinne», sagt sie. Dann hält sie mir ein weiches Ding an die Nase. «Rose», sagt sie. Noch einmal macht sie diesen Laut: «Rose.» Ich blicke auf zu ihr, dann um mich herum und tauche wieder ein in die Welt der leuchtenden Farben.

Vor mir sehe ich Socrates' alten Schreibtisch, den gelben Teppich im Tankstellenbüro. Ich muß den Kopf schütteln. Alles erscheint mir unscharf, ohne Leuchtkraft.

«Socrates, ich bin wie im Halbschlaf. Vielleicht sollte ich den Kopf unters kalte Wasser halten, damit ich wach werde. Bist du sicher, daß ich von dieser letzten Reise keinen Schaden behalten habe?»

«Der Schaden, Dan», sagt er, «ist viel früher geschehen, im Laufe der Jahre. *Wie* – das wirst du bald erkennen.»

«Dieser Ort, das war der Garten meines Großvaters, glaube ich. Daran kann ich mich erinnern, es war wie der Garten Eden.»

«Richtig, Dan. Es *war* der Garten Eden. Jedes Kind lebt in einem leuchtenden Garten, wo es die Dinge direkt empfindet, ohne die Einmischung von Gedanken. Der Sündenfall», fuhr er fort, «passiert in jedem Menschen, wenn er beginnt, sich Gedanken zu machen. Indem wir den Dingen Namen geben und glauben, sie dann zu kennen. Nicht nur Adam und Eva ist es so ergangen. Nein, es betrifft uns alle. Der Anfang des Denkens ist der Tod der Sinne. Es ist ja nicht so, als würde man nur einen Apfel essen und sich danach ein bißchen sexy fühlen.»

«Ach, könnte ich zurück dorthin», seufzte ich. «Es war so klar und hell dort, so voller Freude.»

«Was du als Kind gehabt hast, kann wieder dein werden. Jesus von Nazareth, der Große Krieger, hat es gesagt: Wir müssen werden wie Kinder, damit wir ins Himmelreich eintreten können. Verstehst du?»

Es war heute ein bißchen viel für mich gewesen.

«Noch einen Schluck Tee, bevor du gehst?» fragte Soc, der seinen Becher am Wasserhahn füllte.

«Nein, vielen Dank, Socrates. Mein Tank ist voll für heute abend.»

«Gut, dann sehen wir uns morgen früh, punkt acht Uhr, beim Botanischen Garten. Wird mal Zeit, daß wir 'ne Wanderung machen, hinaus in die grüne Natur!»

Schon auf dem Weg nach Hause freute ich mich darauf. Nach ein paar Stunden Schlaf wachte ich erfrischt und voller Vorfreude auf. Heute vielleicht würde ich das Geheimnis des Glücks entdecken.

Ich joggte zum Strawberry Canyon und wartete am Eingang zum Botanischen Garten auf Soc. Er kam, und wir wanderten durch weite Flächen von Grün. Alle nur denkbaren Bäume, Büsche, Pflanzen und Blumen standen hier.

Wir betraten ein riesiges Treibhaus. Die Luft war feucht und warm, ein wohliger Gegensatz zur frischen Morgenluft draußen. Soc deutete auf das tropische Blattwerk hoch über uns. «Wärst du ein Kind, würdest du all dies sehen und riechen und fühlen, als wäre es das allererste Mal. Jetzt aber hast du Namen für alle Dinge gelernt und kannst sie in Kategorien stecken: Dies ist gut, jenes ist schlecht, dies ist ein Stuhl, das ein Tisch, ein Auto, ein Haus, eine Blume ... Hund, Katze, Frau, Mann, Sonnenuntergang, Meer, Stern und so weiter. Die Dinge langweilen dich, weil sie für dich nur als Namen existieren. Die trockenen Verstandesbegriffe verstellen dir den Blick.»

Soc machte eine weitausholende Armbewegung, die alles umfaßte, auch die mächtigen Palmwipfel, die über uns die Plexiglaskuppel streiften. «Jetzt siehst du all dies durch den Schleier der *Assoziationen*, die dir zu den Dingen einfallen und deine direkte unmittelbare Erkenntnis überlagern. Alles hast du ‹schon einmal gesehen›. Es ist, als schaust du dir zum zwanzigsten Mal den gleichen Film an. Du siehst nur Erinnerungen an Dinge, darum langweilst du dich. Langeweile entsteht aus nicht bewußtem Leben. Langeweile ist die in Verstandesbegriffe eingesperrte Bewußtheit. Darum mußt du das Verstandesdenken verlieren, bevor du deine Sinne wiederentdecken kannst.»

Am nächsten Abend hatte Socrates schon den Teekessel aufgestellt, als ich ins Büro schlüpfte, meine Schuhe abstreifte und sie sorgsam auf die Matte neben dem Sofa stellte. Mit dem Rücken zu mir, sagte Socrates: «Wie wär's heute mit einem kleinen Wettkampf? Du führst ein Kunststück vor, ich führe ein Kunststück vor – und wir werden sehen, wer Sieger bleibt.»

«Okay, wenn du unbedingt willst.» Ich wollte ihn nicht in Verlegenheit bringen, darum machte ich etwas ganz Einfaches: einen einarmigen Handstand auf dem Schreibtisch, und dann stellte ich mich an die Tischkante und landete mit einem Salto rückwärts weich federnd auf dem Teppich.

Socrates schüttelte anscheinend entmutigt den Kopf. «Ich dachte, es würde einen knappen Wettkampf nach Punkten geben. Daraus wird wohl nichts.»

«Tut mir leid, Soc, aber du wirst auch nicht jünger. Immerhin bin ich ziemlich gut bei solchen Sachen.»

«Nun», grinste er, «ich wollte eigentlich sagen, du hast nicht die geringste Chance.»

«Wie bitte?»

«Achtung, los», sagte er, drehte sich ganz gemächlich um und ging in die Toilette. Ich stellte mich vorsichtshalber neben die Tür – für den Fall, daß er wieder mit einem Samurai-Schwert herausgestürzt käme –, aber er kam nur mit einem Becher in der Hand zurück. Er füllte den Becher mit Wasser, prostete mir lächelnd zu, hob den Becher an den Mund und trank ihn mit langsamen Schlucken aus.

«Na, und?» fragte ich.

«Das war's.»

«Was? Du hast ja, verdammt nochmal, gar nichts gemacht!»

«Oh, habe ich wohl. Du hast vielleicht nicht den Blick, um zu ermessen, was ich gemacht habe. Ich spürte vorhin eine leichte Vergiftung in meinen Nieren. Noch ein paar Tage, und sie hätte den ganzen Körper angesteckt. Nun habe ich, bevor Symptome auftreten konnten, die Störung festgestellt und meine Nieren gründlich durchgespült.»

Ich mußte lachen. «Socrates, du bist der größte, aalglatteste Schwindler, den ich je gesehen habe. Gib zu, du hast verloren – du bluffst nur.»

«Nein, es ist mein voller Ernst. Was ich dir beschrieben habe, geschah tatsächlich. Erforderlich dafür sind ein sensibles Gespür für die inneren Energien des Körpers und die bewußte Beherrschung feinstofflicher Mechanismen.»

Ich sah ihn entgeistert an.

«Du dagegen», fuhr er fort, «hast kaum eine blasse Ahnung von den Vorgängen in deinem Hautsack. Wie ein Anfänger, der den Handstand am Schwebebalken lernt, bist du nicht sensibel genug, um zu spüren, wann du aus dem Gleichgewicht kommst. So kannst du jederzeit abstürzen in die Krankheit.»

«Tatsache ist», protestierte ich, «daß ich beim Turnen ein sehr sensibles Gefühl fürs Gleichgewicht entwickelt habe. Das braucht man nämlich, weißt du, für die schwierigeren ...»

«Unsinn! Du hast nur eine relativ grobe Bewußtseinsebene erreicht, die gerade genügt, um ein paar elementare Bewegungen auszuführen, aber nichts, um damit zu prahlen.»

«Soc, du nimmst auch einem dreifachen Salto jede Romantik!»

«Darin liegt sowieso keine Romantik. Ein ganz gewöhnliches Kunststück, für das es die ganz gewöhnliche Gewandtheit eines Sportlers braucht. Könntest du aber die Energieströme deines Körpers spüren und kleinere Pannen selbst korrigieren – ja, dann hättest du deine ‹Romantik›. Darum, Dan, übe weiter. Schärfe deine Sinne – jeden Tag ein bißchen mehr. Dehne sie aus, wie du dich auch in der Turnhalle dehnst. Schließlich wird dein Bewußtsein den ganzen Körper und die ganze Welt durchdringen. Dann wirst du weniger übers Leben nachdenken, sondern es stärker *fühlen*. Du wirst dich über einfache Dinge im Leben freuen und nicht mehr süchtig sein nach Leistung oder nach kostspieligen Vergnügen. Das nächste Mal», lachte er, «können wir dann vielleicht einen echten Wettkampf austragen.»

Ich machte das Teewasser wieder heiß. Wir saßen ein Weilchen und schwiegen, und dann begaben wir uns in die Werkstatt. Ich half Socrates, wieder mal einen alten VW auseinanderzunehmen und ‹erste Hilfe› am Motor zu leisten.

Draußen fuhr eine lange schwarze Limousine vor. Wir gingen zum Service hinaus. «Sag mal», fragte ich Soc, als wir danach ins Büro zurückkehrten, «glaubst du, die Reichen sind glücklicher als arme Hunde wie wir?»

Seine Antwort warf mich um. «Ich bin nicht arm, Dan. Ich bin unermeßlich reich. Tatsache, man muß reich sein, um glücklich zu sein.»

Er lachte über mein dummes Gesicht, griff sich einen Kugelschreiber vom Schreibtisch und schrieb auf ein leeres weißes Blatt Papier:

$$\textbf{Glück} = \frac{\textbf{Befriedigung}}{\textbf{Bedürfnisse}}$$

«Wenn du genug Geld hast, um deine Bedürfnisse zu befriedigen, Dan, dann bist du reich. Allerdings kann man auf zwei verschiedene Arten reich sein: Du kannst Geld verdienen, erben, borgen, zusammenbetteln oder stehlen, um dir kostspielige Bedürfnisse zu befriedigen. Oder du kannst ein einfaches Leben führen, das nur wenig Bedürfnisse kennt. Auf diese Weise hast du immer mehr als genügend Geld. Nur der Krieger», fuhr er fort, «hat die Disziplin und die Einsicht, um die zweite Möglichkeit zu nutzen. Jeden Moment des Lebens mit voller Aufmerksamkeit zu erleben – das ist mein Bedürfnis und meine Befriedigung. Aufmerksamkeit kostet kein Geld. Deine einzige Investition ist dein Training. Das ist auch ein Vorteil des Kriegerseins, Dan: Es ist einfach billiger! Das Geheimnis des Glücks, siehst du, liegt nicht im Streben nach ‹immer mehr›, sondern in der Fähigkeit, sich an wenigem zu freuen.»

Gefangen vom Zauber seiner Worte, fühlte ich mich wunschlos und zufrieden. Was sollte all mein Hasten und Hetzen? Hier gab es keine Komplikationen, kein verzweifeltes Suchen, keine Kraftproben, die bewältigt werden mußten. Socrates zeigte mir den Schatz wahren Reichtums im eigenen Inneren.

Vielleicht hatte er meine Tagträumerei bemerkt, jedenfalls packte er mich plötzlich unter den Achseln, zog mich hoch und warf mich senkrecht in die Luft, so hoch, daß ich fast mit dem Kopf an die Decke stieß. Im Herunterfallen fing er mich wieder auf und stellte mich sacht auf die Füße.

«Wollte mich nur vergewissern, daß ich deine volle Aufmerksamkeit habe für den nächsten Teil. Wie spät ist es?»

Durch die kurze Luftreise aufgeschreckt, stotterte ich: «Es ist ... äh ... 2 Uhr 35 auf der Werkstatt-Uhr.»

«Falsch! Es ist, es war und wird immer sein *jetzt*! JETZT. Es ist *jetzt*. Klar?»

«Hm, o ja, das ist klar.»

«Wo sind wir?»

«Wir sind im Büro der Tankstelle ... Sag mal, haben wir dieses Spiel nicht schon einmal gespielt?»

«Ja, und du hattest gelernt – das einzige, was du absolut zweifelsfrei wissen kannst, ist, daß du *hier* bist. Ganz egal, wo immer das Hier sein mag. Von nun an sollst du, wenn deine Aufmerksamkeit abschweifen will in andere Zeiten, an andere Orte, dich selbst zurückholen. Erinnere dich immer wieder: Die Zeit ist *jetzt,* und der Ort ist *hier.*»

In diesem Moment kam ein Student ins Büro gestürmt, in Jeans und Windjacke, einen Freund im Schlepptau. «Ich hab meinen Augen nicht trauen wollen!» sagte er zu seinem Freund, mit dem Finger auf Soc deutend und sich dann an ihn wendend. «Wir gehen eben draußen vorbei, ich werfe ahnungslos einen Blick herüber, und da seh ich, wie Sie den Typ hier einfach so an die Decke werfen. Sagen Sie mal, wer *sind* Sie bloß?»

Es schien, als müßte Soc seine Tarnung fallenlassen. Doch er sah den Studenten nur verwundert an und lachte los. «Ach, das», meinte er, immer noch lachend. «Ja, das ist gut. Wir haben ein bißchen trainiert, um uns die Zeit zu vertreiben. Dan hier ist Kunstturner, wissen Sie. Nicht wahr, Dan?» Ich nickte bestätigend. Der Freund des Studenten bejahte, er könne sich an mich erinnern. Er habe öfter mal bei einem Wettkampf zugeschaut. Socs Story klang allmählich glaubwürdiger.

«Wir haben ein kleines Trampolin hier, hinter dem Schreibtisch.»

Socrates ging um den Tisch, und zu meiner völligen Verblüffung führte er dieses nicht vorhandene Mini-Trampolin so überzeugend vor, daß ich selbst an seine Existenz zu glauben anfing. Er sprang hoch, immer höher, bis er mit dem Kopf fast an die Zimmerdecke stieß, dann ließ er's langsam auslaufen und hüpfte immer niedriger auf und ab, bis er stehenblieb und sich lachend verbeugte. Ich klatschte Beifall.

Verwirrt, aber zufrieden, zogen die beiden ab. Ich war mit einem Satz hinter dem Schreibtisch. Da war, natürlich, kein Trampolin! Ich fing hysterisch an zu lachen. «Socrates, du bist einfach unglaublich!»

«Ja», sagte er – nie ein Freund falscher Bescheidenheit.

Fahles Licht im Osten kündigte das Morgenrot an. Socrates und ich machten uns bereit zu gehen. Den Reißverschluß meiner Jacke hochziehend, hoffte ich, es würde ein symbolisches Morgenrot für mich sein.

Auf dem Heimweg dachte ich an die Veränderungen, die sich für mein Leben abzeichneten – Veränderungen weniger in den äußeren Umständen als im Inneren. Mit neuer Klarheit fühlte ich, wohin mein Weg mich führte und was für mich Vorrang hatte. Ich erwartete nicht mehr, in der äußerlichen Welt meine Erfüllung zu finden. Darum konnte ich auch nicht mehr so leicht enttäuscht werden. Gewiß, ich würde weiterhin tun, was notwendig war, um im Alltag zu überleben, jedoch zu meinen Bedingungen! Endlich begann ich, mich frei zu fühlen.

Auch meine Beziehung zu Socrates hatte sich verändert. Ich hatte nicht mehr so viele Illusionen zu verteidigen. Wenn er mich mal einen Esel nannte, konnte ich lachen. Ich wußte, er hatte recht – zumindest nach seinen Maßstäben. Und nur noch selten kam es vor, daß er mir Angst machte.

An einer Straßenecke, gleich hinter dem Hendrick Hospital, legte sich eine Hand auf meine Schulter. Instinktiv, wie eine Katze, die nicht gestreichelt werden will, tauchte ich darunter weg und drehte mich um. Es war Socrates!

«Na, doch nicht mehr so ein nervöser Fisch», lachte er.

«Was tust du denn hier, Socrates?»

«Ich geh spazieren.»

«Toll, du kannst mich begleiten.»

Schweigend schlenderten wir ein, zwei Straßen weiter, bis er mich fragte: «Sag mal, wie spät ist es?»

«Ach, es ist ungefähr, oh ...» Ich riß mich zusammen. «Es ist genau *–jetzt.*»

«Und wo sind wir?»

«Hier!»

Er nickte wortlos. Aber ich hatte Lust, mich auszusprechen, darum erzählte ich ihm von meinem neuen Gefühl der Freiheit, von meinen Plänen für die Zukunft.

«Wie spät ist es?» fragte er ungerührt.

«Jetzt», seufzte ich. «Mußt du denn dauernd ...»

«Wo sind wir?» fragte er mit Unschuldsmiene.

«Hier, hier, aber ...»

«Hör mal gut zu», sagte er. «Bleib du in der Gegenwart. An der Vergangenheit kannst du nichts ändern. Und die Zukunft kommt immer anders, als du es geplant oder erhofft hast. Es gibt weder Vergangenheits- noch Zukunftskrieger. Der Krieger lebt einzig *jetzt* und *hier*. All deine Pläne, deine Sorgen, dein Zorn und deine Schuldgefühle, dein Neid und deine Sehnsucht existieren nur in der Vergangenheit oder in der Zukunft.»

«Halt, Soc. Ich kann mich gut erinnern, daß ich in der Gegenwart zornig war.»

«Nein», sagte er. «Du meinst, du hast in einem Augenblick der Gegenwart zornig *gehandelt*. Das ist ganz natürlich. Handeln geschieht immer in der Gegenwart; denn es ist eine Ausdrucksform unseres Körpers, der nur in der Gegenwart existiert. Die Gedanken aber, weißt du, sind wie Phantome. Sie existieren nie in der Gegenwart. Und sie haben die Macht, unsere Aufmerksamkeit von der Gegenwart abzulenken.»

Ich bückte mich, um meinen Schuh zu binden. Da spürte ich eine leichte Berührung an den Schläfen:

Ich band meinen Schuh ordentlich fertig und richtete mich auf. Ich war allein in einer fensterlosen dunklen Dachkammer. Im Schummerlicht entdeckte ich ein paar alte Schränke in einem Winkel, sie sahen aus wie aufrecht stehende Särge.

Ich hatte Angst, vor allem als ich merkte, daß ich in der stickigen Luft überhaupt nichts hörte. Kein Geräusch, alles schien wie von dicken Staubschichten gedämpft. Ich trat vorsichtig einen Schritt nach vorn und entdeckte, daß ich im Innern eines Fünfecks stand, eines fünfzackigen Sterns, der mit bräunlichroter Farbe auf den Boden gezeichnet war. Beim genaueren Hinschauen sah ich, es war – getrocknetes Blut.

Hinter mir vernahm ich ein dumpfes Lachen, so widerwärtig, so schreckenerregend, daß ich ein paarmal schlucken mußte, um den aufsteigenden Eisengeschmack im Munde loszuwerden. Impulsiv drehte ich mich um – und sah ein mißgestaltetes, grindiges Ungeheuer. Sein ekelhafter süßlicher Atem fuhr mir ins Gesicht, und der Verwesungsgeruch warf mich beinah um.

Das Monster verzog seine wulstigen Lefzen und ließ schwarze Fangzähne sehen. «Kooommm zu miiir», dröhnte es. Irgend etwas zwang mich, zu gehorchen, aber mein Instinkt bewahrte mich davor. Ich blieb stehen, wo ich war.

Zornentbrannt röhrte das Ungeheuer: «Ergreift ihn, meine Kinder!» Und auf dieses Wort rückten die Schränke, die aufrechten Särge, langsam aus ihrem Winkel gegen mich vor, knarzend wehten ihre Türen auf, und heraus traten halbverweste Skelette, gräßliche Leichen, die unaufhaltsam näher tappten. Ich flitzte wie eine Maus in meinem Fünfeck hin und her, einen Ausweg suchend, nichts als Flucht im Sinn – als die Dachbodentür hinter mir aufschwang und ein junges Mädchen, vielleicht neunzehn Jahre alt, hereintaumelte. Am Rande des Fünfecks stürzte sie wimmernd zu Boden.

Schön war sie, und ganz in Weiß gekleidet. Sie stöhnte, als sei sie verletzt, und sprach mit einer Stimme wie aus weiter Ferne:

«Hilf mir, bitte hilf mir!»

Ihre Augen flehten tränenfeucht, sie verhießen Dankbarkeit, süßen Lohn – und eine lodernde Sehnsucht.

Ich spähte über die Schulter nach den herantappenden Skeletten. Ich spähte zur Tür, ich sah die Frau.

Dann kam das GEFÜHL wieder zu mir: *Bleib, wo du bist. Das Fünfeck ist die Gegenwart, das JETZT. Hier bist du in Sicherheit. Der Dämon und seine Kinder sind die Vergangenheit. Die Tür ist die Zukunft. Hüte dich.*

Das schöne Mädchen stöhnte wieder und wälzte sich auf den Rücken. Ihr Rock glitt hoch und entblößte ein Bein, bis hinauf an die Hüfte. Sie streckte die Arme aus nach mir – flehend, verführerisch: «Hilf mir ...»

Trunken vor Verlangen trat ich aus dem fünfzackigen Stern hinaus.

Sofort griff die Frau nach mir und fletschte blutrote Fangzähne. Der Dämon und sein Anhang johlten im Triumph und wollten sich auf mich stürzen. Mit einem Sprung rettete ich mich in das schützende Fünfeck der Gegenwart.

Zitternd hockte ich auf dem Bürgersteig und sah zu Socrates auf.

«Gehen wir weiter, falls du schon genügend ausgeruht bist», sagte er mit einem Seitenblick auf ein paar frühe Jogger, die sich belustigt nach mir umdrehten.

«Mußt du mich immer zu Tode erschrecken, wenn du mir etwas klarmachen willst?»

«Anscheinend ja», sagte er. «Wenn's etwas Wichtiges ist!»

Schweigend gingen wir weiter. Nach einer Weile fragte ich, dümmlich grinsend: «Du hast nicht zufälligerweise die Telefonnummer von diesem Mädchen?»

Socrates schlug sich vor die Stirn und verdrehte gequält die Augen.

«Ich nehme an, du hast die Pointe dieses kleinen Dramas erfaßt?» fragte er.

«Ja, ungefähr so: Bleib in der Gegenwart – es ist sicherer. Und tritt nicht aus dem Fünfeck hinaus, wenn dich jemand mit Fangzähnen lockt.»

«Richtig», sagte er lachend. «Laß dich von nichts und niemand, am allerwenigsten von deinen Gedanken, aus der Gegenwart fortlocken. Kennst du die Geschichte von den zwei Mönchen?»

Zwei Mönche, der eine bejahrt, der andere noch ganz jung, wanderten im Regenwald einen schlammigen Pfad entlang. Sie waren auf dem Heimweg zu ihrem Kloster. Da begegneten sie einer schönen Frau, die hilflos am Ufer eines reißenden Flusses stand.

Der alte Mönch, der die Not der Frau erkannte, hob sie auf seine starken Arme und trug sie hinüber. Sie lächelte und schlang ihre Arme um seinen Hals, bis er sie am anderen Ufer sanft absetzte. Mit einer anmutigen Verbeugung dankte sie ihm, und die Mönche setzten schweigend ihren Weg fort.

Nicht weit von der Klosterpforte, konnte der junge Mönch nicht mehr an sich halten: «Wie konntest du nur eine schöne Frau in die Arme nehmen? So etwas ziemt sich nicht für einen Mönch!»

Der alte Mönch sah seinen Gefährten an und sagte: «Ich habe sie dort zurückgelassen. Trägst du sie immer noch?»

«Mir scheint», seufzte ich, «es gibt noch viel Arbeit zu tun. Ausgerechnet jetzt, wo ich glaubte, irgendwo angekommen zu sein.»

«Du sollst nicht *irgendwo hinkommen*, sondern *hier sein* – ganz und ausschließlich. Du lebst kaum jemals ganz in der Gegenwart, Dan. Im Hier und Jetzt fühlst du dich nur, wenn du deine Saltos übst oder wenn ich dich plage. Es wird Zeit, daß du dich selbst ein bißchen anstrengst, falls du eine Chance bekommen willst, die

Pforte zu finden. Denn sie ist hier, genau vor dir, öffne die Augen, jetzt!»

«Ja, aber wie?»

«Indem du deine ganze Aufmerksamkeit auf den Jetzt-Moment richtest. So kannst du frei bleiben von müßigen Gedanken. Wenn deine Gedanken mit dieser reinen Gegenwart zusammenstoßen, lösen sie sich auf in Nichts.»

Socrates machte Anstalten, sich zu verabschieden.

«He, warte mal, Soc. Bevor du gehst, sag mir, warst du dieser alte Mönch in der Geschichte? Der eine, der die Frau über den Fluß getragen hat? Das würde dir ähnlich sehen.»

«Trägst du sie immer noch?» Lachend drehte er sich um und verschwand um die nächste Straßenecke.

Ich joggte die paar Straßen weiter nach Hause, sprang schnell noch unter die Dusche und versank in einen tiefen, traumlosen Schlaf.

Frühmorgens machte ich einen Spaziergang. Ich bemühte mich, all meine Aufmerksamkeit auf die Gegenwart zu richten, auf den unmittelbaren Jetzt-Moment. Es war wie eine Meditation. Die ganze Welt umher erwachte in Farben und Düften. Ich war wieder ein Kind und spürte meine Sinne lebendig. Der Himmel schien heller zu strahlen, sogar an diesen nebligen Maitagen.

Zu Socrates sagte ich kein Wort über Linda. Vielleicht aus dem gleichen Grund, warum ich ihr noch nichts von meinem Lehrer erzählt hatte. Dies waren zwei ganz verschiedene Teile meines Lebens. Und ich spürte, daß Socrates mehr an meinem inneren Training als an meinen äußeren Beziehungen interessiert war.

Von Joy hatte ich nie wieder gehört. Manchmal glaubte ich, sie irgendwo aus dem Schatten auftauchen zu sehen. Manchmal erschien sie mir in meinen Träumen. Linda schrieb mir fast jeden Tag, oder sie rief mich an, da sie bei der Bell Telephone Company arbeitete.

Im Studium lief alles glatt, wie im Traum vergingen die Wochen. Mein eigentlicher Unterrichtsraum aber war der Strawberry Canyon, wo ich wie der Wind über Berg und Tal flog, jedes Gefühl für Entfernung verlierend und mit den Kaninchen um die Wette rennend. Manchmal machte ich Halt, um im Wald zu meditieren oder einfach um in tiefen Zügen die frische Brise einzuatmen, die aus der Bucht unter mir heraufwehte. Oder ich saß eine halbe Stunde da, in den Anblick der flimmernden Weite des Wassers versunken, mit den Augen den ziehenden Wolken folgend.

Von all meinen ‹wichtigen Zielen› war ich befreit worden. Nur eines war geblieben: die Pforte. Mitunter war auch sie vergessen – wenn ich mich beim Training in der Halle verausgabte, wenn ich wie in Ekstase vom Trampolin hochschnellte, wenn meine Schrauben und Saltos mir ein Gefühl der Schwerelosigkeit schenkten.

Linda und ich schrieben uns regelmäßig, und unsere Briefe wurden allmählich Poesie. Dazwischen stand Joys Bild vor meinem inneren Auge, mal spitzbübisch, mal wissend lächelnd, und ich war mir nicht sicher, wen oder was ich eigentlich wollte.

Und bevor ich es merkte, war auch mein letztes Jahr am College vorbei. Das Abschlußexamen war eine reine Formalität. Während ich die Antworten in meine altvertrauten blauen Hefte schrieb, wußte ich, daß mein Leben in eine Veränderung treten würde. Es machte mir Spaß, wie glatt die blaue Tinte aus meiner Feder floß, und sogar die Zeilen auf dem Papier kamen wir vor wie ein Kunstwerk. Ungehemmt durch Spannungen oder Ängste, strömten die Ideen mir nur so aus dem Kopf. Dann war's vorbei, und mir wurde allmählich bewußt, daß ich meine Universitätsausbildung abgeschlossen hatte.

Ich brachte frischen Apfelsaft mit zur Tankstelle, um mit Socrates den Prüfungstag zu feiern. Wie wir so ruhig saßen und unseren Saft schlürften, wanderten meine Gedanken wieder mal davon – in die Zukunft.

«Wo bist du?» fragte Socrates. «Wie spät ist es?»

«Hier, Soc, hier bin ich – jetzt. Aber meine gegenwärtige Realität ist, daß ich einen Beruf brauche. Weißt du keinen Rat?»

«Mein Rat ist, tu, was du willst.»

«Na, das ist nicht besonders hilfreich. Fällt dir sonst etwas ein?»

«Ja, tu, was du mußt.»

«Aber was?»

«Entscheidend ist nicht, *was* du machst, sondern nur, *wie gut* du es machst. Übrigens», fügte er hinzu, «Joy kommt nächstes Wochenende zu Besuch.»

«Oh, wunderbar! Wie wär's mit einem Picknick am Samstag? Ist 10 Uhr früh gut?»

«Ausgezeichnet. Wir treffen uns hier.»

Ich verabschiedete mich und trat hinaus in eine kühle Julinacht mit funkelnden Sternen. Es war gegen halb zwei, als ich wegging. Einem inneren Zwang folgend, drehte ich mich an der Ecke noch einmal um und schaute zum Dach hinauf. Dort stand er! Die Vision, die ich vor vielen Monaten gesehen hatte. Reglos stand er da, sanftes Licht umstrahlte seinen Körper, er schaute zum Sternenhimmel hinauf. Obwohl er gut zwanzig Meter entfernt war, hörte ich ihn wie neben mir sagen: «Komm her, Dan.»

Ich lief schnell zurück, gerade rechtzeitig, um ihn aus dem Dunkel auftauchen zu sehen.

«Heute nacht», sagte er, «sollst du es endlich sehen ...» Er berührte mich leicht mit beiden Zeigefingern über den Augenbrauen. Dann trat er einfach einen Schritt zurück, sprang senkrecht in die Luft und landete auf dem Dach der Garage. Ich stand fasziniert da und konnte nicht glauben, was ich gesehen hatte. Soc sprang wieder herab und landete fast lautlos neben mir. «Das Geheimnis», grinste er, «sind sehr starke Sprunggelenke.»

Ich rieb mir die Augen. «Socrates, war das Wirklichkeit? Ich hab' s gesehen, kein Zweifel. Aber vorher hattest du meine Augen berührt.»

«Es gibt keine klar definierte Wirklichkeit, Dan. Die Erde besteht nicht aus fester Materie. Die Grenzen sind fließend, die Welt besteht aus Atomen und Molekülen, aus winzigen Universen, dazwischen ist leerer Raum. Unsere Welt ist eine Welt des Lichts, der Magie. Du brauchst nur die Augen aufzutun.»

Wir sagten uns Gutenacht.

Endlich war Samstag gekommen. Als ich ins Büro der Tankstelle stürmte, erhob Soc sich gleich von seinem Stuhl, bereit zu gehen. Da schlang sich ein weicher Arm um meine Hüfte, und wie ein Schatten stand Joy neben mir.

«Ich bin so glücklich, dich wiederzusehen!» rief ich und drückte sie an mich.

Sie lächelte mich strahlend an. «Ohhh!» kicherte sie. «Du bist aber *stark* geworden. Trainierst du für die Olympiade?»

«Tatsache», antwortete ich ernst, «ich hab mich entschlossen, den Sport aufzugeben. Das Turnen hat mich so weit gebracht, wie es mich bringen konnte. Jetzt ist es Zeit, etwas anderes anzufangen. Mein Weg führt weiter.»

Sie nickte nur wortlos.

«Also dann, brechen wir auf», sagte Soc, eine Wassermelone unter den Arm geklemmt. Die Sandwiches hatte ich im Rucksack.

Wir fuhren mit dem Bus in die Berge hinaus. Es war ein Tag, wie er schöner nicht hätte sein können. Nach dem Lunch wollte Socrates uns ein Weilchen alleinlassen. Er beschloß auf einen Baum zu klettern. Als er wiederkam, fand er uns mitten beim Pläneschmieden.

«Ich werde eines Tages ein Buch schreiben, Joy, über mein Leben mit Socrates!»

«Oh, vielleicht wird man es verfilmen», lachte sie, Feuer fangend. Soc stand neben seinem Baum und hörte zu.

«Und es wird Krieger-T-Shirts geben», ereiferte ich mich.

«Und Krieger-Seife!» überbot mich Joy.

«Und Krieger-Aufkleber.»

«Und Krieger-Kaugummi!»

Socrates hatte genug gehört. Kopfschüttelnd stieg er wieder auf seinen Baum.

Wir beide kugelten uns lachend im Gras, und ich sagte mit gespielter Gleichgültigkeit: «He, wie wär's mit einem kleinen Wettrennen zum Karussell und zurück?»

«Bist du süchtig auf Niederlagen?» prahlte Joy. «Mein Vater war eine Antilope und meine Mutter ein Leopard. Meine Schwester ist der Wind und ...»

«Ja ja, und deine Brüder sind ein Porsche und ein Ferrari.» Lachend schlüpfte sie in ihre Tiger-Schuhe.

«Der Verlierer darf den Abfall nach Hause tragen!» rief ich.

Mit todernstem W.C.Fields-Gesicht sagte Joy: «Jede Minute wird auf der Welt ein Verlierer geboren.» Und weg war sie – ohne Vorankündigung.

Ich nestelte noch an meinen Turnschuhen herum. «Und dein Onkel – das war Peter Rabbit!» schrie ich ihr nach. Und zu Socrates rief ich hinauf: «Wir sind gleich wieder da.»

Ich sprintete Joy hinterher, die sich mit weitem Vorsprung dem – eine Meile entfernten – Karussell näherte.

Sie war schnell, aber ich war schneller, und ich wußte es. Mein

Training hatte mich in Hochform gebracht, besser als ich's mir je erträumt hatte.

Joys Arme und Beine bewegten sich in schönem Gleichmaß. Sie schaute sich um. Überrascht – oder eher geschockt – sah sie mich ruhig atmend dicht hinter sich laufen.

Sie legte Tempo zu und schaute sich wieder um. Ich war so nah, daß ich die Schweißperlen an ihrem zarten Hals sehen konnte. «Wie hast du das geschafft?» keuchte sie, als ich lässig mit ihr gleichzog. «Hast du einen Adler gemietet?»

«Klar», grinste ich. «Ein Vetter von mir.» Ich hauchte ihr einen Kuß hinüber und spurtete los.

Ich war um das Karussell herum und schon wieder gute hundert Meter in Richtung Picknick-Platz, als ich sah, daß Joy ziemlich zurückgefallen war. Sie war erschöpft und kämpfte anscheinend verbissen. Sie tat mir leid, darum hockte ich mich an den Wegrand, pflückte eine der vielen wilden Senfblüten und schnupperte ihren Duft.

«Schöner Tag heute, was?» lachte ich, als Joy ihr Tempo bremsend, herangekommen war.

«Weißt du, das erinnert mich an die Geschichte vom Hasen und vom Igel», rief sie und stob mit einem unglaublichen Spurt davon.

Überrascht sprang ich auf und hetzte ihr nach. Langsam, aber sicher gewann ich an Boden, doch wir waren schon fast am Rand unserer Wiese angelangt. Immer näher schob ich mich heran, schon hörte ich ihr Schnaufen, und dann rannten wir Kopf an Kopf, Schulter an Schulter die letzten zwanzig Meter des Finish. Sie warf einen strahlenden Blick herüber und faßte mich an der Hand. Lachend wurden wir langsamer, bis wir uns glücklich, erschöpft auf die Wiese fallen ließen – genau zwischen die Melonenscheiben, die Socrates inzwischen vorbereitet hatte. Saft und Kerne spritzten in alle Richtungen.

«Bravo», klatschte Soc Beifall, als ich mein völlig verschmiertes Gesicht hob und mich dümmlich umguckte.

Joy sah mich an und kicherte: «Da brauchst du nicht gleich rotzuwerden, Schatz. Immerhin hättest du mich armes Waisenkind beinah abgehängt.»

Ich wischte mir übers Gesicht und leckte den süßen Melonensaft von meinen Fingern. «Na, Schatzimaus, das sieht doch jeder blinde Maulwurf im Dustern, daß du ganz klar und eindeutig zweiter Sieger geworden bist!»

«Hier gibt's nur einen blinden Maulwurf, und der hat gerade unsre Melone versaut!» knurrte Socrates.

Wir lachten alle. Ich drehte mich um und strahlte Joy mit verliebten Augen an. Aber als ich sah, wie sie meinen Blick erwiderte, verging mir das Lachen. Sie nahm mich an der Hand und führte mich zum Rand der Wiese, dort, wo wir auf die weiten grünen Hügel des Tilden Parks hinausblicken konnten.

«Danny, ich muß dir etwas sagen. Du bedeutest mir sehr viel. Aber nach allem, was Socrates sagt», ein Blick zu ihm zurück, der langsam den Kopf schüttelte, «scheint dein Weg nicht breit genug für mich. Wenigstens einstweilen. Ich bin noch sehr jung, Dan, und es gibt so viele Dinge, die ich noch allein schaffen muß.»

Ich zitterte. «Aber Joy, ich möchte dich immer bei mir haben. Ich möchte Kinder haben mit dir und dich warmhalten in der Nacht. Unser Leben zusammen könnte so schön sein.»

«Noch etwas», fuhr sie fort, «was ich dir schon viel früher hätte sagen sollen. Ich weiß, ich seh aus und verhalte mich wie eine Frau. Aber ich bin ... naja, du wirst es nicht glauben, ich bin erst fünfzehn.»

Ich starrte sie fassungslos an, mein Mund klappte nach unten. «Das heißt, daß ich seit Monaten strafbare Wunschträume gehabt habe!?»

Wir lachten alle drei, aber mein Lachen klang hohl. Ein Stück meines Lebens war zerbrochen und zerronnen. «Joy, ich will auf dich warten. Es gibt immer eine Chance.»

Tränen füllten Joys Augen. «O Dan, es gibt immer eine Chance, ich weiß, für alles. Aber Socrates hat mir gesagt, es ist das beste, wenn du mich vergißt.»

Soc war leise hinter uns getreten, während ich in Joys leuchtenden Augen versank. Ich wollte die Hand nach ihr ausstrecken, sie festhalten, da berührte mich etwas leise am Nacken. Die Lichter gingen aus, und ich vergaß auf der Stelle, daß ich jemals ein Mädchen mit Namen Joy gekannt hatte.

Drittes Buch

Glücklich ohne Grund

7
Die letzte Suche

Wie ich die Augen aufschlug, lag ich auf dem Rücken und starrte in den Himmel. Anscheinend war ich eingeschlafen.

Ich rappelte mich hoch und sagte zu Socrates: «Ach, wir zwei sollten öfter mal die Tankstelle vergessen und ein Picknick im Grünen machen. Findest du nicht?»

Socrates nickte ernst. «Ja, nur wir zwei.»

Wir sammelten unsere Siebensachen und wanderten noch eine Weile durchs waldige Hügelland, bis wir die Bushaltestelle erreichten. Die ganze schaukelnde Fahrt im Bus hatte ich irgendwie das Gefühl, als hätte ich etwas vergessen, als hätte ich noch etwas Wichtiges sagen wollen, als hätte ich etwas zurückgelassen. Bis aber der Bus in die Stadt rollte, war auch dieses Gefühl verblaßt.

Als Soc aussteigen wollte, rief ich ihm nach: «He, was hältst du von einem Geländelauf, morgen irgendwann?»

«Wozu warten?» sagte er. «Treffen wir uns gleich heute abend, halb zwölf, an der Brücke über den Fluß. Wir könnten doch einen schönen Nachtlauf machen, die Waldschneisen hinauf.»

Der Vollmond warf sein silbriges Licht auf die Wipfel der Bäume und Büsche, er übergoß die Gräser mit schimmerndem Glanz, als wir die Feuerwehrschneisen hinaufstarteten. Ich kannte hier jeden Meter von meinen einsamen Trainingsläufen und hätte den Weg auch im Stockfinstern gefunden.

Nach einem Steilstück, noch im unteren Schneisensystem,

fühlte ich mich gerade schön aufgewärmt. Dann hatten wir den ‹Konnex› erreicht, und nun ging's erst richtig bergauf. Was mir vor Monaten wie ein unüberwindlicher Anstieg erschienen war, kostete mich jetzt kaum eine Anstrengung. Tief Luft holend, sprintete ich los. «Komm, alter Knochen, fang mich, wenn du kannst!» verspottete ich Socrates, der schwer atmend, mit komisch fuchtelnden Armen, hinter mir trabte.

Auf einer langen geraden Strecke schaute ich mich um. Ich vermutete Socrates hinter mir, doch er war nirgends zu sehen. Ich blieb stehen und lachte in mich hinein. Wahrscheinlich versteckte er sich irgendwo im Gebüsch und wartete darauf, mich zu erschrecken. Sollte er ruhig in seinem Hinterhalt schmoren und sich fragen, wo *ich* endlich blieb!

Ich setzte mich auf eine Hügelkuppe und bewunderte den Lichterglanz San Franciscos in der Ferne.

Der Wind flüsterte unheimlich – und plötzlich wußte ich, daß etwas nicht stimmte, überhaupt nicht stimmte! Ich sprang auf und rannte wie gehetzt zurück, die Waldschneisen hinunter.

Und da lag Socrates gleich hinter einer Wegbiegung. Er lag auf dem Bauch, auf der kalten Erde. Ich kniete nieder, drehte ihn sacht um und zog ihn in meine Arme und drückte mein Ohr an seine Brust. Still. Sein Herz stand still. «O mein Gott, mein Gott!» flehte ich laut. Ein Windstoß heulte durch den Canyon.

Ich legte ihn flach auf den Rücken, preßte meinen Mund auf seinen und blies ihm meinen Atem in die Lungen. In wachsender Panik drückte ich seinen Brustkorb zusammen und ließ ihn wieder los, in gleichmäßigem Rhythmus.

Es war vergeblich. Ich saß da, seinen Kopf in meine Arme gebettet, und flüsterte ihm ins Ohr: «Socrates, bitte stirb nicht, du darfst nicht sterben.» Dieser unselige Wettlauf war meine Idee gewesen. Jetzt erinnerte ich mich, wie er sich keuchend den Berg hinaufgequält hatte. Ach, hätte ich doch ... Zu spät! Zorn und Verzweiflung über die Ungerechtigkeit der Welt packten mich. Eine Wut stieg in mir auf, unbändiger, als ich sie jemals erlebt hatte.

«Nein-nein-nein!» schrie ich, und meine Qual echote durch die Schlucht und ließ Vögel erschreckt aus ihren Nestern aufflattern.

Er durfte nicht sterben – ich würde ihn nicht sterben lassen! Ich spürte die Energie, die meine Arme und Beine, meinen ganzen Leib durchströmte. Ich wollte sie ihm schenken, und wenn es mein Leben kostete. Ich war gern bereit, den Preis zu zahlen. «Socrates, lebe, *lebe*!» Ich umklammerte seinen Brustkorb, ich grub meine Finger zwischen seine Rippen. Wie elektrisiert fühlte ich mich, ich sah meine Hände leuchten, als ich ihn schüttelte, als ich sein Herz *zwingen* wollte, weiterzuschlagen. «Socrates!» rief ich mit voller Willenskraft. «Du sollst leben!»

Nichts geschah. Ich wurde unsicher. Angst drängte sich in meine Gedanken, und ich brach zusammen. Reglos saß ich da, und Tränen flossen mir übers Gesicht. «Bitte!» Ich sah zum Himmel auf, sah die silbernen Wolken vor dem Mond dahinziehen. «Bitte», sagte ich zu dem Gott, den ich nie gesehen hatte. «Laß ihn leben.» Zuletzt gab ich den Kampf auf, auch die Hoffnung. Ich hatte verloren.

Zwei kleine Hasen hüpften aus dem Gebüsch, beäugten mich und den leblosen Körper des alten Mannes, den ich in den Armen geborgen hielt.

Und dann spürte ich es wieder – jene GEGENWART, die ich vor vielen Monaten erlebt hatte. Es durchströmte meinen Körper. Ich atmete *Es, Es* atmete mich. «Bitte», sagte ich ein letztes Mal, «nimm mich statt seiner.»

Ich meinte es so. In diesem Moment spürte ich, wie die Schlagader an Socrates' Hals zu pochen anfing. Sofort legte ich mein Ohr an seine Brust. Ja, unverkennbar – der starke, rhythmische Schlag dieses Kriegerherzens. Ich spendete ihm meinen Atem, bis seine Brust sich von selber hob und senkte.

Als Socrates die Augen aufschlug, sah er über sich mein Gesicht, lachend und weinend vor Dankbarkeit. Der Mond übergoß uns mit seinem Silber. Die Kaninchen mit ihrem schimmernden Fell staunten uns an. Beim Klang meiner Stimme hopsten sie ins Gebüsch davon.

«Socrates, du lebst!»

«Gut beobachtet», lächelte Socrates matt. «Deine Aufmerksamkeit ist wieder mal rasiermesserscharf.»

Er versuchte aufzustehen, aber er war sehr schwach und hatte Schmerzen in der Brust, darum legte ich ihn mir über die Schultern und stapfte los mit meiner Last. Beim Lawrence-Observatorium, zwei Meilen entfernt, am Ende der Feuerwehrschneisen, konnte der Nachtwächter einen Krankenwagen rufen.

Socrates lag die meiste Zeit stumm auf meinen Schultern, während ich müde und schwitzend unter seinem Gewicht vorwärts tappte. Ab und zu murmelte er: «Die einzig anständige Art, zu reisen. Das könnten wir öfter machen.» Oder: «Fix und fertig ...»

Als er endlich in Sicherheit war und auf der Intensivstation des Herrick Hospital lag, wanderte ich allein durch die nächtlichen Straßen nach Hause. In dieser Nacht kam mein schrecklicher Traum wieder: Der Tod streckte die Hand nach Socrates aus. Ich erwachte mit einem Schrei.

Den nächsten Tag verbrachte ich an seinem Bett. Die meiste Zeit schlief er, aber am Nachmittag wollte er mit mir reden.

«Okay. Was ist eigentlich passiert?» fragte er.

«Oh, du lagst auf der Erde, so habe ich dich gefunden. Dein Herz stand still, du hattest aufgehört zu atmen. Ich ... ich wollte dich mit meinem Willen zwingen, zu leben.»

«Na, ich werde dich auch in meinen Willen einschließen. Erinnere mich daran. Und wie war dir zumute dabei?»

«Das ist sonderbar, Soc. Zuerst fühlte ich, wie Energie mich durchströmte. Ich habe versucht, sie dir zu geben. Ich hatte schon beinah aufgegeben – nie, dachte ich ...»

«Niemals nie sagen», predigte er.

«Socrates, kannst du nicht einmal ernst bleiben?»

«Erzähl weiter. Ich wollte dich nur anfeuern. Bin ganz gespannt auf den Schluß der Geschichte.»

Ich mußte unwillkürlich lachen. «Du weißt ganz genau, wie die Geschichte ausging. Dein Herz fing wieder an zu schlagen – aber erst, nachdem ich meine Versuche aufgegeben hatte. Diese GEGENWART, die ich schon einmal gespürt habe ... *Es* brachte dein Herz zum Schlagen.»

«Das ist gut», nickte er. «Du hast *ES* gespürt.» Es war keine Frage, sondern eine Feststellung.

«Ja.»

«Eine gute Lektion für dich», sagte er und streckte sich vorsichtig in seinem Bett.

«Eine Lektion! Du hattest einen Herzanfall, und für mich soll es nur eine nette kleine Lektion gewesen sein. Siehst du die Sache so?»

«Ja», sagte er. «Und ich hoffe, du wirst diese Lektion nicht vergessen. Ganz egal, wie stark wir zu sein scheinen, gibt es immer eine geheime Schwäche in uns, die leicht unser Ende bewirken kann. Die Geschäftsregeln sagen: Für jede Stärke gibt es eine entsprechende Schwäche – und umgekehrt. Meine Schwäche war, schon als Kind, mein Herzfehler. Du, mein junger Freund, hast eine andere Art von *Herzschwäche.*»

«*Ich*?»

«O ja. Du hast dein Herz noch nicht für die Welt geöffnet, du läßt deine Gefühle noch nicht leben – so wie es gestern geschehen ist. Du hast Körperbeherrschung gelernt, auch eine gewisse Kontrolle deiner Gedanken, aber vor allem muß dein Herz geöffnet werden. Unser Ziel ist nicht Unverletzlichkeit, sondern Verletzlichkeit: Offenheit für die Welt, für das Leben, für das WESEN, das du gespürt hast.

Ich wollte dir mit meinem Beispiel zeigen, daß das Leben des Kriegers nichts mit eingebildeter Vollkommenheit zu tun hat, nichts mit eingebildetem Sieg. Es hat einzig mit Liebe zu tun. Liebe ist das Schwert des Kriegers. Und wo es trifft, bringt es nicht Tod, sondern neues Leben.»

«Socrates, erzähle mir mehr über Liebe? Ich möchte es gern verstehen.»

Er lachte leise. «Es gibt nichts zu verstehen. Man muß sie fühlen.»

«Also gut. Wie ist das mit dem Fühlen?»

«Siehst du? Du willst alles zu einer gedanklichen Vorstellung verdrehen. Vergiß dich selbst, fühle einfach!»

Wie ich ihn so liegen sah, erkannte ich das Maß seines Opfers. Er hatte mit mir trainiert, hatte sich nie geschont, obgleich er wußte, daß er ein schwaches Herz hatte. Und alles nur, um mein Interesse wachzuhalten. Tränen stiegen mir in die Augen. «Aber ich fühle doch, Soc ...»

«Unsinn! Schmerz ist nicht gut genug.»

Meine Scham schlug um in Verletztheit. «Du kannst einen verrückt machen, du alter Hexenmeister! Was willst du eigentlich von mir – Blut?»

«Zorn ist auch nicht gut genug», tönte er, dramatisch mit dem Finger auf mich deutend und die Augen aufgerissen wie ein altmodischer Filmbösewicht.

«Soc, du bist komplett verrückt», lachte ich.

«Ja! Das ist's! *Lachen* ist gut genug», sagte er.

Wir lachten ein Weilchen zusammen, und bald schlief Socrates ein, immer noch vor sich hin kichernd. Ich ging leise hinaus.

Am nächsten Morgen, als ich ihn besuchte, wirkte er ausgeruht und kräftiger. Ich stellte ihn gleich auf die Probe: «Socrates, warum hast du's dir nicht nehmen lassen – immer wieder diese Geländeläufe, dieses Bergaufjoggen und Sprinten und das ganze Sprungtraining, wo du wußtest, es könnte jederzeit deinen Tod bedeuten?»

«Warum sollte ich mir Sorgen machen? Besser man lebt – bevor man stirbt. Ich bin ein Krieger, mein Weg ist das Tun!» sagte er. «Ich bin ein Lehrer, ich lehre durch das eigene Beispiel. Eines Tages wirst du vielleicht anderen beibringen, was ich dich gelehrt habe. Dann wirst du sehen, daß Worte nicht genügen; du wirst auch durch dein Beispiel lehren müssen. Und du kannst nur das lehren, was du selbst erfahren hast.»

Und er erzählte mir eine Geschichte:

Eine Mutter brachte ihren kleinen Sohn zu Mahatma Gandhi. «Bitte, Mahatma», flehte sie. «Sage meinem Sohn, er soll aufhören, Zucker zu essen.»

Der Mahatma besann sich und sagte: «Gute Frau, komm in zwei Wochen wieder mit deinem Sohn.»

Verwirrt bedankte sich die Frau und sagte, sie würde tun, wie ihr geheißen.

Nach zwei Wochen kam sie wieder mit ihrem Sohn. Gandhi schaute dem Kleinen fest in die Augen und sagte: «Hör auf, Zucker zu essen.»

Dankbar, aber ziemlich verwundert, fragte die Frau den Mahatma: «Warum sollte ich zwei Wochen warten? Damals hättest du ihm dasselbe sagen können.»

«Vor zwei Wochen», antwortete Gandhi, «habe ich selbst noch Zucker gegessen.»

«Du mußt selbst verkörpern», sagte Socrates, «was du lehrst. Und lehre nur das, was du selbst verkörperst.»

«Was könnte ich denn lehren, außer Turnen?»

«Turnen ist gut genug», sagte er, «wenn du es als Mittel nimmst, um umfassendere Lehren zu vermitteln. Achte die anderen. Gib ihnen zuerst das, was sie von dir wollen; am Ende werden einige von dir das wollen, was du ihnen geben möchtest. Begnüge dich damit, den Leuten Salto und Handstand beizubringen, bis einer mehr von dir lernen will.»

«Wie werde ich wissen, ob einer mehr will?»

«Du wirst es wissen.»

«Bist du sicher, Socrates, daß Lehrersein meine Bestimmung ist? Ich fühle mich nicht zum Lehrer berufen.»

«Offenbar führt dein Weg in diese Richtung.»

«Woher weißt du das?» fragte ich und schickte gleich noch eine Frage hinterher, die ich ihm schon lange stellen wollte: «Soc, oft scheint es, als könntest du meine Gedanken lesen und meine Zukunft voraussagen. Werde ich auch eines Tages solche Kräfte besitzen?»

Statt einer Antwort schaltete Socrates seinen Fernseher ein und fing an, sich Trickfilme anzuschauen. Ich beugte mich vor und schaltete den Apparat wieder aus.

Socrates sah mich kopfschüttelnd an und seufzte. «Ich hatte gehofft, du würdest an der Faszination dieser Kräfte unbehelligt vorbeikommen. Aber jetzt, wo du die Frage aufgeworfen hast, müssen wir wohl darüber sprechen. Gut, was möchtest du also wissen?»

«Fangen wir zum Beispiel mit dem Wahrsagen an. Manchmal habe ich den Eindruck, du könntest es.»

«Ach», stöhnte Soc, «Vorhersagen über die Zukunft beruhen nur auf einer realistischen Erkenntnis der Gegenwart. Kümmere dich lieber nicht um die Zukunft, solange du deine Gegenwart nicht klar und deutlich erkennst.»

«Was ist mit dem Gedankenlesen?» hakte ich nach.

«Was soll damit sein?» fragte er.

«Ich glaube, du kannst oft meine Gedanken lesen.»

«Ja, wirklich», gab er zu. «Ich kann meistens erraten, was du denkst. Deine Gedanken sind leicht zu lesen, weil sie dir auf der Stirne geschrieben stehen.»

Ich wurde rot.

«Na, siehst du, was ich meine?» Lachend zeigte er mit dem Finger auf mein rotes Gesicht. «Man braucht kein Zauberer zu sein, um in den Gesichtern der Menschen zu lesen. Jeder Pokerspieler macht das.»

«Aber wie steht's mit den *echten* Kräften?»

Er richtete sich im Bett auf und sah mich an. «Es gibt tatsächlich besondere Kräfte. Aber für einen Krieger sind solche Dinge absolut nebensächlich. Laß dich nicht irreführen. Die einzige Kraft, die wirklich zählt, ist das Glücklichsein. Und *du* kannst das Glück nicht erreichen - es erreicht vielmehr dich. Allerdings erst, nachdem du alles andere hingegeben hast.»

Unser Gespräch schien Socrates zu ermüden. Er sah mich lange an, als wollte er eine Entscheidung treffen. Dann sprach er – mit sanfter und zugleich fester Stimme – die Worte, die ich gefürchtet hatte: «Wie ich sehe, Dan, bist du noch immer gefangen. Du suchst noch immer anderswo nach dem Glück. Gut, suche weiter, bis du es leid bist. Du wirst fortgehen, für einige Zeit. Suche, was du suchen mußt, und lerne, was du lernen kannst. Dann werden wir weitersehen.»

Meine Stimme schwankte: «Wie ... wie lange?»

Seine Worte durchfuhren mich wie ein Schock: «Neun bis zehn Jahre sollten genügen.»

Ich war entsetzt. «So interessieren mich diese Kräfte doch gar nicht, Soc. Ich verstehe ernsthaft, was du gesagt hast. Laß mich bei dir bleiben, bitte.»

Er schloß die Augen. «Junger Freund, hab keine Angst. Dein Pfad wird dich leiten. Du kannst den Weg gar nicht verlieren.»

«Wann ... wann werde ich dich wiedersehen, Socrates?»

«Wenn deine Suche zu Ende ist – wirklich zu Ende.»

«Wenn ich ein Krieger geworden bin?»

«Ein Krieger ist nichts, was man *wird*. Ein Krieger ist man in jedem Moment, oder man ist es nicht. Der Weg selbst bringt den Krieger hervor. Jetzt aber mußt du mich vergessen. Geh – und komme leuchtend wieder.»

Ich wußte, ich war so abhängig geworden von seiner Sicherheit, von seinem Rat. Erschüttert wandte ich mich ab und ging zur Tür. Ich drehte mich um und blickte ein letztes Mal in diese von innen her strahlenden Augen. «Ich will alles tun, was du verlangt hast, Socrates. Nur eines nicht – ich will dich nie vergessen.»

Ich ging die Treppe hinunter, trat auf die Straße hinaus und irrte ziellos über die Parkwege des Campus. Vor mir lag eine ungewisse Zukunft.

Ich beschloß, wieder nach Los Angeles zu gehen, in meine Heimatstadt. Ich holte meinen alten Valiant aus der Garage und verbrachte mein letztes Wochenende in Berkeley mit Kofferpacken – dabei unaufhörlich an Linda denkend. Schließlich rannte ich – mitten in der Nacht – zur nächsten Telefonzelle und wählte ihre neue Nummer. Als ihre schläfrige Stimme aus der Muschel klang, wußte ich, was ich wollte.

«Schatz, ich hab 'ne Überraschung für dich. Ich ziehe nach Los Angeles. Hättest du Lust, nach Oakland herüberzufliegen? Gleich morgen früh? Wir könnten zusammen im Auto nach Süden fahren. Es gibt so vieles, was wir besprechen müssen.»

Eine Pause entstand am anderen Ende der Leitung. «O ja, gerne. Ich nehme die Acht-Uhr-Maschine. Äh –», eine längere Pause, «was möchtest du denn mit mir besprechen, Danny?»

«Das ... das möchte ich dich lieber persönlich fragen. Es hat mit unserer Zukunft zu tun, mit Baby, mit Zusammen-Aufwachen am Morgen und Sich-Festhalten.» Eine noch längere Pause entstand. «Linda?»

Ihre Stimme bebte. «Dan ... ich kann jetzt nicht sprechen. Ich komme – gleich morgen früh!»

«Ich warte am PSA-Schalter in der Ankunftshalle. Good bye, Linda.»

«Bye-bye, Danny.» Dann nur noch das einsame Tuten in der Leitung.

Um dreiviertel neun war ich in der Ankunftshalle. Linda war schon da – eine Schönheit mit leuchtenden Augen und verwirrend rotem Haar. Sie kam mir entgegengelaufen und schlang ihre Arme um meinen Hals. «Oooh, wie schön, dich wiederzusehen, Dan!»

Die Wärme ihres Körpers hüllte mich ein. Rasch machten wir uns los voneinander und liefen zum parkenden Auto hinaus. Anfangs fanden wir gar keine Worte.

Ich fuhr noch einmal zurück, Richtung Berkeley, zum Tildenpark und dann rechts hinauf zum Inspiration Point. Ich hatte alles vorausgeplant. Ich forderte Linda auf, sich auf den Zaun zu setzen, und wollte gerade mit der großen Frage herausplatzen, als Linda zu weinen anfing. Sie warf ihre Arme um mich und hauchte: «Ja.»

«Hab ich denn etwas gefragt?» witzelte ich schwach.

Wir heirateten in Los Angeles in einer stilvollen kleinen Feier. Ein Teil von mir war sehr glücklich – aber ein anderer Teil von mir war unerfindlich deprimiert. Mitten in unserer Hochzeitsnacht erwachte ich unruhig und schlich mich auf Zehenspitzen hinaus auf den Balkon unserer Hochzeits-Suite. Ich stand in der Dunkelheit und weinte lautlos. Warum hatte ich dies Gefühl, als hätte ich etwas Wichtiges verloren, als hätte ich etwas *Unwiederbringliches vergessen?* Dieses Gefühl sollte mich nie mehr verlassen.

Bald darauf zogen wir in unsere neue Wohnung. Ich versuchte mein Glück als Vertreter für Lebensversicherungen. Linda fand einen Job in der Bank. Wir hatten Sicherheit und Komfort, aber wir waren viel zu beschäftigt, um füreinander Zeit zu finden. Am späten Abend, wenn Linda schon schlief, setzte ich mich hin und meditierte. Frühmorgens machte ich ein wenig Gymnastik. Bald aber ließen meine beruflichen Pflichten mir kaum noch Zeit für solche Dinge. Mein Training und meine Disziplin begannen zu verblassen.

Nach sechs Monaten in meinem Vertreter-Job hatte ich die Nase voll. Ich setzte mich mit Linda zusammen – es war unser erstes gutes Gespräch seit Wochen.

«Was meinst du, Liebling, sollen wir nicht wieder nach Nordkalifornien zurückgehen und uns dort andere Arbeit suchen?»

«Wenn du das möchtest, Dan, mir ist es sehr recht. Außerdem wäre es gut, meine Eltern in der Nähe zu haben. Sie sind prima Babysitter!»

«Babysitter?»

«Ja. Wie fühlst du dich als werdender Vater?»

«Du meinst ... ein Baby? Du ... ich ... – ein Baby?» Ich umarmte sie und drückte sie zärtlich an mich.

Jetzt durfte nichts mehr schiefgehen! Zwei Tage nach unserem Umzug fuhr Linda ihre Familie besuchen, und ich begab mich auf Arbeitssuche. Von Hal, meinem ehemaligen Trainer in Berkeley, erfuhr ich, daß an der Stanford University ein Trainer für die Herren-Mannschaft gesucht würde. Ich bewarb mich sofort um die Stelle und fuhr noch am gleichen Tag zu meinen Schwiegereltern hinüber, um Linda die gute Nachricht mitzuteilen.

Bei der Ankunft erfuhr ich von ihnen, daß in der Zwischenzeit der Leiter der Sport-Abteilung aus Stanford angerufen und mir den Trainerposten zum September angeboten habe. Ich sagte zu. Ich hatte einen Beruf gefunden.

Ende August kam Holly zur Welt, unsere wunderschöne, kleine Tochter. Ich brachte all unsere Habseligkeiten nach Menlo Park und richtete uns eine gemütliche Wohnung ein. Linda kam mit dem Baby zwei Wochen später nach. Wir waren zufrieden – für eine Weile. Ich ging ganz in meiner Arbeit auf und entwickelte ein erfolgversprechendes Trainingsprogramm für Stanford.

Jeden Morgen machte ich weite Dauerläufe über den Golfplatz, oder ich saß für mich allein am Ufer des Lagunita-Sees. Meine Energie und meine Aufmerksamkeit strömten in alle Richtungen – nur leider nicht zu Linda.

So verging fast unbeachtet ein Jahr. Alles lief glatt. Nur eines verstand ich nicht, mein beharrliches Gefühl, als hätte ich irgendwann, vor langer Zeit, etwas entscheidend Wichtiges verloren. Meine Zeit mit Socrates, die Geländeläufe durch die Hügel, unsere merkwürdigen Übungen in der Nacht, die Gespräche und mein aufmerksames Zuhören und Zuschauen im Bannkreis meines geheimnisvollen Lehrers – all das war verblassende Erinnerung.

Bald nach unserem ersten Hochzeitstag eröffnete mir Linda, sie wolle mit mir zu einem Eheberater gehen. Für mich war's ein Schock – gerade jetzt, wo wir endlich Fuß gefaßt hatten und bald auch mehr Zeit füreinander haben würden.

Der Eheberater konnte helfen, aber ein Schatten war zwischen Linda und mich getreten. Vielleicht war er immer dagewesen, schon seit unserer Hochzeitsnacht. Linda lebte still vor sich hin, zurückgezogen in ihre eigene Welt, in die sie auch Holly hineinzog. Ich kam jeden Tag völlig erschöpft nach Hause und hatte keine Kraft übrig, mich mit den beiden abzugeben.

In meinem dritten Jahr in Stanford bewarb ich mich als Vertrauens-Dozent in einem Studentenzentrum, damit Linda und ich unter Leute kämen. In dieser Hinsicht war unser Umzug erfolgreich, nur allzusehr, wie sich bald zeigte. Linda fand Anschluß, Freunde und Flirts – und ich war eine Bürde los, die ich nicht tragen wollte und konnte. In meinem dritten Frühling in Stanford lebten Linda und ich getrennt.

Ich stürzte mich nun erst recht in die Arbeit, und ich nahm meine innere Suche wieder auf. Morgens saß ich mit einer Zen-Gruppe in unserer Turnhalle, und abends ging ich in einen Kurs, um die Kunst des Aikido zu lernen. Ich las viele Bücher und hoffte auf Antworten oder Fingerzeige für meine rastlose Suche.

Dann wurde mir eine Dozentenstelle am Oberlin-College in Ohio angeboten. Es schien, als sollten Linda und ich eine zweite Chance bekommen. Aber ich hatte mich schon zu sehr daran gewöhnt, meinen eigenen Weg zu suchen – den Weg zu meinem persönlichen Glück. In Oberlin wurde ich auch beruflich viel stärker gefordert. Ich baute zwei neue Kurse auf: ‹Psycho-physische Entwicklung› und ‹Der Weg des Friedenskriegers›, in denen ich manche Einsichten und Fähigkeiten verwirklichen konnte, die ich bei Socrates gelernt hatte.

Nach einem Jahr gewährte mir das College ein Stipendium für eine Studienreise rund um die Welt.

Linda und Holly zurücklassend, brach ich auf zu meiner, wie ich hoffte, letzten Suche.

Überall in den Ländern, die ich sah – in Hawaii, in Japan, in Indien – , in jeder Stadt, durch deren Straßen ich streifte, fand ich Yogazentren, Ashrams, Schulen für asiatische Kampfkünste und – Lehrer. Aber ich fand keine Antworten auf meine Fragen. Ich wurde immer verzweifelter, je näher das Ende der Reise heranrückte. Immer stärker bestürmten mich Fragen: Was ist das Glück? Was ist Erleuchtung? Was ist das Ziel meiner Suche?

Oft hatte ich Socrates von diesen Dingen sprechen hören. Aber hatte ich ihm wirklich zugehört?

Als ich in dem Dorf Cascais an der Küste Portugals, der letzten Station meiner Reise, angekommen war, beschäftigte mich nur noch die eine Frage: «Wer bin ich?» Dies schien mir der Schlüssel zu Allem. Wieder und wieder legte ich mir diese Frage vor, an dem einsamen Strand, wo ich für zehn Tage mein Zelt aufgeschlagen hatte. Ich wär's zufrieden gewesen, auch den Rest meiner

Tage hier zu verbringen – mich samt meiner Suche von den sanften Wellen hinwegspülen zu lassen. Doch eines Tages mußte ich zusehen, wie die Flut meine sorgfältig aus Sand und Zweigen errichtete Strandburg verschlang. Ich dachte an meinen Tod und an alles, was Socrates mich zu lehren versucht hatte. Seine Worte und Taten zogen an meinem inneren Auge vorbei – dahindriftend wie die Ästchen und Stöcke meiner untergegangenen Sandburg: «Denke an die verfließenden Jahre. Eines Tages wirst du erkennen, daß der Tod nicht das ist, was du dir vorgestellt hast – aber auch das Leben nicht. Beide können wunderbar sein, voll Veränderung. Aber beide können auch, ehe du dich versiehst, eine große Enttäuschung sein.»

Sein Lachen hallte in meiner Erinnerung nach.

Einmal, als er mich besonders lethargisch fand, packte mich Soc an den Schultern und rüttelte mich. «Wach auf! Wenn du mit aller Gewißheit wüßtest, daß dir nur noch eine kurze Frist bleibt, um dein Leben zu erkennen und herauszufinden, wer du bist, dann würdest du nicht deine Zeit vertrödeln mit Trägheit oder Verzagtheit, mit Müßiggang oder Ehrgeiz. Ich sage dir, Dan, du *hast* eine unheilbare Krankheit. Ihr Name ist – Tod. Die kurze Frist, ob du ein paar Jahre früher oder später hinweggespült wirst, macht keinen Unterschied. Sei *jetzt* glücklich, grundlos glücklich – oder du wirst es niemals sein!»

Eine schreckliche drängende Unruhe befiel mich, aber ich wußte nicht, wohin. So blieb ich. Ein Strandläufer, der nie aufhört, die endlosen Strände seiner Gedanken abzusuchen: Wer bin ich? Was ist Erleuchtung?

Auch für den Krieger, so hatte Socrates gesagt, gebe es keinen Sieg über den Tod. Es gibt nur die Erkenntnis, *wer* wir wirklich sind.

Ich lag in der Sonne und dachte daran, wie ich im Tankstellenbüro eine Zwiebel bis auf die letzte Schicht abgeschält hatte, um herauszufinden: Wer bin ich? Ich erinnerte mich an eine Romanfigur von J. D. Salinger, die, als sie jemanden ein Glas Milch trinken sah, ausrief: «Es war, als ergieße sich Gott in Gott, falls Sie verstehen, was ich meine.»

Ich erinnerte mich an den Traum des Laotse:

Laotse schlief und träumte, er sei ein Schmetterling. Beim Erwachen fragte er sich: «Bin ich ein Mensch, der geträumt hat, er sei ein Schmetterling? Oder bin ich ein schlafender Schmetterling, der träumt, er sei ein Mensch?»

Ich schlenderte den Strand entlang, immer wieder den alten Kinderreim singend:

Row, row, row your boat, gently down the stream
Merrily, merrily, merrily, life is but a dream.

Nach einem langen Nachmittagsspaziergang kehrte ich zu meinem Zelt zurück, das verborgen hinter einem schützenden Felsen stand. Ich kramte in meinem Rucksack und zog ein zerlesenes Buch hervor, das ich in Indien gefunden hatte. Die englische Übersetzung alter, heiliger Erzählungen. Ich blätterte durch die Seiten und stieß auf eine Geschichte über die Erleuchtung:

Milarepa hatte überall nach Erleuchtung gesucht, aber nirgends eine Antwort gefunden, bis er eines Tages einen alten Mann langsam einen Bergpfad herabsteigen sah, der einen schweren Sack auf der Schulter trug. Milarepa wußte augenblicklich, daß dieser alte Mann das Geheimnis kannte, nach dem er so viele Jahre verzweifelt gesucht hatte.

«Alter, sage mir bitte, was du weißt. Was ist Erleuchtung?»

Der alte Mann sah ihn lächelnd an, dann ließ er seine schwere Last von der Schulter gleiten und richtete sich auf.

«Ja, ich sehe!» rief Milarepa. «Meinen ewigen Dank! Aber bitte erlaube mir noch eine Frage: Was kommt nach der Erleuchtung?»

Abermals lächelte der alte Mann, bückte sich und hob seinen schweren Sack wieder auf. Er legte ihn sich auf die Schulter, rückte die Last zurecht und ging seines Weges.

In dieser Nacht hatte ich einen Traum:

Ich bin im Dunkel, am Fuß eines hohen Berges, und suche überall zwischen den Steinen nach einem kostbaren Juwel. In der Finsternis dort im Tal kann ich das Juwel nicht finden.

Ich richte den Blick auf den silbern schimmernden Gipfel des Berges. Wenn überhaupt, so ist mein Juwel nur dort zu finden.

Ich mache mich auf den Weg und steige hinauf, und es wird eine mühsame Wanderung, die mich viele Jahre kostet. Schließlich erreiche ich das Ziel und bin am Gipfel, von strahlendem Licht umflutet.

Hier ist es hell und klar, und trotzdem kann ich das Juwel nicht finden. Ich richte den Blick hinunter ins Tal, wo ich vor Jahren den mühsamen Aufstieg begann. Und jetzt erkenne ich, daß das Juwel schon immer in mir selbst gewesen ist, damals wie heute, und daß sein Licht mir immer geleuchtet hat. Nur meine Augen waren blind und verschlossen.

Ich erwachte mitten in der Nacht – unter einem strahlend hellen Mond. Die Luft war warm, die Welt schwieg still, bis auf den rhythmischen Schlag der Wellen. Ich meinte Socrates' Stimme zu hören, aber ich wußte, es war nur eine Erinnerung: «Erleuchtung ist kein Ziel, das man anstreben könnte. Erleuchtung ist eine Erkenntnis. Wenn du endlich erwachst, wird sich alles verändert haben – und nichts wird sich verändert haben. Wenn ein Blinder merkt, daß er sehen kann – hat sich die Welt dann verändert?»

Ich saß da und betrachtete das im Mondlicht glitzernde Meer, die von Silberglanz übergossenen fernen Berge. Wie ging doch dieser alte Zen-Spruch – von Flüssen, Bergen und der großen Suche? Ach ja, ich erinnerte mich:

Zuerst sind die Berge Berge, und die Flüsse sind Flüsse. Dann sind die Berge nicht mehr Berge, und die Flüsse sind nicht mehr Flüsse. Zuletzt sind die Berge Berge, und die Flüsse sind Flüsse.

Ich sprang auf, rannte über den Strand und stürzte mich in das schwarze Meer. Ich schwamm weit hinaus, bis jenseits der Brandung. Irgendwann hörte ich auf mit dem Wassertreten, und da spürte ich ein Wesen – tief unter mir – in der Finsternis schwimmen. Es kam näher und immer näher. Es war der Tod.

Wie ein Besessener kraulte ich ans Ufer zurück und ließ mich keuchend auf den nassen Sand fallen. Eine winzige Krabbe kroch vor meinen Augen dahin und vergrub sich im Sand, als eine Welle über sie hinwegspülte.

Ich stand auf, trocknete mich ab und schlüpfte in meine Kleider.

Im Mondschein packte ich meine Sachen. Den Rucksack über die Schulter werfend, sagte ich mir:

Besser nicht anfangen. Einmal angefangen, besser es beenden!

Ich wußte, es war Zeit, nach Hause zu fahren.

Schon während der Jumbo-Jet über Cleveland, Ohio, zur Landung ansetzte, beschlich mich eine dunkle Ahnung und eine quälende Angst um meine Ehe. Wie sollte mein Leben weitergehen? Mehr als sechs Jahre waren inzwischen vergangen. Ich fühlte mich älter, aber nicht klüger geworden. Was konnte ich meiner Frau und meiner Tochter sagen? Würde ich Socrates jemals wiedersehen? Und falls ja, was hatte ich ihm mitzubringen?

Linda und Holly erwarteten mich am Flughafen. Holly kam mir freudig entgegengesprungen und warf sich in meine Arme. Die Begrüßung mit Linda war warm und herzlich, doch ohne wirkliche Vertrautheit, als ob ich eine alte Freundin umarmte. Die Zeit und das Leben hatten uns in verschiedene Richtungen geführt.

Linda chauffierte uns vom Flughafen nach Hause. Holly schlummerte friedlich auf meinem Schoß.

In meiner Abwesenheit war Linda nicht alleingeblieben, wie ich erfuhr. Sie hatte Freunde gefunden und intimere Freundschaften. Und es ergab sich, daß auch ich bald nach meiner Rückkehr nach Oberlin jemanden kennenlernte: eine Studentin, die mir viel bedeutete; eine ganz wunderbare junge Frau namens Joyce. Das kurzgeschnittene schwarze Haar hing ihr in Ponyfransen in die Stirn. Sie hatte ein hübsches Gesicht und ein strahlendes Lächeln. Sie war klein, aber voller Leben. Ich fühlte mich unheimlich verwandt mit ihr, zu ihr hingezogen, und wir verbrachten bald jede freie Stunde miteinander. Wir gingen spazieren, wir redeten, wir streiften durch den Arboretum-Park, um die stillen Teiche. Mit ihr konnte ich sprechen, wie ich mit Linda nie hatte sprechen können. Nicht weil Linda mich nicht verstanden hätte, sondern weil ihre Interessen ihr einen anderen Weg wiesen.

Joyce machte im Frühjahr ihr Abschlußexamen. Sie wollte in meiner Nähe bleiben. Ich empfand jedoch eine Verpflichtung gegenüber meiner Ehe, und so nahmen wir traurig Abschied. Ich wußte, ich würde sie niemals vergessen, aber die Familie mußte Vorrang haben.

Im folgenden Winter zogen Linda, Holly und ich zurück nach Nord-Kalifornien. Ich glaube, es war mein völliges Aufgehen in der Arbeit und die ständige Beschäftigung mit mir selbst, die unserer Ehe den letzten Stoß versetzten. Doch das schlimmste Omen war jener trostlose, nagende Zweifel, der mich seit unserer Hochzeitsnacht verfolgt hatte; dies schmerzliche Gefühl, als müßte ich mich an etwas erinnern, das ich vor vielen Jahren verloren hatte. Nur mit Joyce zusammen hatte ich mich davon befreit gefühlt.

Nach der Scheidung zogen Linda und Holly in ein schönes altes Haus. Ich vergaß mich erst recht in meiner Arbeit als Sport-Trainer und Aikido-Lehrer in Berkeley.

Die Versuchung, einen Besuch in der Tankstelle zu machen, war unwiderstehlich. Aber ich wollte nicht gehen, bevor ich gerufen würde. Außerdem – was hatte ich vorzuweisen nach all den Jahren?

Ich wohnte in Palo Alto und lebte allein – ich lernte die Einsamkeit kennen. Oft dachte ich an Joyce, aber ich wußte, ich hatte kein Recht, sie zu mir zu rufen. Noch immer lag eine unerledigte Aufgabe vor mir.

Und da begann ich erneut mit dem Training. Ich übte, ich las, ich meditierte und trieb mir die brennenden Fragen tiefer und tiefer ins Herz, wie ein Schwert. Nach einigen Monaten stellte sich ein Gefühl des Wohlbefindens ein, wie ich es seit Jahren nicht mehr gekannt hatte. In dieser Zeit fing ich auch an zu schreiben – ganze Bände füllte ich mit Notizen aus meiner Zeit mit Socrates. Durch die Aufzeichnung all dessen, was ich bei ihm erlebt hatte, hoffte ich einen Fingerzeig zu erhalten. Nichts hatte sich wirklich geändert, seit er mich fortgeschickt hatte; zumindest nichts, was mir bewußt geworden wäre.

Eines Morgens hockte ich auf den Stufen vor meinem Haus und blickte zu den fernen Bergen jenseits der Autobahn hinüber. Ich dachte zurück an die acht Jahre, die seitdem verflossen waren. Als Narr hatte ich angefangen, und beinahe wäre ich ein Krieger geworden. Dann hatte Socrates mich in die Welt hinausgeschickt. Ich hätte lernen sollen – aber ich war wieder ein Narr geworden.

All die Zeit schien vergeudet. Acht verlorene Jahre. Ich saß auf der Treppe und starrte in die Ferne. Auf einmal sammelte sich meine Aufmerksamkeit, und die Berge gewannen ein schwaches Leuchten. Plötzlich wußte ich, was ich zu tun hatte.

Ich verkaufte meine wenigen Habseligkeiten, die mir geblieben waren, schnallte den Rucksack auf und trampte gen Süden, nach Fresno, und von dort ostwärts in die Sierra Nevada. Es war Spätsommer – eine gute Zeit, sich in den Bergen zu verlieren.

8
Die Pforte tut sich auf

Auf einer schmalen Straße, irgendwo in der Nähe des Edison-Sees, begann ich meine Wanderung ins Innere einer Gegend, von der Socrates einmal erzählt hatte. Es ging stetig bergan – mitten hinein ins Herz der Wildnis. Hier in den Bergen, das spürte ich, würde ich meine Antwort finden – oder sterben. Ich sollte in beiderlei Hinsicht recht behalten.

Ich wanderte über alpine Matten empor, zwischen Granitzinnen, ich bahnte mir meinen Weg durch Fichtenwälder und Latschenfelder, hinauf zur Hochseenplatte, wo man Menschen seltener trifft als den Puma, den Hirsch oder die kleinen Eidechsen, die bei meiner Annäherung unter die Felsen huschten.

Vor Anbruch der Dämmerung schlug ich mein Lager auf. Am nächsten Tag wanderte ich weiter, es ging höher hinauf, über weitgestreckte Schuttfelder am Rande der Waldgrenze. Ich mußte über gewaltige Felsbrocken klettern, ich zwängte mich durch Schluchten und Spalten. Unterwegs sammelte ich eßbare Wurzeln und Beeren, und zu Mittag lagerte ich an einer kristallklaren Quelle. Zum ersten Mal seit vielen Jahren war ich zufrieden.

Am Nachmittag streifte ich durch die einsame Wildnis, erkundete schattige dichte Wälder und kehrte zurück zu meinem Basislager. Ich sammelte Holz für das Feuer am Abend, aß eine Kleinigkeit und saß dann meditierend unter einer riesigen Fichte, ganz der Bergwildnis hingegeben. Was sie mir geben mochte – ich war bereit, es anzunehmen.

Der Himmel über mir war tiefschwarz geworden, ich wärmte mir die Hände am prasselnden Lagerfeuer, als ein Mann aus dem Schatten hervortrat: Socrates!

«Ich war zufällig in der Gegend, und da dachte ich mir, ich schau einfach herein», lachte er.

Ungläubig und überglücklich sprang ich auf und umarmte ihn, wir rauften uns ausgelassen und kugelten lachend über den Waldboden. Endlich ließen wir ab, klopften uns Erde und Tannennadeln von den Kleidern und setzten uns ans Feuer.

«Du hast dich kaum verändert, alter Krieger. Kein Jahr älter als hundert!» (Doch, er sah älter aus, aber seine grau-gesprenkelten Augen hatten noch immer dieses lebendige Funkeln.)

«Du dagegen», meinte er grinsend und musterte mich von oben bis unten, «siehst viel älter aus – und kein bißchen klüger! Erzähl mal, was hast du gelernt?»

Seufzend starrte ich ins Feuer. «Wenigstens hab ich gelernt, mir allein meinen Tee zu kochen.» Ich stellte einen Topf mit Wasser auf den improvisierten Rost und tat etwas von den würzigen Kräutern hinein, die ich unterwegs gesammelt hatte. Mit Besuch hatte ich nicht gerechnet, also gab ich Soc meine Tasse und goß für mich selbst den Tee in eine kleine Schüssel. Endlich brachen die Worte aus mir hervor, und während ich redete, überwältigte mich die Verzweiflung, die ich so lange zurückgehalten hatte.

«Ich habe dir nichts mitzubringen, Socrates. Ich irre noch immer umher, bin der Pforte um keinen Schritt nähergekommen, wie damals, als wir uns trafen. Ich habe dich enttäuscht, und das Leben hat mich enttäuscht. Das Leben hat mir das Herz gebrochen.»

«Sehr gut!» jubelte er. «Dein Herz ist endlich aufgebrochen. Erst jetzt erkennst du die leuchtende Pforte in deinem Herzen. Es ist der einzige Ort, wo du nicht gesucht hast. Mach die Augen auf, du Narr. Du bist beinah angekommen!»

Verwirrt und fassungslos, konnte ich ihn nur anstarren.

«Du bist bereit», munterte Soc mich auf, «du bist so nah.»

Wie ein Ertrinkender klammerte ich mich an seine Worte: «Nahe – woran?»

«Am Ende.»

Angst kroch mir den Rücken hinauf. Schnell schlüpfte ich in

meinen Schlafsack, und auch Socrates entrollte den seinen. Mein letzter Eindruck in dieser Nacht waren die leuchtenden Augen meines Lehrers. Es war mir, als schauten sie durch mich hindurch, in eine andere Welt.

Beim ersten Sonnenstrahl war Socrates wieder auf, still hockte er an einem Bächlein, nicht weit von unserem Lagerplatz. Ich ging hinüber und setzte mich zu ihm. Ich schwieg, ich warf Steinchen ins Wasser und lauschte auf das Geplätscher. Wortlos drehte Socrates sich zu mir und sah mich lange an.

Am Abend, nach einem mit Wandern und Schwimmen und Sonne ausgefüllten Tag, saßen wir vor dem Feuer, und Socrates forderte mich auf, ihm alles zu erzählen, was ich erlebt hatte, seit wir Abschied genommen hatten. Drei volle Tage und Nächte redete ich, bis ich meinen ganzen Vorrat an Erinnerungen verausgabt hatte. Socrates sagte kaum ein Wort, außer daß er mal eine kurze Frage einwarf.

Und wieder war die Sonne hinter den Felszacken versunken, wieder hatten wir unser Lagerfeuer angefacht. Alles war gesagt – und wir saßen stumm und reglos, der alte Krieger und ich, mit untergeschlagenen Beinen, hoch oben in der Wildnis der Sierra Nevada.

«Alle meine Illusionen haben sich zerschlagen», sagte ich. «Und ich sehe nichts, was sie ersetzen könnte. Du hast mir die Vergeblichkeit meiner Suche gezeigt, Socrates. Aber was ist der Weg des friedvollen Kriegers? Ist dieser Weg nicht auch – eine Suche?»

Er lachte entzückt auf und rüttelte mich an den Schultern. «Nach all den Jahren, Dan, ist dir endlich eine interessante Frage eingefallen. Na, die Antwort liegt direkt vor deiner Nase! Was ich dir zeigen wollte, ist nicht der Weg *zum* friedvollen Krieger, sondern der Weg *des* friedvollen Kriegers. Solange du diesen Weg beschreitest, *bist* du ein Krieger. Die letzten acht Jahre hast du freiwillig auf dein Kriegertum verzichtet, um woanders zu suchen. Aber der Weg ist *hier* und *jetzt* – ist es immer gewesen!»

«Was soll ich jetzt anfangen? Wohin führt mein Weg von hier?»

«Wen kümmert's?» rief er fröhlich. «Die Narren meinen glücklich zu sein, wenn ihre Wünsche befriedigt sind. Ein Krieger ist glücklich – ohne Grund. Darum ist Glücklichsein die oberste Disziplin, höher als alle anderen, die ich dich lehrte.»

Ich lag schon im Schlafsack und sah Socrates' Gesicht im Abglanz des Feuers über mir leuchten. «Dies ist die letzte Aufgabe, Dan, die ich dir stellen werde», sprach er. «Und sie hört nie auf: Handle glücklich, fühle dich glücklich, sei glücklich – ohne allen Grund! Dann wirst du lieben können; dann wirst du tun können, was du willst.»

Ich war müde geworden. Die Augen fielen mir zu, und ich protestierte schwach: «Aber es gibt Dinge, Soc, und Menschen, bei denen fällt es sehr schwer, sie zu lieben. Mir scheint es unmöglich, immer glücklich zu sein.»

«Trotzdem, Dan, das macht den Krieger aus, es ist das Entscheidende. Es geht nicht darum, *wie* du glücklich *wirst,* sondern *daß* du glücklich *bist.*» – Mit diesen letzten Worten war ich eingeschlafen.

Im ersten Morgengrauen rüttelte Socrates mich wach. «Steh auf, Dan, wir haben einen langen Weg vor uns.» Kurz darauf hatten wir die Rucksäcke gepackt und brachen auf.

Das einzige Anzeichen für Socrates' Alter oder sein empfindliches Herz war sein bedächtiger Schritt, sein langsameres Steigen. Wieder mußte ich an die Verletzlichkeit meines Lehrers denken, an das Opfer, das er für mich gebracht hatte. Nie mehr würde ich die Zeit mit ihm als Selbstverständlichkeit hinnehmen. Eine Geschichte fiel mir ein, die ich früher nie verstanden hatte:

Eine heilige Frau wanderte am Rand einer Klippe dahin. In der Tiefe sah sie eine tote Löwin liegen, umringt von hungrig schreienden Löwenjungen. Ohne zu zögern, sprang die Frau in den Abgrund, damit die Jungen etwas zu fressen hätten.

In einer anderen Zeit, an einem anderen Ort, hätte Socrates vielleicht dasselbe getan.

Höher und immer höher stiegen wir schweigend, der Weg führte durch lichten Bergwald und jenseits der Waldgrenze durch zerklüftetes Felsgelände.

«Wohin gehen wir, Socrates?» fragte ich, als wir uns zu einer kurzen Rast niederließen.

«Wir gehen zu einem heiligen Platz, dem höchsten Plateau im ganzen Umkreis. Es war die Begräbnisstätte eines alten amerikanischen Volkes. Dieser Stamm war so klein, daß die Geschichtsbücher nichts über ihn berichten. Diese Menschen lebten und arbeiteten in Einsamkeit und Frieden.»

«Woher weißt du das?»

«Meine Vorfahren gehörten zu ihnen. Komm, wir müssen uns beeilen. Wir müssen dieses Plateau noch vor Anbruch der Dunkelheit erreichen.»

Ich war inzwischen soweit, daß ich Socrates bedingungslos vertraute. Und doch beschlich mich ein unbehagliches Gefühl, als ob ich in Gefahr schwebte und er mir etwas verheimlichte.

Die Sonne stand unheilverkündend tief am Himmel. Socrates beschleunigte seinen Schritt. Es war eine mühsame Kletterei, ächzend quälten wir uns im Schatten der Zinnen von Felsblock zu Felsblock. Plötzlich verschwand Socrates in einem engen Spalt. Ich folgte beklommen – doch drüben führte der Tunnel wieder ins Freie. «Dies ist der einzige Durchgang», sagte er. «Vergiß es nicht – für den Fall, daß du allein zurückkehren mußt.» Ich wollte nachfragen, doch er gebot mir Schweigen.

Der Himmel zeigte ein fahles Dämmergrau, als wir den letzten Felskamm überwanden. Unter uns dehnte sich eine weite, schüsselförmige Mulde, eingefaßt von schroffen Klippen, die jetzt in düsterem Schatten lagen. Wir kletterten in die Mulde hinab und näherten uns einer zerklüfteten Felswand.

«Sind wir bald an der Begräbnisstätte?» fragte ich nervös.

«Wir stehen direkt auf ihr», sagte er. «Wir sind umgeben von den Geistern eines vergangenen Volkes – eines Stammes von Kriegern.»

Ein kalter Windstoß fauchte uns an, wie um seine Worte zu unterstreichen. Dann hörte ich ein unheimliches Geräusch – wie das Stöhnen einer menschlichen Stimme.

«Was ist das für ein komischer Wind?»

Ohne mich zu beachten, blieb Socrates vor einem schwarzen Höhlenloch in der Felsmauer stehen und sagte: «Los, gehen wir hinein.»

Mein Instinkt signalisierte höchste Gefahr, aber Socrates war schon im dunklen Eingang verschwunden. Ich knipste meine Taschenlampe an und folgte dem schwachen Schein von Socs Lampe ins Höhleninnere. Vor meinem flackernden Lichtstrahl taten sich Spalten und Abgründe auf, deren Tiefe ich nur ahnen konnte.

«Socrates, ich habe keine Lust, hier in den Eingeweiden der Berge begraben zu liegen.» Er funkelte mich drohend an, aber zu meiner Erleichterung wandte er sich dem Höhlenausgang zu. Nicht, daß es einen Unterschied gemacht hätte. Draußen war es mittlerweile so finster wie drinnen.

Wir schlugen unser Lager auf, und Soc holte aus seinem Rucksack ein Bündel kleiner Holzscheite. «Ich dachte, die werden wir brauchen können», sagte er. Bald knisterte ein helles Feuer, das unsere Schatten in wildem Tanz gegen die Felsmauern der Höhle warf.

«Diese Schatten», erklärte Socrates, die Hand ausgestreckt, «sind ein *wichtiges Gleichnis* für Illusion und Wirklichkeit unseres Lebens, für Glück und Leid. Laß dir eine alte Legende erzählen, die Plato uns überliefert hat:

Es war einmal ein Volk von Menschen, die verbrachten ihr ganzes Leben in einer Höhle der Illusionen. Nach vielen Generationen glaubten alle daran, daß ihre eigenen, an die Höhlenwände geworfenen Schatten das Wesen der Wirklichkeit wären. Nur die Sagen des Volkes und seine religiösen Überlieferungen berichteten von einer anderen, helleren Möglichkeit. Fasziniert vom Spiel der Schatten, gewöhnten sie sich an ihre dunkle Wirklichkeit und blieben in ihr gefangen.»

Ich beobachtete die zitternden Schatten und genoß die Wärme des Feuers im Rücken, während Socrates weitererzählte:

«Und doch gab es immer wieder Menschen, glückliche Ausnahmen, die dem Schicksal dieser Gefangenen in der Höhle zu entrinnen wußten. Sie begannen zu zweifeln und wurden des Schattenspiels überdrüssig. Schatten konnten sie nicht mehr ausfüllen, ganz gleich wie hoch sie sein mochten. Diese Menschen begaben sich auf die Suche nach dem Licht. Einige Glückliche fanden Lehrer, die sie vorbereiteten und aus dem Reich der Illusionen emporführten – ans Licht der Sonne.»

Ganz im Bann der Erzählung, vergaß ich das bedrohliche Dunkel um uns her, zurückgedämmt nur vom warmen Lichtkreis des Feuers.

«Weißt du, Dan», fuhr er fort, «alle Völker dieser Welt sind Gefangene in der Höhle ihrer eigenen Gedanken. Nur die wenigen Krieger, die das Licht sehen, die den Durchbruch gewagt und sich von allem gelöst haben, sind frei und können lachen in alle Ewigkeit. Du wirst dazugehören, mein Freund.»

«Es klingt so unerreichbar, Soc. Und irgendwie beängstigend.»

«Glaube mir, es ist ein Zustand jenseits der Angst und der Suche. Ist es geschehen, dann wirst du wissen – es ist so offensichtlich, so einfach und normal. Wach und glücklich zu leben, das ist die einzige Wirklichkeit jenseits aller Schatten!»

Nur das Knacken der Holzscheite unterbrach die Stille. Ich beobachtete Socrates, der auf irgend etwas zu warten schien. Ich hatte ein ungutes Gefühl, aber das schwache Dämmerlicht, das zum Höhleneingang hereinfiel, gab mir neuen Mut.

Plötzlich aber herrschte wieder pechschwarze Nacht vor der Höhle. Soc sprang auf und ging hinaus, ich folgte ihm. Es roch draußen stark nach Ozon. Ich spürte, wie sich meine Nackenhaare sträubten unter der elektrischen Spannung in der Luft. Dann brach das Unwetter los.

Socrates packte mich am Arm: «Rasch, die Zeit ist knapp. Du mußt aus der Höhle der Schatten fliehen – die Ewigkeit ist nah!»

Blitze zuckten über den niedrig lastenden Himmel, ein Feuerstrahl schlug ein in die Felsen gegenüber.

«Los!» zischte Socrates – mit einer Unruhe, die ich noch nie bei ihm erlebt hatte. Und im gleichen Moment war jenes GEFÜHL wieder da, das mich noch nie getäuscht hatte, und es gab mir die Worte ein: Hüte dich – der Tod schleicht umher!

Dann hörte ich wieder Socrates: «Hier droht Gefahr! Schnell, rette dich ins Innere der Höhle!»

Ich fing an, in meinem Rucksack nach der Taschenlampe zu kramen, aber Socrates herrschte mich an: «Los, mach schon!»

Vorsichtig an die Felsen gedrückt, tastete ich mich in die Schwärze. Ich wagte kaum zu atmen. Ich wartete, daß Socrates nachkäme, aber er war verschwunden.

Ich wollte ihn rufen, aber auf einmal erstarrte ich vor Schreck:

Irgend etwas hatte mich mit rohem Griff am Genick gepackt und zerrte mich tiefer ins Dunkel der Höhle. «Socrates!» schrie ich in höchster Not. «Socrates!»

Der Griff um meinen Hals lockerte sich – doch nun setzte ein anderer furchtbarer Schmerz ein. Etwas umklammerte meinen Kopf und preßte ihn wie einen Schraubstock zusammen. Ich schrie in äußerster Todesangst. Bevor ich meinen Schädel bersten fühlte, vernahm ich die Worte: «Dies ist deine letzte Reise.» Es war unverkennbar Socrates' Stimme.

Ein letztes entsetzliches Knacken, und dann war der Schmerz verschwunden. Ich brach zusammen und schlug dumpf am Höhlenboden auf. Ein Blitz zuckte, und in dem fahlen Licht sah ich Socrates über mir stehen, auf mich herabschauend. Ein Donnerschlag folgte, schon aus einer anderen Welt. Ich wußte, ich starb.

Mit einem Bein hing ich über einem tiefen Spalt, Socrates gab mir einen Stoß, und ich stürzte ins Bodenlose. Ich fiel und fiel, ich prallte immer wieder gegen die Felsen und stürzte immer weiter hinab, ins Innere der Erde, bis der Berg mich endlich freigab – durch einen Schacht segelte ich hinaus ins helle Sonnenlicht, wo ich weiter in die Tiefe stürzte, bis mein Körper als zerschundenes Häufchen Fleisch und Knochen liegenblieb, weit drunten auf einer blühenden grünen Wiese.

Da kamen aasfressende Vögel und Nagetiere, Insekten und Würmer und nährten sich von meinem verwesenden Fleisch, von dem ich einmal geglaubt hatte, es sei ‹ich›.

Die Tage vergingen, die Wochen und Monate, die Zeit flog dahin, der Himmel über mir war nur noch ein rasch flackernder Wechsel von Tag und Nacht, von Hell und Dunkel, bis sich alles zu einem rasenden Flimmern verwischte.

Die Jahreszeiten folgten, eine auf die andre, die Reste meines Körpers lösten sich in das Erdreich auf und bereicherten es. Frost und Schnee konservierten meine bleichen Knochen für eine Weile, aber während die Jahre in immer schnellerem Kreislauf vorüberhuschten, zerfielen auch die Knochen zu Staub. Bäume und Gräser nährten sich von mir, sie wuchsen, blühten und vergingen. Schließlich war auch die Wiese verschwunden.

Ich war Teil all der Tiere geworden, die sich an meinem Fleisch gesättigt hatten. Ich war Teil der Insekten und Würmer, war Teil ihrer Vorgänger im großen Kreislauf von Leben und Tod. Dann wurde ich zu ihren Vorfahren, in einem anderen großen Kreislauf, bis auch er wieder zu Ende ging.

Jener Dan Millman, der irgendwann vor langer Zeit gelebt hatte, war endgültig vergangen – ein aufblitzendes Pünktchen in der Zeit –, aber *ich* blieb unverändert durch alle Epochen. Ich war Ich Selbst geworden, reine Bewußtheit, die alles beobachtete, die mit Allem eins war. Meine einzelnen Teile, die sich in den Kreis der Schöpfung aufgelöst hatten, würden unendlich weiterexistieren – immer im Wandel begriffen, immer neu.

Ich erkannte, daß der grausige Schnitter Tod, den Dan Millman so sehr gefürchtet hatte, nur eine Illusion gewesen war. Und auch sein Leben war eine Illusion gewesen, ein Problemchen, der heitere Zwischenfall einer Sekunde, als das BEWUSSTSEIN sich selbst vergaß.

Zu seinen Lebzeiten war Dan nicht durch die Pforte getreten. Niemals hatte er sein wahres Wesen erkannt. Er hatte in Sterblichkeit und in Furcht gelebt – allein.

Aber *ich* wußte jetzt. Ach, hätte er nur früher gewußt, was ich jetzt weiß!

Ich lag auf dem Boden der Höhle und lächelte versonnen. Ich setzte mich auf, wischte mir über die Augen und starrte ins Dunkel, verwirrt, aber ohne Furcht.

Als mein Blick sich an die Dunkelheit gewöhnt hatte, erkannte ich einen weißhaarigen Mann, der lächelnd neben mir saß. Dann kam, aus tausend Jahren Entfernung, die Erinnerung wieder. Einen Moment lang war ich betrübt über die Rückkehr in meine sterbliche Form. Dann aber wurde mir klar, daß es keinen Unterschied machte. Wahrscheinlich machte nichts mehr einen Unterschied!

Das fand ich spaßig. Überhaupt – ich fand alles spaßig. Ich mußte lachen. Ich sah Socrates an. Unsere Augen funkelten vor überschwenglicher Freude. Ich wußte, er wußte, was ich jetzt wußte. Ich sprang auf und umarmte ihn. Wir tanzten im Kreis herum in der Höhle und lachten wie zwei Verrückte – über meinen Tod.

Irgendwann packten wir unsere Rucksäcke und machten uns an den Abstieg. Es ging zurück durch die schmale Felsenpassage, durch Schluchten und über Geröllhalden, zu unserem Basislager.

Ich sprach nicht viel unterwegs, ich mußte nur viel lachen. Jedesmal, wenn ich mich umschaute, wenn ich die Erde sah, den Himmel, die Sonne, die Bäume, die Seen, die Bäche, erinnerte ich mich: dies alles war *Ich*!

Wie viele Jahre war jener Dan Millman herangewachsen und hatte darum gekämpft, ‹jemand› zu werden. Nachher ist man stets klüger! Er *war* jemand geworden – eingesperrt in ein angstvolles Denken, in einen sterblichen Körper.

«Also gut!» dachte ich. «Nun werde ich wieder ‹Dan Millman› spielen. Vielleicht gewöhne ich mich sogar daran – für die restlichen paar Sekunden Ewigkeit, bis auch das vorbei ist. Jetzt aber weiß ich, daß ich nicht nur ein isoliertes Häufchen Fleisch und Knochen bin, sondern Teil der ganzen Welt. Und dieses Geheimnis macht den ganzen Unterschied.»

Mir fehlen die Worte, um den Effekt dieses Wissens zu schildern. Ich war einfach aufgewacht.

Ich war endlich erwacht für die Wirklichkeit, frei von der Suche, frei von der Frage nach dem Sinn. Was hätte ich noch suchen sollen? Alles, was Socrates mir je gesagt hatte, war mit meinem Tod lebendig geworden. Dies war das große Paradox, der große Witz und die große Veränderung. Suche, Leistung, Ziele – all dies war gleich vergnüglich und gleich unwichtig.

Neue Energie strömte durch meinen Körper. Ich floß über vor Glück und meinte zu bersten vor Lachen. Es war das Lachen eines grundlos Glücklichen!

So wanderten wir hinab, bis wir wieder die Baumgrenze erreichten und dann durch dichten Wald zurück zu dem kleinen Bach kamen, wo wir vor zwei Tagen – oder waren es zehntausend Jahre? – campiert hatten.

Dort oben in den Bergen hatte ich alle meine Regeln verloren, meine moralischen Grundsätze, meine Angst. Ich war nicht mehr beherrschbar durch andere. Welche Strafe hätte mich noch schrekken können?

Trotzdem hatte ich einen zuverlässigen Verhaltenskodex in

mir. Ich spürte nun, was ausgeglichen war, was angemessen war, was liebevoll war. Ja, ich war nur noch fähig zu liebevollem Handeln, zu sonst nichts. Es könne keine größere Macht geben, hatte Socrates einst gesagt.

Ich hatte den Verstand verloren und – war in mein Herz gefallen. Die Pforte hatte sich schließlich aufgetan, und ich war blindlings hineingestolpert, lachend, denn auch dies war ein Witz. Es war eine Pforte ohne Tor. Wieder nur eine Illusion, wieder nur ein Gleichnis, das Socrates für mich in die Wirklichkeit eingewebt hatte, um mir den Weg zu zeigen. Ich hatte gesehen, was es zu sehen gab. Der Weg würde weiterführen – ohne Ende. Jetzt aber war er voller Licht.

Es dämmerte bereits, als wir das Lager erreicht hatten. Wir sammelten Holz für ein Feuer, aßen ein spärliches Mahl aus Sonnenblumenkernen und Trockenobst, und erst dann, im rötlichen Schein unsres Feuers, sprach Socrates:

«Glaub mir, du wirst es wieder verlieren.»

«Was denn verlieren?»

«Deine Vision. Sie ist eine seltene Gnade, ermöglicht nur durch das Zusammentreffen unwahrscheinlicher Umstände. Aber es ist nur eine Erfahrung, und darum wirst du sie wieder verlieren.»

«Mag sein, Socrates, aber wen kümmert das?» Ich mußte lachen. «Ich hab den Verstand verloren, und wie mir scheint, werde ich ihn nicht wiederfinden.»

Er zog die Augenbrauen hoch – erfreut, überrascht. «Wenn es so ist, bin ich mit meiner Arbeit bei dir am Ziel. Meine Schuld ist zurückgezahlt.»

«Wow!» grinste ich. «Heute ist also Abschlußfeier für mich?»

«Nein, Dan. Heute ist Abschlußfeier für *mich*!»

Damit stand er auf, griff nach seinem Rucksack und löste sich in der Dunkelheit auf.

Nun war es an der Zeit, dahin zurückzukehren, wo alles angefangen hatte. Irgendwie wußte ich, daß Socrates bereits dort war und auf mich wartete. Also packte ich bei Sonnenaufgang meinen Rucksack und machte mich auf den Weg.

Der Rückweg aus der Wildnis dauerte ein paar Tage. Per Autostop fuhr ich nach Fresno, von dort auf der Nationalstraße 101 nach San José und dann nach Hause, nach Palo Alto. Unfaßlich, daß ich meine Wohnung erst vor ein paar Wochen verlassen hatte – als ein hoffnungsloser ‹Jemand›.

Ich packte meine Sachen aus und fuhr nach Berkeley, wo ich schon um drei Uhr nachmittags durch die altvertrauten Straßen rollte. Ich ließ den Wagen auf der Piedmont Avenue stehen und spazierte über den Campus. Das Semester hatte gerade angefangen, und all die Studenten spielten fleissige Studenten. Ich schlenderte die Telegraph hinunter und beobachtete die Geschäftsleute, die ihre Rollen als tüchtige Geschäftsleute spielten. Überall, in den Werkstätten, in den Supermärkten, in den Kinos und Massagestudios spielten die Leute jeweils das, was sie zu sein glaubten.

Ich bog in die University Avenue ein und spazierte dann auf der Shattuck weiter, ich schwebte wie ein glückliches Phantom, wie Buddhas Geist durch die Straßen. Am liebsten hätte ich allen Leuten ins Ohr geflüstert: Wach auf! Wach auf! Bald wird die Person, die du zu sein glaubst, sterben müssen. Darum freue dich über die Erkenntnis: *Die Suche ist unnötig, das Streben führt zu nichts. Alles ist gleich, darum sei glücklich – und zwar jetzt. Die Liebe ist die einzige Wirklichkeit dieser Welt, denn sie ist das All-Eine. Die einzig gültigen Gesetze sind Paradox, Humor und Wandel. Es gibt keine Probleme, es gab keine und wird niemals welche geben. Hör auf zu kämpfen, laß ab von deinem Grübeln, wirf die Sorgen von dir und fühle dich wohl auf dieser Welt. Du brauchst dich nicht aufzulehnen gegen das Leben. Tu einfach nur dein Bestes. Mach die Augen auf und erkenne, daß du viel mehr bist, als du glaubtest: Du bist die Welt und der Kosmos. Du bist du selbst und alle anderen. Alles ist ein wunderbares Spiel Gottes. Wach auf und lerne wieder zu lachen. Mach dir keine Sorgen, sei einfach glücklich. Du bist schon erlöst!*

Jedem wollte ich es verkünden, dem ich begegnete. Aber sie hätten mich für verrückt gehalten, vielleicht sogar für gefährlich. Ich wußte, daß Schweigen klüger war.

Die Geschäfte schlossen. Nur noch einige Stunden, dann begann Socrates' Schicht an der Tankstelle. Ich fuhr in die Hügel hinaus, parkte den Wagen irgendwo und setzte mich auf eine Felskuppe, wo ich die ganze Bucht von San Francisco überblickte. Ich sah die City in der Ferne, und die weiten Bögen der Golden Gate-Brücke. Ich fühlte dies alles in mir – fühlte die Vögel in den Wäldern von Tiburon, Marin und Sausalito, fühlte das Treiben in der großen Stadt: die Liebenden in ihrer Umarmung, die Gangster bei ihrem finsteren Job, die freiwilligen Sozialhelfer bei ihrem selbstlosen Werk. Und ich wußte, daß all dies – das Gute und das Böse, das Hohe und das Niedrige – unauflösbarer Teil des Spiels war. Sie alle spielten ihre Rollen so gut! Und ich war all dies, bis in die kleinsten Verästelungen. Ich schaute hinaus in die Welt, und ich liebte alles.

Ich schloß die Augen und wollte meditieren, aber da merkte ich, daß ich jetzt immer meditierte, ob mit geschlossenen oder mit offenen Augen.

Es wurde Mitternacht, und ich fuhr zur Tankstelle. Die scheppernde Glocke kündigte mein Kommen an. Aus dem anheimelnd hellen Büro trat mein Freund, ein Mann mit dem Aussehen eines rüstigen Fünfzigers: schlank, sonnenverbrannt, mit elastischen Bewegungen. Grinsend kam er herüber und fragte: «Volltanken?»

«Glücklichsein ist ein voller Tank!» antwortete ich. Wo hatte ich diesen Spruch schon mal gelesen? Was war's, woran ich mich erinnern mußte?

Während Soc den Wagen auftankte, putzte ich die Windschutzscheibe. Dann parkte ich hinter der Werkstatt und betrat zum letzten Mal dieses altvertraute Tankstellenbüro. Es war ein heiliger Ort für mich geworden – ein ziemlich ungewöhnlicher Tempel! In dieser Nacht erschien mir der Raum wie elektrisch aufgeladen. Kein Zweifel, es lag etwas in der Luft, aber was?

Socrates zog eine Schublade auf und holte ein großformatiges Schreibheft hervor, vergilbt und rissig vor Alter. Die Seiten waren mit einer sorgfältigen, scharf gestochenen Schrift gefüllt. «Mein Tagebuch», sagte er, «Aufzeichnungen aus meinem Leben, seit meiner frühen Jugend. Es kann dir all die Fragen beantworten, die du nicht gestellt hast. Es gehört jetzt dir – ein Geschenk. Ich habe gegeben, was ich konnte. Nun bist du an der Reihe. Meine Arbeit ist getan – für dich bleibt noch viel zu tun.»

«Was sollte denn noch zu tun bleiben?»

«Du wirst lehren, und du wirst schreiben. Du wirst ein ganz normales Leben führen und lernen, normal zu bleiben in einer verrückten Welt, der du nicht mehr richtig angehörst. Bleibe normal, nur so wirst du anderen helfen können.»

Socrates erhob sich und stellte seinen Becher behutsam auf den Tisch – dicht neben meinen. Ich sah auf seine Hand. Sie leuchtete heller als je zuvor.

«Ich hab so ein sonderbares Gefühl», murmelte er überrascht. «Ich glaube, ich muß gehen.»

«Kann ich etwas für dich tun?» fragte ich. Ob ihm schlecht war?

«Nein.» Den Blick in die Weite gerichtet, als existierten der Raum und ich nicht mehr für ihn, ging er langsam zu der Tür mit dem Schildchen ‹Privat›.

Ob ihm doch etwas fehlte? Unser Ausflug ins Gebirge mußte ihn sehr angestrengt haben. Und doch umgab ihn dieses Glühen – heller als je zuvor. Man wußte nie, woran man bei ihm war.

Ungeduldig setzte ich mich auf das Sofa und wartete auf seine Rückkehr. «Socrates!» schrie ich zur Tür hinüber. «Du leuchtest heute wie ein Irrlicht. Hast du zu Mittag einen Zitteraal verspeist? Dich könnte ich gut zu Weihnachten als Christbaumschmuck brauchen!»

Mir war, als hätte ich einen Lichtstrahl unter dem Türspalt aufblitzen sehen. Um so besser, eine durchgebrannte Glühbirne konnte sein Geschäft nur beschleunigen. «Socrates, willst du die ganze Nacht da drinnen bleiben?» lachte ich.

Es vergingen fünf Minuten, dann zehn Minuten. Ich saß und hielt das kostbare Tagebuch in der Hand. Ich rief ihn, ich rief ihn wieder – aber nur Schweigen antwortete mir. Auf einmal wußte ich es. Es war unmöglich, aber ich wußte, es war geschehen.

Ich sprang auf und lief zur Tür, ich stieß sie auf – mit solchem Schwung, daß die Klinke gegen die Kachelwand knallte und ein metallisches Scheppern durch das leere Kabinett hallte. Ich erinnerte mich, dieser Lichtblitz vor ein paar Minuten! Socrates war leuchtend *durch* diese Tür gegangen – und einfach verschwunden.

Lange stand ich wie betäubt. Irgendwann klingelte die Tankstellenglocke, dann ein ungeduldiges Hupsignal. Ich ging hinaus, tankte mechanisch ein Auto auf, nahm einen Geldschein und gab Wechselgeld aus der eigenen Tasche heraus. Als ich ins Büro zurückging, merkte ich, daß ich nicht mal meine Schuhe angezogen hatte!

Ich mußte lachen. Mein Lachen steigerte sich zur Hysterie, dann wurde ich still. Ich setzte mich auf das Sofa, auf die alte, zerschlissene Mexiko-Decke und schaute mich um. Ich sah den gelben Veloursteppich, inzwischen ausgebleicht vom Alter; ich sah den Nußholz-Schreibtisch und den Wasserbehälter. Ich sah die zwei Becher, Socrates' und meinen, die immer noch auf der Tischplatte standen; ich sah seinen leeren Stuhl.

Dann sprach ich zu ihm. Wo dieser alte Krieger auch immer sein mochte – ich mußte das letzte Wort behalten.

«Hörst du mich, Socrates? Hier bin ich – wieder mal zwischen Himmel und Erde hängend, zwischen Vergangenheit und Zukunft. Was soll ich dir sagen, wie mein Gefühl ausdrücken? Danke, mein Lehrer, mein Freund, meine Inspiration! Danke. Ich werde dich vermissen. Lebe wohl!»

Ich ließ die Tankstelle hinter mir, zum letzten Mal, und in mir war nur Staunen. Ich wußte, ich hatte ihn nicht verloren, nicht wirklich. Wie lange hatte ich gebraucht, um das Einfache zu erkennen: Socrates und ich waren nie getrennt gewesen; all die Jahre waren wir ein und derselbe gewesen!

Langsam wanderte ich die nächtlichen Parkwege des Campus entlang, ich kam zur Brücke über den Fluß und ging weiter, unter schweigenden Bäumen, zur Stadt hinaus – weiter den WEG, den Weg nach Hause.

Epilog
Lachen im Wind

Ich war durch die Pforte geschritten. Ich hatte gesehen, was es zu sehen gab. Hoch in den Bergen hatte ich meine wahre Natur erkannt. Dennoch wußte ich – wie der Alte in der Fabel, der seine Last wieder auf die Schulter nimmt –, daß, obwohl alles verändert war, nichts sich geändert hatte.

Noch immer lebte ich ein normales Leben, mit normalen alltäglichen Pflichten. Ich würde mich daran gewöhnen müssen, ein glückliches, nützliches Leben zu führen in einer Welt, die sich bedroht fühlt durch jemanden, der sich für kein Problem, keine Suche mehr interessiert. Ein grundlos glücklicher Mensch, so erlebte ich, geht den Leuten oft auf die Nerven. Ich verstand und beneidete manchmal die Mönche, die fern von der Menschheit als Eremiten in Höhlen hausten. Aber ich war schon in meiner Höhle gewesen. Jetzt war die Zeit des Nehmens vorbei, die Zeit des Gebens war gekommen.

Ich zog fort aus Palo Alto, nach San Francisco, und fand einen Job als Anstreicher. Kaum hatte ich eine Wohnung gefunden, kümmerte ich mich um eine Angelegenheit, die noch offen stand. Seit damals in Oberlin hatte ich Joyce nicht mehr gesprochen. Ich fand ihre Nummer in New Jersey und rief sie an.

«Dan, welch eine Überraschung! Wie geht es dir?»

«Gut, Joyce. Sehr gut. Ich habe viel erlebt in letzter Zeit.»

Eine Pause entstand in der Leitung. «Wie geht es, hm, deiner Tochter und deiner Frau?»

«Linda und Holly geht's gut. Linda und ich sind geschieden – schon seit einiger Zeit.»

«Dan –», wieder eine Pause – «warum rufst du an?»

Ich holte tief Luft. «Joyce, ich möchte, daß du nach Kalifornien kommst und mit mir lebst. Ich fühle absolut keinen Zweifel über dich ... über uns. Und Platz ist genug hier.»

«Dan», lachte Joyce, «das geht mir viel zu schnell. Wann, meinst du, sollte diese kleine Veränderung stattfinden?»

«Gleich – oder sobald du kannst. Ich habe dir so viel zu erzählen, Joyce. Dinge, die ich noch niemandem erzählt habe und die ich so lange zurückhalten mußte. Rufst du mich an, sobald du dich entschieden hast?»

«Dan, bist du sicher?»

«Ja, glaube mir. Ich werde jeden Abend hier auf deinen Anruf warten.»

Zwei Wochen später, abends um Viertel nach sieben, schellte das Telefon.

«Joyce!»

«Ich rufe vom Flughafen an.»

«Vom Flughafen Newark? Fliegst du los? Kommst du?»

«Ich rufe vom Flughafen San Francisco an. Ich bin schon da.»

Ich kapierte nicht gleich. «Flughafen – San Francisco?»

«Ja ja», lachte sie. «Du weißt doch, der große Betonstreifen im Süden der Stadt. Na? Willst du mich abholen, oder soll ich per Autostop fahren?»

Die nächsten Tage waren wir jede freie Minute zusammen. Ich gab meine Arbeit als Anstreicher auf und wurde Lehrer in einem kleinen Sport-Studio in San Francisco. Ich erzählte ihr mein ganzes Leben – so, wie ich es hier aufgeschrieben habe. Und ich erzählte ihr alles über Socrates.

«Weißt du, Dan, ich hab ein sonderbares Gefühl, wenn du mir von diesem Mann erzählst. Als ob ich ihn kennen würde.»

«Möglich ist alles», lächelte ich.

«Nein, wirklich. Als ob ich ihn kenne! Ich habe dir nichts davon erzählt, Danny, aber ich bin, schon bevor ich mit der High School anfing, von zu Hause weggegangen.»

«Ja», sagte ich, «das ist zwar ungewöhnlich, aber auch wieder nicht so seltsam.»

«Nein, aber das Ungewöhnliche ist, daß die Jahre seit meinem Fortgehen von zu Hause, bis ich nach Oberlin kam, in meinem Gedächtnis wie ausgelöscht sind. Und in Oberlin, bevor ich dich kennenlernte, da hatte ich diese seltsamen Träume – Träume von jemandem wie dir und einem alten Mann mit weißen Haaren. Und meine Eltern ... oh, meine Eltern, Danny ...»

Ihre großen, strahlenden Augen weiteten sich, schwammen in Tränen.

« ... meine Eltern riefen mich mit einem Spitznamen ...»

Ich packte sie an den Schultern und schaute ihr in die Augen. Im nächsten Moment, wie in einem elektrischen Schock, riß uns beiden der Schleier vor der Erinnerung:

«Mein Spitzname war – *Joy.*»

Wir heirateten im Freundeskreis, in den Bergen Kaliforniens. Wieviel hätte ich darum gegeben, dieses Ereignis mit dem Mann zu teilen, der alles auf den Weg gebracht hatte – für uns beide! Mir fiel die Visitenkarte ein, die er mir einmal gegeben hatte. Ich sollte sie nur benutzen, wenn ich ihn wirklich brauchte. Jetzt war so ein Moment, dachte ich.

Ich stahl mich fort für ein Weilchen und ging zu einem Hügel auf der anderen Straßenseite, wo der Blick sich weit über Berge und Wälder auftat. Es gab einen Garten dort, mit einer einzelnen Ulme, fast versteckt hinter Zitrusbäumen. Ich suchte in meiner Brieftasche und fand auch richtig die Karte zwischen meinen anderen Papieren. Sie war ein bißchen eselsohrig und verknittert, aber sie leuchtete immer noch.

Krieger AG
Geschäftsführer: Socrates
spezialisiert auf:
Humor, Paradoxes
und Veränderung
NUR IN DRINGENDEN FÄLLEN!

Ich hielt die Karte mit beiden Händen und sprach leise: «Jetzt los, Socrates, alter Zauberer. Zeig, was du kannst. Komm uns besuchen, Soc!»

Ich wartete, ich versuchte es noch einmal. Nichts geschah. Überhaupt nichts. Kurz rauschte der Wind – das war auch alles.

Ich wunderte mich über meine Enttäuschung. Hatte ich wirklich die geheime Hoffnung, er werde wiederkommen? – Aber er kam nicht. Jetzt nicht, und auch später nicht. Ich ließ die Hände sinken und starrte auf den Boden vor mir. «Lebe wohl, Socrates. Good bye, mein Freund.»

Ich klappte meine Brieftasche auf und wollte die Karte hineinschieben. Unschlüssig betrachtete ich das immer noch leuchtende Stückchen Papier. Da – hatte es sich nicht verändert? Anstelle von ‹NUR IN DRINGENDEN FÄLLEN› stand dort jetzt ein einziges Wort, heller leuchtend als der Rest: ‹GLÜCK!›

Das war sein Hochzeitsgeschenk für uns.

Im gleichen Moment streichelte ein sanfter, warmer Wind mein Gesicht, zauste mein Haar, und ein trudelndes Blatt von der Ulme klatschte gegen meine Wange.

Ich lachte vor Freude, ich warf den Kopf zurück und spähte durch die ausgreifende Krone der Ulme hinauf zu den Wolken, die träge über den Himmel zogen, ich schaute über das Mäuerchen des Gartens hinab auf die verstreuten Hausdächer im Wald. Noch einmal rauschte der Wind, und ein einsamer Vogel schwebte vorbei.

Ich spürte die Wahrheit in dem allem. Es war so einfach: Socrates war nicht gekommen, weil er nie fortgegangen war. Er hatte sich nur verwandelt. Er war die Ulme hoch über mir, er war die Wolken, er war der Vogel und der Wind. Sie alle würden jetzt meine Lehrer sein, meine Freunde.

Bevor ich wieder zu meiner Frau zurückkehrte, zu meinem Haus, meinen Freunden und meiner Zukunft, umfaßte ich mit den Augen noch einmal die ganze Welt um mich her. Socrates war *da*. Er war dies alles – überall.

* * *

Das Praxisbuch des friedvollen Kriegers

Dan Millman
Die Goldenen Regeln des friedvollen Kriegers

368 Seiten
ISBN 3-7787-7091-8

Ansata